国家出版基金项目
NATIONAL PUBLICATION FOUNDATION

《三联经典文库》

第二辑

2012 年国家出版基金项目

三联经典文库
179

列宁传

（苏）凯尔任采夫 著 企程 朔望 译

生活·讀書·新知 三联书店

图书在版编目(CIP)数据

列宁传 / (苏) 凯尔任采夫著；企程，朔望译. --北京：生活·读书·新知三联书店，2014.1
（三联经典文库第二辑）
ISBN 978-7-108-04685-7

Ⅰ. ①列… Ⅱ. ①凯… ②企… ③朔… Ⅲ. ①列宁，V.I.（1870～1924）－传记 Ⅳ. ①A732

中国版本图书馆CIP数据核字(2013)第252974号

179 列宁传

责任编辑	龚黔兰
封扉设计	蔡立国
责任印制	宋　家
出版发行	生活·读书·新知 三联书店 (北京市东城区美术馆东街22号)
邮　编	100010
经　销	新华书店
印　刷	北京鹏润伟业印刷有限公司
版　次	2014年1月北京第1版　2014年1月北京第1次印刷
开　本	787毫米×1092毫米 1/32　印张 16.75
字　数	238千字
定　价	61.00元

《三联经典文库》出版缘起

适逢生活·读书·新知三联书店八十华诞，为弘扬传统，接续文脉，回报读者，服务社会，我们决定策划出版《三联经典文库》。

1932年7月，生活书店在上海创办，此后，读书出版社和新知书店相继成立。本文库第一辑、第二辑所选图书，来自于这三家出版单位及其分支机构，以及1948年生活·读书·新知三联书店成立后的出版物，始于1932年，截至1951年，两辑各一百种。此为第二辑，涉及政治、经济、社会、军事、思想文化诸领域，涵盖专著、文集、散文、小说、诗歌、传记、报道等体裁，既有直面现实、追求真理、讴歌真善美、抨击假恶丑的原创作品，又有引介世界各国先进文化、传播新知、开启民智的迻译之作，真实记录了那一代知识分子的思考与探索、理想与愿景和对中华民族文化传承与创新所做出的努力与贡献。

本文库所辑入各书，多为名家名作，在版本方面，以初版一印本或经著译编者审定、修订、增订过的版本为首选，因此本文库又具有较为珍贵的版本价值和收藏价值。

本文库还将编选续辑，使之成为恢弘文化工程。诚挚希望读者给予批评和指正，帮助我们完善编选工作，再现三联经典作品之风采。殊为遗憾的是，由于年代久远，一些原著译编者及其后人未能取得联系并奉付稿酬，诚盼版权所有者与我们联系。祈愿三联前辈所创造的精神财富能薪火相传，为中华文化的伟大复兴增光添彩。

《三联经典文库》编辑委员会

2013 年 8 月

凡　例

一、本文库为重排本，由繁体字竖排版改为简体字横排版。

一、以忠实于原作、整旧如旧为编辑原则，对当时使用的专有名词、外文译名，以及民国时期的语言和特色予以保留。

一、原书注释如旧，编者所出的注释，均以“编者注”标明，以示与原书注释的区别。

一、对原书残缺或字迹漫漶之处，以□示代。

一、对繁简文本转换时的“如右”、“见左”一类，对应改为“如上（前）”、“见下（后）”。

一、对原书中各种错讹脱衍之处，直接订正，不再以其他符号标示。

一、对数字、标点符号的用法，在不损害原文语义的情况下，做必要的规范。

一、本文库各书均前插原书书影、原书版权页和文库版“本书出版说明”。

一、本书出版说明的撰写，以客观中立为原则，扼要介绍本书的内容、版本流转、著译编者的情况。

本书出版说明

本书是一部有关列宁生平及其革命斗争事业的普及性读物。全书以世界大战为界分为两部分，共二十三章；叙述了列宁为俄国和世界无产阶级革命事业战斗的一生；着重介绍了列宁为建立布尔什维克党，为反对沙皇制度、反对机会主义和修正主义而进行的斗争，同时介绍了列宁为建立和巩固无产阶级专政而进行的斗争。

列宁之所以成为革命伟人，与他所处的时代密切相关，同时他具备伟人的诸多素质：健康的体魄、坚强的意志、充沛的精力、无限的热情、崇高的责任心等，对一切工作都细心准备的作风是列宁终生的特征。这就是《列宁传》给予当今读者的启示。

本书由三联书店初版于1950年2月，此次出版即以此为底本。

苏联凯尔任采夫著，企程、朔望译，著译者情况不详。

生活·读书·新知三联书店

2013年8月

1950 年 2 月初版书影

181·T17·32K·P.395·$12.00

一九五〇年二月第一版
新華印刷廠承印
北京造 00001—10000 册

·總管理處·
北京西總布胡同二十九號
·各地分店·
北京王府井 上海南京路 瀋陽太原街 廣州漢民路
天津 濟南 西安 長沙 開封
香港 大連 哈爾濱 重慶 漢口

原书版权页

目 次

第二部

第一部

第一章　乌里亚诺夫的家庭

列宁于一八七〇年四月二十二日，生在伏尔加河边上的乌里亚诺夫斯克城（即以前的辛比尔斯克）。他的父亲，伊里亚·尼古拉也维奇·乌里亚诺夫，是公立学校的督学，出身在一个贫苦的下层中产阶级家庭，曾受过学校教育，他是一个生性坚强、工作勤奋的人，他把他的终身献给了公共教育事业。

列宁的母亲是一个内科医生的女儿。她长于外国语与音乐，读书极多。她待人接物周到而亲切，而又以赋有高强的毅力超群出众。

列宁的妹妹，M·乌里亚诺娃，对于他有如下的描写："在体格上，乌拉地米尔·伊里奇极像他的父亲。他承继了他父亲的身材，他的高颧骨，他的容貌，他的略带蒙古型的斜眼睛以及宽阔的前额。他有他父亲的活泼气质以及同样诚恳而动人的笑。他们有许多共通的特性和脾气——毅力、精力、把自己完全而又热衷地献身于工作的能力、最大的责任心、远大的民主的眼光以及对待别人的亲切。乌拉地米尔·伊里奇甚至承继了他父亲发 r 字母时所略带的喉音。”

乌拉地米尔·乌里亚诺夫在一个快乐的家庭里，在一种工作的气氛中长大起来。他的父亲是六十年代俄国民主派知识分子中的一个，这些人，虽然他们自己并不是革命者，对于为反对沙皇专制政治而斗争的人，尤其是对于乞尔尼谢夫斯基，却抱有极大的敬意。他们认为帮助民众，教他们读书写字，并给他们受教育，这些是他们的责任。不论冬与夏，不论什么天气，伊里亚·尼古拉也维奇总是巡行全县，组织学校的工作。列宁的姊姊，安娜·伊里尼奇娜说过：

> 他的孩子们，在他出去视察的时候常常有好几星期见不到他，他们在极小的时候就已经领悟到，事业高于一切，一切为事业而牺牲。他畅谈在他的活动范围里所已得到的进步，讲

到新的学校在乡村里涌现出来，讲到以此而引起对上（和当权的人物，和地主们）与对下（和民众的愚蒙和偏见）的斗争——这些都被他的孩子们热心地听了进去。

所有乌里亚诺夫家的孩子都成了革命者。

乌拉地米尔·乌里亚诺夫是一个壮健而血气旺盛的孩子，爱闹爱玩。五岁时，他母亲已经教他读书，而他也很喜欢读书。他一到了乡村里就尽心尽意地参加儿童游戏。就在这里，他第一次接触到了贫困的俄国农村。九岁时他进了高等学校，在那里，他是一个优秀的学生。他是一个聪慧的孩子，因此学业进步极快。他时时都准备帮助同学们的功课。

甚至在他的学生时代，他就以能够系统而周密地工作见称。把他写一篇作文的方法做一个例子。首先他起一个简单的大纲，在大纲里写下引言和结论；其次他拿张纸一折为二，在左面写上一个草稿，里面有配合着他的计划的各种数字和文字。在以后的几天里他再在纸的右面写上添加的、校正的和修改的文字以及从书上参考来的东西等等。然后他以这一个草稿为基础写出那篇作文来——往往起初是潦草的，然后再腾清一份。

这种对一切工作细心准备的作风成为列宁终身的特征。以后每写一篇报上的文章或作一次演讲，他总先起草一个简略的大纲。他准备写一本小册子或一本书的时候，他要起好几次草稿，每一次草稿总比前一次的更详细更精密。他用同样细心的方法整理各种引语、数字和材料。乌拉地米尔·乌里亚诺夫是花了极大的耐心培养必要的勤勉和工作能力的。

他的性格与思想是在俄国反动的黑暗时期形成的，那时专制已经把一切革命组织摧毁无遗了。沙皇的官吏、警察和宪兵横行全国。工人们为了一点菲薄的酬报不得不一天做十二小时到十四小时的工作。在农村里，地主是最高的权力者和主人，他们拥有最肥美的土地。三万个地主有七千万俄亩的土地，就是说，相等于一千〇五十万农户所有的土地。农民算是“自由”的，但实际上，他们完全隶属于地主而不得不替他们做工；此外，他们还负担着繁重的捐税。一切书报须受严格的检查。关于国内的真实情形的描写是被禁止的。

还只是一个小学生的时候，乌拉地米尔·乌里亚诺夫已经开始了解俄国的工人和农民是受着多么厉害的压迫。他受他哥哥的影响极大，他的哥哥亚历山大是一个意志极强、坚定、沉静而又爱思索的青年。亚历山大·乌里亚诺夫是一个卓越的学生，他准备从事于科学的研究。他是一个革命小团体的会员并且属于“民意党”这个组织的。亚历山大·乌里亚诺夫也在工人中间宣传；他研究过马克思的《资本论》，他大概是介乎“民意”派与马克思主义之间。

在一八八六年，乌拉地米尔·伊里奇丧失了他的父亲，这对于整个乌里亚诺夫家庭是一个严重的打击。那时候乌拉地米尔·伊里奇正在高等小学校的最后一年。在一八八七年，亚历山大·伊里奇以图暗杀沙皇亚历山大第三的罪名而被捕并处死刑。他哥哥的被杀给了乌拉地米尔·伊里奇以不可磨灭的印象。

自从亚历山大被捕并被处死刑以后，许多以前的亲友都对他的家庭疏远了，因为和一个革命者的家庭维持友好关系是很危险的。他哥哥的死加强了乌拉地米尔·伊里奇的革命倾向，但是他采取了一条和他哥哥不同的、跟专制政治作斗争的道路。

他哥哥的被杀使乌拉地米尔·伊里奇不得不考虑到他终身事业的问题。他知道得很清楚，应该跟它作斗争的敌人是专制政治、地主、资产阶级以及一切剥削者。他知道纯粹文化的、教育的工作（他的父亲就是终身从事于这工作的）不能够推翻剥削者，谋得人民的解放。不过他也知道采用恐怖手段也不能引到胜利而只会阻碍它。“民意”派的党徒们固然暗杀亚历山大第二得到了成功，但是第二个沙皇又取而代之。沙皇制度还是继续存在。许多高级的警宪官吏被杀死了，但这并没有摧毁沙皇、地主以及工厂主的政权。而最最重要的是，这种斗争的方法对于劳动群众的组织与他们的阶级意识的生长决不能有所帮助。相反的，它害了工作，因为革命党人的精力完全耗费在恐怖行动上了。它破坏了革命党人与群众间的联系，使革命党人以及全体人民对于和专制政治作斗争的任务与方法，养成了一种最错误的观念。

乌拉地米尔·伊里奇看到过他哥哥所有的马克思和恩格斯的著作，他就向它们请教，劳苦大众谋解放的革命斗争到底是应该怎样进行。

他热心地研究其他国家革命斗争的历史以及各民族过去反对专制政治与地主的斗争经验。

一八八七年秋天，乌拉地米尔·伊里奇进了喀山大学。在这里他结交了一部分有革命思想的学生。

在同年的十二月里，他参加了反对大学中警察制度的学生抗议大会。因此他被捕，被大学里开除而放逐到喀山附近的科库希金诺村。

后来，列宁曾提到他和那个在他被捕之后押送他的警官的谈话。

“小伙子，造反有什么好处呢？你不是在向一堵石墙撞击吗？”警官对他说。

“是的，但是这是一堵颓败的墙。踢它一脚它就会倒的。”列宁这样回答。

在科库希金诺，列宁仔细地观察了农民的情况，一年之后他才被准许回到喀山，可是大学里却不肯再收他了。列宁于是认真地从事于自修并且研究马克思主义，他在乡间度过了夏天，先是在科库希金诺，后来在萨玛拉县的阿拉卡也夫卡。

那时在喀山已经存在了一个马克思主义者的团体，

列宁就成了其中的一个活动分子。也就在喀山，列宁开始研读马克思的《资本论》第一卷。

关于这一时期的列宁，A·I·乌里亚诺娃一爱里柴洛娃有这样的描写：

> 我记得在夜晚，当我去和他闲谈的时候他总是满腔热忱地对我讲马克思学说的基础以及这学说所开辟的新境界。我记得，好像就在眼前一样，他坐在他房里堆满了报纸的炉子旁边，指手画脚地做着手势。他似乎显出一种极大的威信，这威信传播到每一个和他谈话的人。就在那时候，他已经能够用他的话使人信服并抓住别人。而当他学到一些新的东西的时候，他绝对不肯不和别人分享他的发现，不征求赞助者的。不久他在喀山找到了信徒，他们也都是一些研究马克思主义的有革命思想的青年人。

一八八九年，列宁移居于萨玛拉（即现在的库毕谢夫城）。他在那里所消磨的四年半的岁月正是他拼命读书的时候。列宁学了几种外国语，特别是德语，为的好读马克思、恩格斯的著作，这些著作的大部分，还没有译成俄文。

同时列宁还仔细地读了秘密的俄国革命书报，特别是社会民主主义的“劳动解放社”的出版物。这团体是由普列汉诺夫、阿克塞尔罗德以及其他的人在一八八三年在国外组织的。它在俄国进行着广泛的马克思主义宣传。

在萨马拉，列宁准备好了应国立大学的考试，在一八九一年他第一次旅行到首都圣彼得堡。他考得很出色，获得了文凭，因此他可以登记为初级律师。他的业务使他有了虽然菲薄却是独立的收入。

那时碰到他的人都大为惊异，他，一个二十一岁的年轻小伙子，竟能阅读德文、法文，懂得英文，已经精研了马克思的《资本论》，并且还熟读了马克思主义的书籍。

那时，列宁把马克思、恩格斯的“共产党宣言”从德文翻译了出来，这译本在萨马拉的革命青年之间流传了很久，在萨玛拉，列宁和A·斯克略连科、I·拉拉扬支已经组织了一个马克思主义小组。

在夏天，当他住在萨玛拉附近乡里的时候，他继续致力于研究。他自己在菩提树的丛林中做了一个荫蔽的窑洞，里面放着一张凳子、一张台子。一吃过早饭，他就带了一大堆书到那里去，一直工作到三点钟——吃午饭的时候为止。

吃罢午饭，他又带了几本社会问题的书，仍旧到原来的地方去。在晚上，作了一次散步和游泳以后，列宁再拿一本书坐在走廊里，在一张放着灯的台子旁边，乌里亚诺夫的全家也都聚集在走廊里。在他空闲的时候，在吃午饭或散步的时候，他兴奋地和别人谈天讲笑话，以他的欢笑与活泼感染着每一个人。

列宁懂得怎样工作以及怎样休息。除了作长时间的散步以外，他还作种种运动。在园地中他所占据的角落里近台子的地方，他建立了一个杠子，在两根直柱子上放一根横木，有七英尺高。在这里他经常做着运动。

他的另外一种嗜好是下棋。只有八九岁的时候他就已开始和父亲下棋了。他玩的时候也很认真，要求严格遵守规则：不准后悔——下了一子就算数。赢棋倒不及斗争的紧张和逃出难境的能力使他感到兴趣。他只有在晚上或午饭以后才下棋，上午总是完全消磨在认真地读书上的。

自己是一个勤恳的人，列宁也常常乐于帮助别人。他帮助他的同志们学习，帮助他的妹妹玛丽亚学习语言。不过他坚持她要尽可能地独立工作，只有在特别困难的场合才依赖于外来的帮助。在他帮助他妹妹预备她的功课时，他要她认真地去做这工作，依照一定的计划去做，并且叫她把做得匆促而马虎的工作重新做过。

在他住在喀山和萨玛拉的时期，列宁把马克思主义创立者的著作作了一番彻底的研究，使他自己有一种准备去参加革命的斗争。渐渐地他把握了马克思主义的方法，而后来他能够使马克思主义更向前发展并且把它运用于一个新的历史环境。列宁继续了马克思的伟大工作。

后来，列宁在解释马克思和恩格斯学说的要义的时候，写道："马克思和恩格斯的伟大的历史的功劳是在于：他们给各国无产阶级指示出了他们的作用、他们的任务、他们的使命，就是，他们要首先起来参加反对资本家的革命斗争。并且把一切劳苦的与被剥削的群众在这斗争中团结在他们的周围。”

马克思在他主要的著作（《共产党宣言》和《资本论》）里指出，资本主义社会的基本力量是资产阶级与无产阶级。资产阶级是资本主义社会的统治阶级、剥削者的阶级。无产阶级，资本主义中最受压迫的阶级，是资本主义的掘墓人，它是能够摧毁资本主义社会而创造一种新的社会主义社会的唯一力量。

马克思透辟地解释并且证明：无产阶级正是社会主义社会的创造者，在不屈不挠的阶级斗争过程中，无产阶级将推翻资产阶级的政权而建立起它自己的专政来。无产阶级专政的学说是马克思学说中的基本点。

无产阶级专政是工人阶级无限的权力。我国的无产阶级用了这权力扫除了剥削阶级——地主与资产阶级，摧毁了阶级社会，建立了社会主义的社会。

马克思的著作是列宁正准备要做的理论的和实践的革命工作中的基石。

马克思所讲的无产阶级胜利的道路指示出了，俄国无产阶级的革命斗争也应该走怎样的道路。除了研究马克思的著作和革命运动以外，列宁还得使自己通晓俄国经济发展的特殊条件。

列宁仔细地研究了那时候俄国的经济情形，以及俄国和国外工人阶级生活与斗争的情况。他使自己准备好从事于无产阶级中的实际工作。并且从事于组织劳动民众以推翻专制政治和资本主义。

在萨玛拉，他在仔细研究统计材料的基础上，他写了他第一本的科学著作——讲俄国农民状况的著作。在这篇论文里，他指出资本主义已经侵入了俄国的农业，农民已经分化成为不同的阶级，已经不是像民粹派所说教的那样的整然一体了；他指出富农怎样剥削了贫农以及一部分中农。

列宁关于农民的知识，不仅是从统计的和经济的书本上得来，而且是从直接观察农民的生活得来。夏天住在萨玛拉附近的乡村里使他在这方面得到极大的帮助。列宁不仅细密地观察各阶层农民中的生活状况，而且常常和农民谈话，向他们提出问题，仔细地听他们所说的话。

在同一时期，列宁又熟识了马克思主义反对者的著作——九十年代民粹派的著作，并且不止一次地在研究团体上在会议上猛烈地抨击他们的见解。

在那几年里，在萨玛拉碰到过列宁的人这样描写他："一个小个子的青年，但是体格结实，有一张新鲜而红润的脸庞，一点儿初长的胡髭，一小簇红须，以及略带鬈曲的红色头发。他看样子没有过二十三岁。最最惹人注意的是他那有着宽而且白的前额的大头。他的略嫌细小的眼睛似乎老是眯着的，他的眼光总是严肃的、沉思的、凝固的，一个略带讥刺的微笑挂在他的薄薄的嘴唇上。"

即使在那早期的几年里，列宁对于一切和他接触的人已经发生了一种磁石般的感应力。人们和他谈过话以后总感到一种异样欢乐的兴奋。

列宁的兴味和生活的乐趣是极圆滑而又很简单地配合起来的。他的精深的马克思主义修养和他的坚定的自信力配合在一起，战斗的革命热情又和推理的逻辑一致以及和表现力之明晰清楚相配合。

在萨玛拉，列宁已经断然发展成一个马克思主义的革命家了。他已经发现了他一生的目标。

但是在萨玛拉没有做革命工作的机会。那里差不多没有无产阶级，没有大学，列宁渴望到革命中心、大工业中心去。他决定移居到圣彼得堡去。

他想在一八九二年到那里去，而显然为了他母亲的缘故再在萨玛拉留一年。那时，乌里亚诺夫家里才遭到了一个新的打击。列宁的妹妹奥尔加，一个有杰出才能的优秀女孩子，害肠窒扶斯死了。她的死对于她母亲是一个重大的打击。只有她儿女在她身旁才能减轻她的悲哀，因此列宁决定在萨玛拉再耽搁一个较长的时期。

第二章　和劳动群众在一起

在一八九三年秋天，列宁到了圣彼得堡。那时候他二十三岁。沙皇，经过他的省长、警察和宪兵，从圣彼得堡统治着俄罗斯全国。许多大工厂都集中在那里。在那时，圣彼得堡的工人因为他们的阶级意识和文化教养而高出于其他的俄国无产者。那里有好些秘密的革命工人小组。在圣彼得堡，作坊和工厂的罢工以及工人骚动是经常发生的事情。

在那个时候，俄国的工业无产阶级约有二百万人。最大多数工人是在几个大工业中心：圣彼得堡、莫斯科、伊凡诺夫——伏兹尼辛斯克、巴库、顿巴斯等等。

甚至在黑暗的八十年代以及九十年代的初期，在乡村里什么革命运动都没有的时候，在城市里已经不时发生罢工，这些罢工有时包括大部分的工人（例如一八八五年奥勒浩伏——茹也伏地方莫罗索伏工厂的罢工）。在有些城市里存在着革命的社会民主派的小组（布拉哥也夫的、布罗斯辽夫的、费多舍也夫的小组等等）。

十九世纪的最后十年在俄国历史上，是以工业的迅速发展著称的，煤、煤油、铣铁、钢以及纺织品和生产有了大量的增加。工业的勃兴（这在这十年中的后半期尤为显著）刺激了工人罢工运动的生长。

一到圣彼得堡，列宁就和在工人间做宣传的当地秘密的马克思主义小组取得了联系，首先是和所谓“老年派”（先进前辈）联络，在这些人中间有S·拉德青哥、G·格拉辛、G·克尔日尚诺夫斯基以及其他。

凡是在那几年里认识他的同志都能证明这年青的列宁在圣彼得堡的秘密马克思主义小组里所给人的深刻印象。

他以他的博学、他的革命热忱以及对于工人阶级事业的高度献身精神使每一个人感到惊异。他带着不倦的精力与青年人的锐气投身于革命工作，而立刻就站到了最前线，成了工人运动的领袖。

甚至在这早期的几年里，列宁已经强调对工人阶级的一切敌人有进行无情斗争的必要，有不作任何让步的必要。他力说能够冷静地清楚地观察事物的重要，以便能把革命斗争的基础放在群众的真实力量上。

列宁认识了革命小组里所有的领导人物，密切地观察他们，从他们之间挑选出将来的亲信同志以及党的建造者来，训练他们并团结他们在一个伟大任务的周围，就是：无产阶级解放的斗争。

在这些列宁最初的同志之中包括有在后来许多年中和我们党的生命与斗争生死相共的人物（克尔日尚诺夫斯基、克拉辛、克鲁普斯卡亚、巴布希金、瓦涅也夫以及其他）。在一八九三——九四年的冬天，列宁开始发表演讲，以便建立一个马克思信徒的基本核心。在演讲之后有讨论，这些讨论很快就揭露出哪些人是动摇的，哪些人是想反驳马克思的或者把他们的“修正”引到他的学说里去的。在这以演讲为中心而展开的理论斗争中，列宁甄别了他的朋友与敌人，开始集合了一群战斗的同志。

他的第一篇演说《论市场》表示出了他是以一个多么伟大的革命家和马克思主义的权威出现于圣彼得堡

的。在这篇讲演里，他指出了正在生长中的俄国资本主义的矛盾。并且指出，无产阶级革命家的基本任务是在俄国建立起一个有组织的工人运动来。

在一八九三年十二月，列宁在莫斯科耽搁了几个星期，那时他的家庭也在那里。

在他住在莫斯科的时期，列宁起来反对民粹派的领袖伏隆佐夫。这事发生在一个集会上，到会的大多是民粹派人物，由伏隆佐夫出席演讲。在他演讲的时候，列宁就插进了一些尖刻的话语，这些话大大地激怒了民粹派。演讲完毕他就登台发表他的反对意见。这位年青马克思主义者的演讲的感人的说服力，它的科学的论据，它所根据的各种统计的材料，给了每一个到会的人以极深刻的印象。

列宁这些演讲对于革命理论与马克思主义的实践有这样大的影响，甚至在好多年以后，不论是布尔塞维克主义的敌人或信徒常常引用列宁这些演讲，把它们作为一种炽烈的战斗性、真正科学的训练以及健全的革命马克思主义的典范。

三十年以后，克尔日尚诺夫斯基写过这样的话：“列宁在一八九三年在圣彼得堡所最初发表的几篇演讲，使我们发生了一种不可抗拒的印象。我们之中没有一个人能像他那么懂得怎样把精深的马克思主义知识应用到俄国经济问题上去，在当时我们大家都为这些问题所困惑。我们之中没有一个人像他那样，对可供我们研究俄国经济情形的方法以及包含在地方自治会统计中的丰富材料都很熟悉。在他对于各种阶级力量的分析之广博与深刻上，我们中也没有人能比得上他。”

在革命小组中以列宁演讲为中心所做的讨论有特别的重要性，因为他们不仅仅是对于时事问题的论辩和谈论，而且是列宁为了训练革命家——将来党的领导人而组织的思想斗争。

列宁有一个想得很好的策略和有组织的计划：首先在理论与实践上考验圣彼得堡革命小组的会员们，然后建立一个起领导作用的小组，用它来在群众中间进行广泛的革命工作。列宁毅然决然地向着他的目标迈进。

列宁并且在秘密的出版物上进行打击民粹主义的斗争。他那篇《什么是“人民之友”以及他们怎样反对社会民主党》的文章被秘密小组的会员们抄了下来并且油印了出来。

这是许多非法出版的列宁著作中的第一种。甚至在它用油印翻印出来以前好久，那些用列宁的细小而精晰的字体写成的笨重的抄写簿已经争相传看，引起了热烈的论辩与激烈的答辩。G·克尔日尚诺夫斯基说："我们大家觉得多么骄傲啊，这样一个人竟走进了我们的队伍里来。"

《什么是"人民之友"》一书，直到二十五年后，才正式出版（第二部分不在内，而且至今都没有见到）。这一著作显示着，列宁能以其如何伟大的天才，将马克思的学说，应用到俄国的实际情形中去，以及他如何预见地看到未来到达无产阶级胜利的道路。

《什么是"人民之友"》一书是对民粹派第一次重要的进攻。列宁认为必须向民粹派的理论开头刀，因为它正是用极端敌视马克思主义的态度挡住工人运动的道路并且妨碍无产阶级政党成立的一种理论。

什么是民粹派的理论呢？他们认为俄国没有资本主义，而且俄国也不会依照资本主义的路线而发展；工人只占俄国人民的一小部分，所以不是革命战士的先锋队。他们说俄国可能避免资本主义发展的道路，社会主义可以直接从俄国的农业社会里生长出来。他们说农民公社将成为社会主义的基础；他们否认农民中阶级分化的存在。他们把农民运动看做是全然社会主义性的。民粹派认为“俄国未来的主人翁就是农民”。工人运动使民粹派惊惶失措。他们起来反对工人阶级的阶级斗争。民粹主义是一种典型的小资产阶级理论，代表着富有的农民的利益。它是马克思主义势不两立的敌人。

列宁和其他马克思主义者向民粹派这种含有毒素的理论作了坚决的斗争。列宁说：“俄国未来的主人翁是工人……俄国工人是俄国全体劳动和被剥削人民的唯一的天然代表。”

列宁指出在俄国已经有了资本主义的存在，而只有在社会民主党领导之下的工人阶级才能推翻它。

他的[1]工作条件、他所生活的环境，把他组织起来，迫得他去想，并且使他踏上了政治斗争的舞台。

[1] 指工人。——译者注

工厂工人是俄国整个被剥削人民（包括农民在内）的代表。他是被压迫者在革命斗争中天然的代表。他将和资本主义作坚决的斗争。

这样，列宁渐渐地揭穿了民粹派的理论，使它遭受尖锐的批评，并且用马克思的学说来反对它。

民粹派的学说以前从没有受过这样无情的以及无可反驳的批评。因此，在俄国，马克思主义在和民粹主义的斗争中锻炼起来了。在《什么是“人民之友”》的抄写簿的最后一段里，列宁用了这样先知的话作了结论：

> ……俄国的工人将站在**一切民主分子之前，推翻专制制度并且领导俄国的**无产阶级（和各国的无产阶级一同）踏着公开政治斗争的大道走向胜利的共产主义革命。

这里已经产生了资产阶级民主革命转变到社会主义革命的思想。

列宁这些“抄写簿”对于参加俄国革命运动的人都有极大的影响。他们提供了一个有力的理论的论证以拥护马克思主义而反对民粹派的小资产阶级的学说。它们指示出了应当怎样进行无产阶级的斗争。

不过，民粹派并不是马克思主义唯一的敌人。马克思主义也有某些“朋友”，这些“朋友”是工人运动应该加以抛弃的。有一个由司特鲁威领导的所谓“合法马克思主义者”的团体，他们自称为马克思主义者，他们反对民粹派（虽然并不是坚决地），但同时也曲解马克思主义，去掉了它革命的内容。

在他跟民粹派的理论斗争中，司特鲁威也指出俄国有资本主义存在，而且它是在发展着。但是当他跟在马克思主义者后面承认俄国资本主义发展的不可避免时，司特鲁威把资本主义描绘成灿烂的颜色而否认了它崩溃的必然性。司特鲁威关于争取社会主义的斗争并没有作什么结论，他和革命的工人运动离得远远地。他叫民粹派和马克思主义者“去向资本主义学习。”因此司特鲁威表示他自己只是一个资本家的帮凶，起初，他隐藏了并且用了一切革命的词句改装了他的资产阶级的思想，但是列宁立刻就看透了他。

在研究小组里，列宁严厉地攻击司特鲁威。在一个司特鲁威也参加的辩论会上，列宁说司特鲁威的理论是“马克思主义在资产阶级文书中的反映”。

后来列宁在他的重要著作《民粹主义的经济内容以及司特鲁威先生在书中对它的批评》里揭露了所谓“合法马克思主义”的资产阶级的本质。

司特鲁威不久就成了自由派的领袖，也就是希望限制沙皇的权力到必要的程度以加强资产阶级地位、但是很害怕无产阶级强大起来的那部分资产阶级的领袖。在第一次革命失败之后，自由派就向沙皇屈膝。在苏维埃政权建立起来以后，司特鲁威与他的徒众走到了保皇党和反革命派的阵营里去；他们成了苏维埃政权的强暴敌人。

列宁严厉地攻击司特鲁威，因为他曲解和“修正”马克思主义。列宁知道司特鲁威不是一个马克思主义者，而只是一个资产阶级的拥护者，资产阶级竭力想把工人运动放在资产阶级的影响之下。

列宁对司特鲁威的批评，是在他还很年青的时候做的，这由于下面的事实，而更显得了不起，就是甚至像普列汉诺夫（俄国第一个马克思组织“劳动解放社”的创立者）那样的人竟也没有对司特鲁威立即采取正确的态度。在这问题上列宁和普列汉诺夫之间发生了初次的意见分歧。而这些意见的分歧后来证明并不是偶然的。在这里，普列汉诺夫将来的机会主义，和列宁的坚毅的马克思主义与真正的无产阶级的革命主义已经表现了出来。

后来在一九〇七年，列宁写道："……那旧的在许多方面看来已经过了时的跟司特鲁威的论争供给了一个有教训的例子，表示出不妥协的理论斗争的实际政治意义。革命的社会民主党因为太勤于和经济主义者、伯因斯坦派以及孟塞维克作这种论争而受到无数次的责难……站在这观点上来看一看十年以前的情形是很有用的，甚至在那时候已经表现了怎样的和'司特鲁威主义'在理论上的差异，而从怎样细微的（初看起来是细微的）差异中产生了的完全的政治分界线……"

在一八九四年春天，列宁开始在圣彼得堡工人中进行广泛的宣传。他在研究小组中进行工作；此外他对更优秀的工人施行特别的教育，训练他们成为革命运动和工人政党的未来的组织者与领导人。

在研究小组中列宁把理论和实践联系起来。他向工人们诵读并且解释《资本论》以及别的马克思著作。然后他总是向他们问他们的工作、他们的工作条件，并且解释给他们听，怎样能够改变现在的社会制度。

他从工人阶级的生活中引用例子，说明工人们唯一的道路是组织一个无产阶级政党，并且进行革命的斗争以反对沙皇和资本家。一个叫巴布希金的杰出的工人革命家，他是参加列宁的小组的，曾经讲过列宁怎样宣传马克思主义的情形。

那位演讲者不带什么笔记，随口把这种科学讲给我们听。他常常要挑动我们发言或引起我们讨论，然后他会促使我们更进一步，强迫某一个人把他对某一个问题的正确观点讲给别人听。因此我们的演讲会变得很生动与有趣味，而我们也开始弄惯了在大庭广众之间说话了。这种研究方法成了一种使研究者弄清楚某一问题的好方法。我们大家都很喜欢这些演讲，讲演者的才智常常使我们感到兴奋，我们一直说笑话，过度的用脑力使他的头发都脱了。同时，这些演讲使我们得到做独立的工作以及寻找材料的训练。那个讲演者往往交给我们一张写着许多问题的表格，回答这些问题需要我们自己对于工厂和作场中的生活有深刻的知识和观察。

在列宁以前，宣传只限于小规模的工人研究小组。到了列宁，才有了改变，根据了群众的日常经济要求而在群众中做广泛的宣传鼓动。把工人的艰难的物质条件作为具体的说明，列宁把工人阶级教育了、并且组织了起来以和专制政治作斗争。由于列宁的提议，成立了一个中心的领导组织，因此一切工作就在一种更有组织的形式之下进行起来。这个组织的分子分派在各区。除了列宁以外，这个组织包括了克尔日尚诺夫斯基、马尔托夫、瓦涅也夫以及其他的人。

克尔日尚诺夫斯基和L·克拉辛、G·克拉辛两弟兄一样，那时是技术专门学校的学生。

瓦涅也夫——后来死在放逐的时期内，是一个诚实的真正革命家的模范，他一心一意地献身于无产阶级解放的事业。

克拉辛两兄弟之一的莱翁尼德，后来是我们党中央委员会的委员，他在一九〇五年革命时候，在供给工人以武器以及组织秘密工作中的技术工作这两点上尽了很大的力量。在苏维埃政府中他担任过铁道人民委员长、驻美大使，以及国外贸易人民委员长。

工人巴布希金和萧尔古诺夫后来都站在党的前列。巴布希金在一九〇五年革命的时候为沙皇的子弹所杀死。

其他许多的布尔塞维克都是列宁在他革命工作的开头几年中训练和教育起来的。

列宁并不限于仅仅在工人中做些口头的宣传。列宁想法子向更广大的人民说话。警署的条例是禁止集会或举行群众大会的，所以列宁就用了出版秘密书报的办法。

他写了好几种传单，告诉工人们怎样进行斗争。在一八九五年初，他写了第一张传单，是关于赛姆耶尼科夫工厂的纠纷的。这张传单对于接受这传单的该厂工人发生了强烈的印象。

列宁写了一本讨论对工人罚金问题的小册子叫《论罚金》。这本小册子是在秘密印刷所里印的，它解释给工人们听，沙皇和厂主们怎样剥削了无产阶级，并且号召他们团结起来为反对政府与厂主们而斗争。

列宁指出来，工人们对于厂主们的斗争不可避免地使工人们注意到国家的问题，注意到政治问题。他说，每一次厂内的冲突，不可避免地引起工人和法律以及政府代表的冲突。在这种斗争中无产阶级开始领悟了它自身的利益。

工人的政党应该激发并且发展工人中的阶级意识，在他们争取日常要求的斗争中帮助他们，指示他们为争取无产阶级专政、争取社会主义而斗争的必要。工人的政党应该向工人们解释，他们在国家中所占的地位，以及他们作为反对一切剥削方式的战士的任务。

这由列宁以及他所领导的组织在圣彼得堡无产阶级中所进行的革命工作，使秘密的工人小组在数量上大为增加。这个圣彼得堡的那时叫作“社会民主派小组”的团体不久就成了“争取工人阶级解放斗争同盟”。

这是列宁第一次尝试要建立一个新式的党——一个战斗的无产阶级政党，这个党和西欧的社会民主党不同，是把用革命来推翻现存的社会制度作为它的基本任务的。

列宁一方面小心谨慎地挑选和集合圣彼得堡的革命力量，一方面无情地固执地跟一切机会主义错误和马克思主义的歪曲作斗争。而这些机会主义错误和马克思主义的歪曲正是很多的。

有些人拟了一个计划，说要筹措一笔不和社会民主派（就是说不和革命的马克思主义者）发生关系的工人福利基金，这基金会使工人们围绕着他们的经济要求而团结起来。这就是经济主义的萌芽，它结果所趋必至使工人们离开了革命的政治斗争。列宁坚决地反对这个计划，结果它到底被放弃了。

列宁和马尔托夫有意见上的分歧，马尔托夫没有了解列宁认为必须成立一个工人政党这意见的真正重要，并且也不能够对司特鲁威和未来的经济主义者采取一种批判的态度。

因此，即使在工人政党刚刚形成的时候，列宁已经进行一个顽强的斗争以反对那些企图把工人阶级运动放在资产阶级影响之下的机会主义者。

在一八九五年春天，列宁患了极严重的肺炎。病好后他到外国去，这是他第一次出国。在他生病以前列宁就已经计划好了这次旅行。他到国外去的目的是：去和那里的革命者建立关系，去研究俄国所得不到的革命的马克思主义文献，去认识一下国外的工人阶级运动以及它的领导者们。他在瑞士、巴黎和柏林差不多耽搁了四个月。

在国外的时候他碰到了普列汉诺夫以及其他“劳动解放社”的社员们。以前的俄国民粹派组织认为社会主义将从农村公社中生长出来，所以把它们大部分的注意力贡献于农民中的革命工作。只有少数的工人阶级组织，像在哈尔吐林与奥布诺尔斯基领导下的南俄工人联合会（一八七五年）和北俄工人联合会（一八七八年）才认为工人阶级是一种革命的力量并且指出工人必须为争取政治上的自由而斗争。但是它们都不是马克思主义的组织。只有社会民主派的“劳动解放社”根据了马克思的学说指示出，工人阶级是推翻专制政治并且为反对资本主义和争取社会主义而斗争的主要力量。

这个开发了俄国社会民主势力的团体，对于在八十年代涌现起来的马克思主义小组发生了极大的影响。它跟“民意派”作斗争，并且帮助传播马克思与恩格斯的著作于俄国。可是它的社员都住在国外，跟俄国的社会民主派隔离得很远，也没有方法进行广泛的活动。

列宁去和“劳动解放社”的社员会面的目的就是要在这个团体和俄国团体之间建立一种关系。列宁，作为俄国同志的代表，答应在经济上帮助它，使它能够出版那个给党干部看的期刊《工人》以及其他通俗书报。

列宁的来到，给国外团体里的人员一个极强烈的印象。他们觉得他是那些和俄国工人阶级运动紧密地联系着的马克思主义革命家新的一代的代表。“劳动解放社”社员之一的P·阿克赛尔罗德（他后来成了孟塞维克）在许多年以后这样写道：

> 和列宁的那几次谈话在我实在是桩乐事。至今回忆起来，我还认为是“劳动解放社”生活中最快乐最光辉的时候。

这些谈话也极清楚地显示了列宁和普列汉诺夫以及其他的人之间某种意见上的分歧。普列汉诺夫告诉列宁，说他背脊朝向自由主义派，而他们“劳动解放社”是用面孔朝向他们的。普列汉诺夫用这些话暗示出他责备列宁对司特鲁威这班人的打击太过分了。

列宁和普列汉诺夫、阿克赛尔罗德以及其他“劳动解放社”的社员们不同，在九十年代的中叶已经清楚地看出，工人阶级在反对专制政治的斗争中所负的单独任务以及俄国资产阶级在这斗争中的冷淡和胆怯。

在国外的时候，列宁认识了法国和德国工人阶级的领导者，他参加工人的集会和工人俱乐部，并且到图书馆去做研究工作。

在一八九五年的夏天列宁回到了圣彼得堡。他带回了一只夹的提箱，里面装了在国外出版的俄文的非法书报。在过境的时候，宪兵拍拍那夹的；列宁想他的秘密要被发现而将要被捕了，但是一切事情却顺利地过去。

回到俄国以后，列宁跑了不少城市（莫斯科、维尔那、奥勒浩伏——茹也伏），和那里的革命分子取得了联络。

他对于圣彼得堡的社会民主派已经认识得很清楚；他现在的目的是要和其他城市的马克思主义革命家更熟识起来，挑出那些最好的，亲自去测验他们并且争取他们到他这一边来。他在集合俄国革命分子中的领导力量以准备出版一张报纸，并且把分散的马克思主义小组统一为一个工人的政党。

在一八九五年的秋天与冬天，在圣彼得堡开始了一个工人阶级运动的高潮。一种不稳的浪潮席卷了工人们，罢工在普梯洛夫工厂、桑顿与拉斐尔咪工厂、鞋厂以及别的工厂里爆发了起来。

以列宁为首的“工人阶级解放斗争同盟”活跃地领导着工人们的这次斗争。它也同样活跃地领导其他圣彼得堡工厂里工人的斗争，想把这些散漫的罢工转变为一个整个工人阶级反对剥削者的有组织的斗争。

在这几个月里，列宁仍旧继续他在研究小组里的工作。他几乎每天到工人区去，领导四个工人的研究小组并且和个别的工人保持联系。他还筹划出版一张秘密的社会民主派的报纸《工人的事业》，并且替第一期撰写所有的主要文章。

但是沙皇警察早已准备逮捕列宁与联盟的其他领导人，他们经常被侦探们所盯梢。

在一八九五年十二月二十日的晚上，列宁和他的好些同志都被捕了。圣彼得堡社会民主派的整个领导机关“垮台”了。宪兵没收了那准备付印的第一期《工人的事业》。

参加秘密小组的工人们发出了一张关于列宁与他的同志被捕的传单，这张传单在内容上是完全政治性的。显然，他们跟列宁的研究并没有浪费。

在一个月之内，这斗争同盟的其他盟员也被捕了，但是圣彼得堡无产阶级的斗争还是在进行；同盟的工作已经种下了深根。革命运动不是逮捕所能破坏的。

列宁在监狱里继续殚精竭虑地做他的革命工作。甚至在这里，被关闭在一个狭窄的狱室里，列宁做什么事还是井然有条不紊。他一被捕，就立即想出了一个计划，利用他的监禁期间从事于研究工作，并且指挥无产阶级的革命斗争。

在拘留所里的时候，列宁专心致力于研究工作。这监狱里有一个由革命的囚徒和他们的朋友所建立起来的很丰富而又很广博的图书馆。除此以外，囚徒们还被准许从“外面”得到书籍杂志，因此列宁可以利用圣彼得堡所有的重要图书馆。一大堆一大堆的书给他送到监牢里来。从早到夜他坐着研究统计的书籍以及关于经济的大卷著作；他是在准备他那本伟大的著作《俄国资本主义的发展》。在这时期他继续努力于建党的工作，他写下了第一个党纲草案。这纲领后来又加以增补，重新起草过好几次，以后就成了布尔塞维克党纲所根据的主要文件。他并且写了一本小册子《论罢工》以及好些秘密出版的传单。

同时，他和狱中以及外面的同志们热烈地通信，提高他们的革命精神并且继续他团结党的力量的工作。

囚徒们要跟外界通信得用各种计策。列宁常常把他的信用牛奶写在要还出去的书本的字里行间。只要一烘，写的字就变黑，信也就可以看出来了。

为了避免在写的时候被发现起见，列宁总是把面包做成小的墨水瓶，在里面放着牛奶。当看守一开门，列宁就立刻吞下那墨水瓶。“今天我吃了六个墨水瓶”，他有一次在信的附白里写着。

列宁在监牢里把时间分配得很严格。他用冷水擦身，经常锻炼身体，并且按照严格的程序阅读各种书籍。后来，列宁写信给他家里问起他的在监牢里的情形的弟弟，列宁说：

> 首先，他是否注意到监牢里的饭食？大概他没有。而这在我认为是很重要的。其次，他是否运动？大概又没有。而这又是很重要的。至少从我自己的经验里我可以说，我每天在睡觉之前运动一下身体，使我得到很大的乐趣与益处，运动之后你的身体可以发热到这样厉害，甚至在最冷的天气你也可以感到温暖，在监房里虽然很冷，你却可以一直睡得很好。

当他的妹妹玛丽亚·伊里尼奇娜以及他长姊的丈夫M·爱里柴洛夫在监牢里的时候，列宁写信给他们，告诉他们在“孤独”中保持常态的重要，并且给了他们好些根据他自己的监牢经验的若干实际指示，关于智力劳动，他特别推荐翻译：先是译成俄文，然后又译回原来的外国文。他附加说："我自己的经验证明这是学一种语文的最合理的方法。"

关于有系统的工作，列宁写道："我还要劝你们把你们的研究时间按照所要看的书而这样分配：使阅读的题材有所变化。我记得很清楚，阅读或工作对象的变换——从翻译换到读书，从写作换到运动，从硬性读物换到小说——对于我有极大的帮助。"

他用这样的话来结束了他的信："在晚上，吃过饭以后，为了舒畅一下精神，我记得经常要读一点小说，而我从没有在别的地方能像在监狱里那样欣赏小说。但是主要的是别忘了你每天的运动，并且要把每种运动多做几次（不要中断）。"

严格分配他的时间并且严格遵守日程表，列宁在监牢里继续为了革命的事业而不屈不挠地工作。即使在监栅的后面他还是照旧充满着精力并且兴致很高。他的母亲常说："在监牢里他的健康有了进步，他变得特别高兴了。"

列宁在沙皇的监牢里还是很高兴，因为他坚决地相信工人阶级一定能够胜利。他知道在他的监牢的墙外，在圣彼得堡的郊外，无产阶级正进行着波浪汹涌的革命罢工。

在一八九六年春天，正当那些地主、资产阶级以及一切沙皇的从仆们庆祝尼古拉第二的加冕典礼时，圣彼得堡的工人们在巴黎公社（第一次的无产阶级专政）二十五周年纪念的时候向法国的工人们致敬。也就在这期间，圣彼得堡的三万个纺织工人罢了工。在罢工期间发现了二十五种革命的传单，有几种是列宁在监牢里写的。“争取工人阶级解放斗争同盟”尽了很大的力量。

在莫斯科的纺织工人中也发生了狂风暴雨般的罢工。罢工的原因之一是工人们要求举行加冕典礼那几天照付工资，那几天各工厂是奉了警署的命令停工的。所有这些罢工，可以说是第一次革命时代的先驱者，它们使革命运动激荡于全国并且震惊了沙皇政府。尼古拉第二好几次把他从南方回到京城的归期展缓，就是因为发生了这些罢工。

在列宁领导之下所建立起来的圣彼得堡工人的组织就是将来布尔塞维克党的胚胎。列宁在反对一切形式的机会主义的斗争中建立了这个组织。他训练工人们对于专制政治与资本主义给以坚决的打击。

一个庞大的工人阶级的社会民主组织的形成是一个伟大的革命的成果。成千的工人从这群众组织与斗争的经验里学到了很多，列宁本人也从这里得到了教训。

在他耽搁在圣彼得堡的几年里，列宁选择了第一等的人物作为将来党的领导干部。他所做的还不止此，他还教育与培养了他们，增进了他们的马克思主义知识和他们的革命情绪，激发了他们的战斗精神，并在极艰难困苦的时期帮助了他们。

在这几年里列宁给了马克思主义的敌人——民粹派、“合法马克思主义者”以及各色各样的机会主义者一个致命的打击。在那为拥护马克思学说以及把它们应用于俄国的斗争的理论战线上，他得到了很多次胜利。

列宁表现出他是马克思、恩格斯的学说和工作的直接的逻辑的后继者与承继人。

第三章　西伯利亚的放逐

一八九七年二月，在沙皇的监牢里过了十四个月以后，列宁被判在警察监视之下放逐东西伯利亚三年。他计划好在到戍地去以前在圣彼得堡和莫斯科耽搁几天。他会见了革命的社会民主小组里的会员，参加了一个国内政治形势的讨论，他热烈地攻击某些同志放弃革命的政治斗争的企图。当列宁在监牢的时候，某些机会主义的倾向——特别是那种主张把革命工作完全局限于经济斗争的倾向——在一部分社会民主派之间显然增长了起来。在他释放之后最初和同志们见面的时候，他就攻击这些倾向。

列宁被放逐到米奴辛斯克的舒辛斯科野村。

在到舒辛斯科野的路上，他设法在克拉斯诺耶尔斯克停下来。他尽可能地延长他到辽远的戍地去的路程，竭力地要利用城市里的一切便利。他到当地的图书馆去研究，和那里的放逐者相结识，会见了从克拉斯诺耶尔斯克放逐到西伯利亚各地的革命伙伴。

这里他也遇见了关在克拉斯诺耶尔斯克监牢里的费多舍也夫（他在那里等着被押送到西伯利亚的别一部分去）。他们两个人的会见是这样布置的：有几个从克拉斯诺耶尔斯克监狱里放出来向戍地进发的同志忘记了带走他们的东西，因此第二天驱车回监狱去拿东西，这车子就由列宁乔装为车夫所驾驶。护兵一点也不疑心地让列宁进了监狱。

在发还犯人们的东西的地方，被放逐的犯人们要求见一见那个政治犯的"老大"，费多舍也夫。在东西装上车的时候，列宁想法和他谈了一下。

在他给他妹妹的信里，列宁对于舒辛斯科野村（他开玩笑地叫他"舒—舒—舒"）有这样的描写：

> 这是一个大村子，正像我们意料中一样，有几条很肮脏的污秽满地的街道。它是在大草原上，没有园地或草木，村子的周围都是屎粪，

这里的人不把屎粪倒到野外去，却就把它倾倒在村外。这样弄得村里的人要到村外去差不多常常得穿过一大堆屎粪。在村子的附近有一条叫舒赫的小河，河水现在很浅。离开村子（或者不如说离开我，因为村子是很长的）一个或一个半俄里的地方，舒赫河流入叶尼赛河，在这里，叶尼赛河构成了许多小岛和河流，以致叶尼赛河的主流倒反而走不到了。我在一条现在也在干枯起来的最大的河流里洗澡。在对岸（舒赫河的对面），大概一个或一个半俄里以外，那里有农民所夸口的"松林"，事实上这是一个可怜的小树林，大部分的树木已被砍掉了，那里没有真正荫凉的地方（虽然野莓树倒很多），这和我仅仅耳闻但没有身历其境的西伯利亚大森林（离开这里至少有三十或四十俄里）丝毫没有共通的地方。至于山岭……关于这题目我所讲的是很不正确的，因为山离开这里有五十俄里，我们只能瞭望它们一下……

列宁住在一间农民的茅屋里。在这辽远的村子里只有两个被放逐的工人。列宁和几个当地的农民做朋友：一个叫茹拉夫莱夫，他勇敢地反抗过财东，一个叫索西派梯奇，列宁常和他一块儿去打猎。列宁帮助当地的居民，向他们贡献意见。举例，他帮助一个被金矿里开除出来的工人，使他在控告矿主的法庭上得到胜诉。农民们和他们的妻子常常到列宁那里去向他诉说他们的痛苦，请他帮助并且请他指示。

一年以后，在一八九八年的春天，娜台伊达·康斯坦丁诺夫娜·克鲁普斯卡亚到了舒辛斯科野。人们送她到那里去是要警察监视她。她后来做了列宁的妻子而直到他死一直是他最亲密的朋友与忠实的助手。克鲁普斯卡亚发觉列宁在西伯利亚住了一年之后，变得比他在圣彼得堡的时候更强壮更健旺了。

虽然被放逐到辽远的西伯利亚，和无产阶级的中心城市隔开了好几千公里的大草原，和他的革命工作中的同志远隔了，列宁还是继续做他的终生的工作。他决定利用他三年放逐的时间完成几本他已经着手的关于俄国经济的重要著作，对于哲学作一番更深刻的研究，积极做一点秘密出版物方面的工作，以及对于党的建立工作做更进一步的准备。

在西伯利亚的时候，列宁像平常一样，继续他的研究工作：他仔细地研读马克思、恩格斯的著作和马克思的文献，读了一遍又一遍，又读了好几十本关于哲学、经济学、统计学的书。他继续学好他的外国语。

并且像往常一样，他立刻想把他的知识传授给他的同志们，把它用论文、书籍、报纸以及书信的形式写出来。他急于要把马克思理论的武器给予无产阶级运动。因为直接参加革命斗争的不可能，列宁把他的精力贡献在政治的写作上，这对于党是很需要的。

列宁用一种最善于利用时间的非常能力从事于他所决定要做的工作。列宁的整个工作时间是分配得很仔细很精明的。他过着一种勤劳的有规律的生活。他总是在早晨稍微散一回步，以后就坐下来工作。他在规定的时间内读书、翻译、准备统计材料以及其他等等。

在他从西伯利亚写给他母亲的信里，他讲到他的弟弟：

“米加可在用功？他应该做一点有规律的研究工作，否则这种一般的‘阅读’是没有什么意义的。”列宁自己读书总是很有规律的。

这样，不浪费一天或一个钟头，他专心致志地工作，准备他要写的书与小册子，并且为革命的澎湃斗争而准备。

在西伯利亚的时候，列宁翻译了两本巨著：雪特尼与贝曲里斯·韦勃合著的《工联主义的历史》和一本考茨基的反对伯因斯坦的书（伯因斯坦是德国马克思主义修正派的领袖）。

列宁出去打猎、跑步、滑冰并且下棋以作消遣。

在晚上当他感到特别疲倦的时候，他用树皮自己做棋子。在他写给他弟弟的信里他这样地讲到滑冰：

> 我滑起冰来是孜孜不倦的，在米奴辛斯克，格来勃（即克尔日尚诺夫斯基——著者）教了我许多式子（他是一个很好的滑冰家），我学习得那样勤，甚至有一次折了我的手，弄得两天不能写字，不过我并没有失了腕力。然而这个运动的确比（老式的）冬猎强得多，出去打猎，你会弄得雪淹到你的膝盖，损坏了你的枪而……猎物却难得可以看见！

列宁懂得并且爱好俄国的古典作品，在西伯利亚的时候以及以后他好几次地读了又读普希金、莱蒙托夫、涅克拉索夫以及别的作家的著作。他特别赞赏普希金。列宁很爱乞尔尼谢夫斯基，认为他是一个伟大的、彻底的、不屈不挠的革命家与学者，他用傲然的尊严忍受了沙皇政府的严酷的压迫。列宁很感兴趣于反复阅读乞尔尼谢夫斯基的小说《做什么》。在列宁在西伯利亚所备的照相簿里有两张乞尔尼谢夫斯基的像片。

一个在那时参加革命运动的人这样写道："列宁并不是一个呆木木的、枯燥无味的书呆子，或者孤高的名士；他爱民众，爱生活和生活的乐趣，但最主要的乐趣却是斗争以及争取胜利的努力。他是一个结实的、体格健壮的、活泼的人，喜欢剧烈的运动，一个热心的猎手、一个优秀的滑冰家、并且是一个锐敏的棋手。"在放逐的时期他有时候会同时下三盘棋，他躺在床上也不看棋盘，而可以打败三个对手。"

在他被放逐的头几年里，列宁把他的大部分精力用在他的《俄国资本主义的发展》一书上。在准备写这本书的时候，列宁细心地研究了好几百种描写工农状况的以及工业农业情形的统计的与经济的著作。列宁特别重视精确的、无可争辩的事实和正确的数字，而就因此他终其身总是把统计的价值看得很高。

他的《俄国资本主义的发展》一书给了民粹派的理论一个致命的打击。列宁认为民粹派的理论对于无产阶级的革命斗争是有害的，它不仅不武装无产阶级反而解除了它的武装，它在革命的队伍里撒播了动摇的心理。

他认为只有坚决地击破这个反马克思主义的倾向、它的理论、方法以及斗争的武器以后，一个无产阶级的政党，才能够建立并且发展起来。他看出民粹主义（一种小资产阶级的理论）是要把无产阶级放在资产阶级影响之下。这种反马克思主义的学说应该被打倒，而民粹派——这马克思主义的最凶恶的敌人、想束缚无产阶级的意识上的镣铐——得加以扭断。

在民粹派里有许多著名的政论家，并且那时有很多解释他们的理论的书籍和文章出版。唯一的马克思主义的反民粹派的书只有普列汉诺夫写的那一本。列宁的目的是要根据许多详细的关于俄国经济情形的材料而写一本容易懂的书籍，以击破民粹派的理论以及他们那种俄国没有无产阶级、资本主义不存在、一切希望必须放在农村公社上等等的主张。

著作这本书对于列宁是一个最重要的任务；他要用他的理论文章指示出来，为了建立一个无产阶级政党以及为了争取反沙皇制度斗争成功的一切前提条件，在俄国已经存在了。

在这本书里，列宁证明了资本主义已经坚固地不仅侵入了工业，而且侵入了乡村，侵入了地主和农民的农业。不管民粹派的主张如何，俄国是沿着资本主义的道路而发展着；而像在别的资本主义国家一样，同样的，无产阶级和资产阶级也出现于俄国。公社的农民无论如何不是资本主义的匹敌，而且恰好相反，它构成了资本主义的坚牢的、根深蒂固的基础。俄国的工厂数目迅速地增加着，无产阶级的数量在城市和乡村都日益扩大，城市的数量和城市的人口有显著的增加。

列宁证明俄国的农业是越来越采取了商业的性质，在乡村里，无产阶级与富农的数量在增加着，市场正在建立起来，因此对于工厂和工场的迅速增加给予了便利。资本主义在前所未有的广大范围内破坏着俄国的农奴制度。

资本主义不管它的一切剥削的惨状，究属是一种比较高级的经济制度，比较封建制度有更大的劳动生产力。

“用木犁和打禾棍的、用水磨和手织机的俄国开始迅速地变成用钢制犁、打禾机、汽力发动的面粉厂和织布机的俄国了。”

工人在资本主义下所生活的条件“……**使工人去思索**，把一种空泛的迟钝的不满，转变成一种自觉的抗议，把细小琐碎的以及没有什么意义的叛乱，转变成为一种争取一切劳苦民众的解放的有组织的阶级斗争，这种斗争正是从这大规模的资本主义的生存条件中汲取它的力量的，而也正因此可以有把握得到**一定的成功**。”

民粹派认为俄国没有无产阶级，但是列宁用数字指示出来，城市和乡村的工人数量已近一千万（包括产业工人、农业劳动者和运输工人等），工人反对资产阶级以及对专制压迫的阶级斗争是在生长着，无产阶级将是革命的领导者，并且将带领一切其他被压迫的阶级跟它在一道。

以科学的材料为根据，列宁在他的书里正确地指出了俄国经济发展所采取的道路，并且对于革命的工人政党的政纲和策略的方案提供了一个基础。

在被放逐的这几年里，列宁写了许多其他的关于经济的文章。这些文章主要的是反对民粹主义的。在一八九九年，他的《俄国资本主义的发展》一书以及他关于经济的论文集出版了。这些是他的著作中最初被广泛地传诵的作品。

列宁第一本科学的著作《农民生活中新的经济趋势》（这是在萨玛拉的时候写的）在十月革命之后才第一次出版，他的《什么是“人民之友”以及他们怎样反对社会民主党》一书在当时只秘密地出版了几十本，也在苏维埃政权建立之后才开始被远近传诵。

《俄国资本主义的发展》这本书成了俄国马克思主义者在反对民粹主义的斗争中一柄有力的武器。它给了他们有着许多事实、数字与论据的全套武器库。它对于革命的马克思主义者的一切更进一步的理论和实际工作供给了一个坚固的基础。

在他写这本伟大的著作以及替各种期刊写文章的时候，列宁一刻也没有遗忘了秘密的报纸。在报纸上他可以把革命斗争的基本任务讲解得很清楚很完全。

所以，在西伯利亚的时候，列宁替秘密报纸写了他的小册子《新工厂法》，另外还写了许多文章，在这些文章里他向工人阶级解释，为了进行争取社会主义的斗争，有成立一个强固的工人政党的必要。

在《俄国社会民主党的任务》那本小册子里，列宁举出了放在党和无产阶级面前的基本任务。

他指出社会民主党的任务是领导无产阶级的阶级斗争向两个方向进行：（甲）社会主义的方向（反对资产阶级的斗争，摧毁资本主义制度以及建立社会主义；（乙）民主的方向（反对专制和争取政治自由的斗争）。列宁指出社会民主党的主要工作应该在工厂工人之间，在产业无产阶级之间进行，产业无产阶级是最容易接受社会主义、在政治上最有准备的。但是这并不是说他们要忽视其他反对专制政治的阶级。和资本主义、专制政治或者官僚政治没有共通利益的无产阶级是基本的革命阶级。工人阶级与它的政党，在农民反对封建制度与专制政治的革命斗争中，要支持农民。在这本小册子里，列宁号召分散的社会民主派团体的工人研究小组统一起来成为一个社会民主党。

在西伯利亚，列宁收到一本“劳动解放社”社员P.阿克塞尔罗德写的小册子《俄国社会民主派与自由派的相互关系与历史地位》。在这本小册子里，阿克塞尔罗德讲到无产阶级与自由资产阶级的“联盟”与“合作”。列宁批评了这本小册子，并且在从戍地写出来的一封信里说，阿克塞尔罗德“应该把工人阶级运动的阶级性更明显地表示出来”，我们不应该对自由资产阶级采取慈悲的态度。

列宁不同意于“劳动解放社”社员们的意见，他写道:“照我的意见,‘利用’[1]这个词要比‘支持’或‘联盟’来得更恰当，因为胆怯而又无定见的俄国自由资产阶级并没有发展到足以和无产阶级结成联盟。”

当自由资产阶级反对沙皇制度的时候，我们要利用它原是必需的，但是无论如何无产阶级不应该去受资产阶级的影响。列宁常常为了争取工人阶级运动的独立性、争取工人阶级运动中的领导作用而斗争。

在一八九九年，列宁还在放逐的时候，收到了一部分由“合法马克思主义者”库斯科伐和普罗科波维奇所

[1] 自由主义运动。——原著者注

起草的名为《信仰》的宣言，在这个宣言里表示了所谓经济派的见解。《信仰》提议，工人阶级要和反专制的革命的政治斗争分开，而把自己完全局限于经济斗争、罢工等等。《信仰》反对组织一个工人阶级的独立政党并且揶揄地轻视秘密的工人组织。政治斗争被认为是自由派的、资产阶级的任务——工人们只要从事于纯经济的斗争。换句话说，就是工人阶级要让自己被资产阶级牵着鼻子走。《信仰》的作者们对马克思的学说加以"修正"。《信仰》是以德国机会主义者伯因斯坦的著作为基础的，这位伯因斯坦那时写了好些反对马克思的文章和一本反对马克思的专书，他这些思想在第二国际中找到了很多的附和者，并且在俄国也得到了反响。

在列宁在监牢里以及在放逐的时期内，经济派的势力强大了起来。他们利用了由于列宁以及其他革命马克思主义者的被捕而起的各种革命组织中的散漫性，开始把工人阶级运动中比较不坚定的分子争取到他们方面去。

经济主义是一种最有害的倾向，它解除了无产阶级革命斗争的武装。它是俄国的伯因斯坦主义。因此，列宁一收到《信仰》就立即加以攻击。

他起草了一个答复名为《俄国社会民主党的抗议》，并且把它交给米奴辛斯克的全体放逐犯讨论。

列宁和其他的放逐犯时常旅行五十俄里至一百俄里彼此探望。那些和列宁同时受判决的人（克尔日尚诺夫斯基、斯泰尔科夫、瓦涅也夫和其他的人）住在同一个西伯利亚的县份里。借口过新年或祝贺婚礼，这些放逐犯们总要设法从各个村子里集合拢来，然后举行关于政治问题的活泼的讨论。

列宁的姊姊乌里亚诺娃—爱里柴洛娃在她的《列宁回忆录》里这样写道："列宁曾经说过，在这些集会期内（会期是三天或四天），时间过得'很愉快'。在夏天他们出去远足、举行长时间的行猎远征并且洗澡；在冬天他们滑冰、下棋。他们谈论各种问题，阅读列宁著作中的某几章或者讨论文学与政治上的各种新趋向。"

在一次这样的集会中，列宁发动了一个对于他给《信仰》答复的讨论。在列宁领导之下，十七个社会民主党详细地讨论了《信仰》，签名于列宁所写的《抗议》。在这个《抗议》里，列宁提出了俄国社会民主党纲领的几个原则。社会民主党的基本目的是“组织一个独立的工人政党，这个党和无产阶级的阶级斗争是分不开的，而它当前的目的是争取政治上的自由。”

列宁指出，无产阶级的政治斗争与经济斗争是结合在一个不可分的整体里的。无产阶级的阶级斗争就是政治斗争与经济斗争的结合。工会是无产阶级争取自身解放斗争中一柄基本的武器。但是无产阶级在反对资本主义的斗争中主要的和有决定意义的武器是政党。工人政党主要的工作是夺取政权以组织社会主义的社会。政治斗争是无产阶级最重要的任务之一。放弃政治斗争，把它交给资产阶级，这等于叫社会民主主义自杀。革命的社会民主党应该领导一切不满意沙皇制度的人们——首先是农民——的斗争。社会民主党对于任何反对现存制度的革命运动都加以支持，并且保卫被压迫的民族。他们甚至可以支持资产阶级政党，假使这些党是反对专制政治的，但是社会民主党无论如何不肯把政治斗争的领导权让给资产阶级。工人阶级的秘密组织对于胜利地反对专制政治的斗争是必要的。

列宁的“抗议”给了俄国一切的革命分子一个极深

刻的印象。

列宁虽然远离着革命的中心，但是仍能够在他的《抗议》里给社会民主党的工作指出了正确的路线，并且号召革命的工人反对经济派的错误。

在所有以后的年份中，列宁一直激烈地反对经济主义，反对资产阶级加于工人阶级的影响。

在《抗议》里以及在那几年所写的论文与著作里，列宁进行了一个反对第二国际中机会主义（反对伯因斯坦、大维特及其他诸人）的斗争。在那几年里，机会主义对于欧洲工人的社会民主党已发生了很大的影响。列宁终其生继续了这反机会主义的斗争。

列宁远从戍地里密切注意着西欧与俄国的工人阶级运动。

在几篇发表在《新话》和《开端》[1]的文章里，列宁拥护革命的马克思主义，反对一切机会主义者想"修正"或"改进"它的企图。

在一篇《农业中的资本主义》的长文里，列宁揭发了那证明马克思的规律不适用于农业的"合法的马克思

[1]《新话》是一种报纸，《开端》是一种杂志。——编者注

主义者”布尔加科夫。

在他被放逐的几年里，列宁对于哲学也做了一番深刻的研究。他重新阅读了马克思与恩格斯的哲学著作，研究了过去的伟大哲学著作以及资产阶级哲学的主要著作。

他想精通过去的哲学遗产俾能站在马克思主义的基础上加以批判的修正。列宁和兰格尼克通了很长的信讨论哲学上的问题（可惜这些通信都已遗失了），在这些通信里，他详细地发展了马克思主义哲学在反对资产阶级学说与反对机会主义曲解斗争中的基本论题。

列宁，在他被放逐以前以及在放逐的时期，从没有停止过对于“合法马克思主义者”的揭发，指出他们是资产阶级的帮忙人，但是普列汉诺夫对于他们却采取了一种妥协的态度。在国际工人阶级运动中，列宁是唯一的人，从他的政治活动一开始，就一方面承继与发展马克思和恩格斯的学说，一方面又对机会主义实行坚决的革命斗争。

在放逐的时候，列宁替《劳动杂志》第三期写了一篇关于党的纲领以及说明这纲领的文章。这篇文章对于党纲的制定有很大的意义——这党纲是二十世纪初由《火星报》所拟定的。

早在一八九九年，列宁就写道："我们并不把马克思的理论看作什么一成不变的和神圣不可侵犯的东西；恰巧相反，我们深信，这个理论只是给这样一个科学奠定基础，而这个科学，是社会主义者所**应当**在各方面把它向前推进，如果他们不愿意落后于实际生活的话。我们认为，**独立地**研究与发挥马克思的理论对于俄国社会主义者是特别必要的，因为这个理论只提供了一般的**指导**原理，而这些原理的应用，局部说来，对于英国是和对于法国不同的，对于法国是和对于德国不同的，对于德国是和对于俄国不同的。"

列宁独立地发展、发挥与充实了在阶级斗争的新形势与新条件之下的马克思主义理论。

除了他的伟大的科学工作与政治工作以外，列宁和俄国的以及外国的革命工人阶级运动的第一流领袖们，以及和被放逐在西伯利亚和欧洲俄罗斯各部的同志们进行了广博的多方面的通信。

列宁从辽远的西伯利亚乡村里继续督率着党，使那些在监牢里的以及被放逐的党的战士们保持他们的革命精神，给那些有自由的人们以实际的教训，并且在那理论上给那些动摇的人以鼓励。

列宁的最亲密的同志，克尔日尚诺夫斯基与斯泰尔科夫，可以每星期收到他两封信。他告诉他们他自己的工作，并且把他从俄国各地所收到的关于革命运动与罢工进展情形的任何消息都告诉他们。在这些信里，列宁还谈到各种理论问题，对于各种疑问给予简单而又精确的答复。有时在个别问题上他同他们论争。

列宁是一个出名的非常准时写信的人。他这些信保持了放逐犯们的精神，在思想上团结他们，并且鼓励他们坚定地工作。

发生了一件特殊的意外，一个叫拉钦的工人从米奴辛斯克（离舒河六十俄里）的戍地逃跑了。那些老的民意派的放逐犯反对这个逃跑，恐怕会引起警察对他们加以报复。后来他们叫我们党的两个党员 G.I. 奥库洛伕（台奥多罗维奇）与 V. 斯泰尔科夫去受罚，因为他们在事先知道这逃跑而没有加以阻止。

列宁自己并不认识奥库洛伕同志，他从克尔日尚诺夫斯基那里听到了全部故事，他就立即站在奥库洛伐与斯泰尔科夫方面而加以干涉。而特别使他发怒的是，全部事情的根源是在于民意派对于被放逐的工人的高傲态度。列宁对此极为愤怒。他的给奥库洛伐与斯泰尔科夫同志的声援以及他之严责民意派对工人的高压态度，使列宁和他的同志与那些被称为“老放逐犯”之间发生了裂痕。

当他在放逐的时候，列宁耐心地想出了一个组织政党的计划。他认为必须办一张全国性的秘密报纸以作开始，把这报纸作为可以把工人阶级组织在它周围的唯一办法。必须有一张可以经常出版而又不受警察追逐和压迫的报纸。

克尔日尚诺夫斯基后来回忆，怎样在一个寒冷的月夜，在沿着叶尼赛河河滨散步的时候，列宁热心地讲到他的这些计划，并且把怎样可以围绕着这报建立工人阶级的政党描绘出来。

列宁想把过去几年革命斗争的经验利用来组织工人政党。当他在西伯利亚的时候，他说工人阶级运动中最困难的是组织。

是绝对必要的，就是我们要改进我们的革命组织与纪律，并且改善我们结党的方法。我们必须坦白地承认，这方面我们比旧的俄国革命党落后，我们必须竭力赶上并且超过他们。除非我们的组织有了改进，便不可能使我们整个工人阶级运动有所进步，而要组织一个有着正常活动机关的活跃的政党则尤其不可能了。

N.K. 克鲁普斯卡亚关于最后几个月的放逐生活有这样的描写：

乌拉地米尔·伊里奇开始在夜里睡不着觉。他变得非常瘦弱。就在这些夜晚，他细致地想出了他的计划，把它和克尔日尚诺夫斯基，和我讨论，和马尔托夫与波脱勒索夫通信讨论，跟他们商量怎样到外国去。时间一天天过去，乌拉地米尔·伊里奇也就越发焦躁，越发急于要去做工作。

三年的放逐生涯，对于列宁，对于无产阶级的革命斗争，都不是等闲过了的。在那几年中，列宁写了一本基本的科学著作，写了好些论文，其中包括着一本论党的任务的小册子，这本小册子成了行动的纲领，并且对经济派给予了致命的打击。他继续团结他的同党同志并且使他们准备进行新的战斗。他自己则读了许多，想了很多，使他自己为革命斗争的新阶段而有所准备。

在一九〇〇年二月，放逐期满。列宁从西伯利亚到了俄罗斯。他想侨居外国，那里，远离着沙皇的警察，他可以出版一张能够把无产阶级组织在它周围的报纸。满怀着这计划，列宁越过了大雪弥漫的西伯利亚。

第四章 《火星报》

流放归来时，列宁充满了工作能力，并且准备实现他的出版全俄党报和建立党的计划。

列宁被禁止在圣彼得堡和其他大城市内居住，因此，他到了普斯科夫去。路上，在乌发与莫斯科，他遇到在那里工作的社会民主党人，并且和他们恢复了关系。列宁从普斯科夫与各种社会民主党的组织建立了关系。他在那里召集了一次会议，在这个会议上，讨论了这个计划中的报纸的性质。列宁忙于替这个未来的报纸选择俄国国内的合作者，并且为它筹集款子。

列宁弄到了一张出国的护照，他到圣彼得堡去会见一些社会民主党人，给他们最后的指示，而又在那里被捕了。

列宁后来讲起，他怎样在街上突然被逮捕，警察怎样紧紧地抓住他的手臂，以至他不能转动。他们担心他会抛掉或吃下他带在身上的任何文件。因此，紧紧地抓住他的两臂，他们将列宁带到市长的办公厅去。

列宁被捕时，在他身上发现了一封写给普列汉诺夫的信，这封信是用隐影墨水写在单据或其他什么东西上面的。这封信上写明了列宁出版全俄社会民主党报纸的计划。假使宪兵看出了这封信的话，列宁又得在监狱中呆一个长时期了。但是他们对这些纸条并未加以注意，于是，在十天之内，列宁被释放了。

列宁担心他们会没收他的出国护照，但他们把它交还了他。他在警察监视之下到波道尔斯克去看望问候了他的母亲。那里的地方警官曾经打算没收他的护照，但列宁恫吓他，说是要到圣彼得堡去告发他，这样一来，护照又交还给他了。当他来到他母亲的寓所时，列宁依旧充满着不久之前和警官口角的火气，并且高声大笑地讲述着他怎样向警察厅控告他的恫吓的办法，吓坏了那个“老糊涂”，强迫他交还了护照。

从波道尔斯克，列宁、他的母亲和姊姊，到乌发住了一个月，去看问 N.K. 克鲁普斯卡亚，她留在那儿渡完她的流放期，此外，还看了居住在那里的社会民主党人。他们乘轮船沿着卡玛河和白拉亚河顺流而下。列宁的姊姊回忆到这个旅行时写道：

> 我们在甲板上消磨了所有的日子。乌拉地米尔在一种最快乐的心情中，愉快地呼吸着江上和周围森林中流出的空气。我回忆到我们在小轮船无人的上层甲板上的一些谈话；它们常常继续到深夜……乌拉地米尔·伊里奇向我热情地并且详细地报告了他的全俄报纸的计划，它将成为建立党的骨架，他说明经常的逮捕是怎样绝对不可能在俄国召集大会。“假如单单筹备一次大会需要这样的灾难和牺牲的话，那么，在俄国要开一次大会便是一种疯狂行为；只有在国外印行的机关报，才能够进行反对经济主义那种倾向的长时期的斗争，才能团结党在正确地被理解的社会民主党理想的周围。”

列宁在乌发遇到了当地的社会民主党人。这里，和在其他地方一样，列宁规定了一种通信的密码，找到了许多通信处，选择了报纸的合作者等等。

在将要长时期出国时，列宁忙于和俄国各城市的一切主要的社会民主党小组以及最重要的党的工作者进行私人的接头。他甚至想到西伯利亚去和那里的许多同志讨论事情，但为了某种缘故，终于未能成行，可以说，当列宁离开他的祖国时，他有了俄国的革命的马克思主义组织的一切线索。他虽然还没有报纸，但是他已经有了国内各个角落的合作者与通信员。和往日一样，他用了精力和热情，谨慎地而通盘地作了种种准备。

一九〇〇年七月十七日，列宁出发到德国。列宁作为政治亡命者的最初一个时期开始了，这个时期继续了五年半。

当时决定和“劳动解放社”（普列汉诺夫、阿克塞尔罗德、莎苏里奇等人）的领袖们共同出版报纸；马尔托夫与波特勒索夫亦从俄国赶来参加报纸的出版。在这个时期内，他们都是列宁的信徒。在列宁与“劳动解放社”之间开始了谈判。谈判进行得很困难，常常好像要立刻完全破裂的样子。

在这时期内，列宁写了一封对于这个报纸的命运充满了痛苦和焦虑的信，说明“《火星报》怎样几乎消灭了”——它的几乎消灭，大都是由于普列汉诺夫的固执，他不愿意信赖青年社会民主党的团体，他想在编辑部里绝对占着最高的地位。

列宁不主张在普列汉诺夫与阿克塞尔罗德所住居的瑞士出版全俄报纸，他主张在德国出版，这里是他、马尔托夫和波特勒索夫居住的所在。列宁要这个报纸尽可能地离开那些“老人”（“劳动解放社”），他们和俄国的革命运动是没有直接的关系的。

与旧时代的最优秀的马克思主义者共同来创办党和它的印刷机关，列宁认为是必要的，但在同时，他却明白地看出了他们的错误和他们的机会主义的倾向。

列宁的主张实现了，《火星报》已开始在德国出版——最初在莱比锡，后来移至慕尼黑与斯徒加特。

在列宁和普列汉诺夫派之间经过了冗长的协议之后，拟定了关于出版《火星报》和刊物《黎明》的声明。当时决定报纸在慕尼黑出版，它的主要的编辑人员移住到那里，办理这张报纸的编辑部是列宁领导的。

列宁所给予这张报纸的任务是什么呢？首先是将全党的力量团结在它的周围。当时还没有统一的党，有的只是分散的小组和团体。这些小组与团体是在无组织的状态中工作的。列宁的理想是，这张报纸应该成为集体的组织者，应该成为工人政党的建立者。报纸分销员应该成为党的核心。

党的统一必须在真正的马克思主义纲领的基础上进行，必须在马克思的理论的基础上进行，但是要达到这样一种思想上的和组织上的统一，只有经过反对各种曲解马克思主义的坚决的斗争才能够办到。

列宁指出，只有为了实现党的纲领和策略，反对一切机会主义的与不坚定而动摇的倾向而进行坚决的思想上的斗争，创造一个统一的党才是可能的。

……这个斗争或许将要引起少数个人的愤怒，但是它将要使事情明白，它将要正确地与直接地决定关系——它将要决定哪些分歧是重要的和哪些是次要的，它将要决定哪些在实际上追求着一种完全不同的道路的人的立场，并且决定哪些在个别问题上不同意党的同志的地位。

正式宣布着《火星报》即将出版的编辑部的声明上这样说："在我们能够统一之前，以及为着我们可以统一，我们第一必须坚决地和明确地划定界限。"

这个意见被列宁表示并且实行过许多次了。马克思与恩格斯在不同的环境之下曾经发表过同样的意见，并且在反对德国的各种反无产阶级的和小资产阶级的倾向斗争中间，在国际工人阶级运动中间，以及在第一国际中间他们实行了这些意见。在俄国，在阶级斗争的新的条件之下，为战胜沙皇制度和资本主义而进行创造一个战斗的无产阶级政党时，和机会主义者分开已成为必要的了。

列宁主张革命的社会民主党员，应该使他们自己明白地脱离一切敌视革命的无产阶级的机会主义者的倾向——经济派、"合法的马克思主义者"以及这一类的分子。统一必须建立在健全的革命的理论与实践的基础之上。

一九〇〇年十二月之末，《火星报》的第一号出版了，一九〇一年春天，《黎明》杂志的第一期也出版了。列宁是《火星报》的组织者和实际上的编辑。列宁甚至在《火星报》的最初的几期上，就已指出革命的未来胜利："假如我们有一个强大地组织起来的党，一个简单的罢工就可以变成一个政治示威，变成战胜政府的胜利。假使我们有一个强大地组织起来的党，一个小小的地方的起义，可以扩大成为一个胜利的革命。"

列宁在另外一篇文章中间指出工人阶级必须领导革命的农民，并且肯定地说明了农民一定会跟随无产阶级。列宁在每一期的稿纸上都以热情和他惯有的彻底性工作着。报纸的内容以及个别的文章都在编辑部的会议上详细地加以讨论。每一句话，每一个字都经过细密的思索。这是列宁的特性，他要亲自改正校样，虽然这个工作是大可以委托给其他同志的。他恐怕报纸上面会发现些微错字、缺点或疏忽的地方。

那时列宁在编辑部的主要助手是马尔托夫与波特勒索夫。马尔托夫是一个能干的新闻记者，他能够用一种活泼的和犀利的方法解释列宁所指示给他的论题。

波特勒索夫较之在编辑工作方面，倒是在印刷工作方面的帮助大些。在“劳动解放社”的分子中间，只有莎苏里奇（当时他在慕尼黑）担负了一点编辑的工作。普列汉诺夫与阿克尔塞罗德仅仅在名义上参加编辑部，但未担任实际编辑工作。普列汉诺夫只给《火星报》和《黎明》写了几篇文章。

《火星报》是印在葱皮纸上的、小型的、排印紧密的报纸，以便于运寄到俄国去。每期只印几千份。列宁与他的同志们亲自去考查“输送”的工作，就是把报纸运入俄国的工作。这些报纸是封在个别的信套中间，放在双底的旅行皮箱中间，经过夹带的人，经过外国船上的水手等等寄出的。许多报纸落在警察和宪兵的手里，但也有很多份是达到工人手里的。《火星报》的整千发行网已经组织起来，在俄国推销报纸。这些代销员都是党的组织者。

在外高加索，列宁的《火星报》组织的建立者是斯大林同志，他的助理是 L. 凯支浩威里、A. 朱鲁吉哉、库尔纳托夫斯基等人。

有几期《火星报》是在俄国的秘密印刷所里翻印的。凯支浩威里在巴库所经营的一个，工作得特别顺利。斯大林是协助了经营这个印刷所的。

现代的读者很难想象党的工作者收到每一期的《火星报》时所表现的愉快。这个报纸被从头到尾地读了又读；它被研究小组阅读着，从这一个人的手里，传到另外一个人的手里。

每期《火星报》给工人带来了新的力量，它指示他们怎样斗争和怎样组织。它揭露了背叛工人阶级事业的人。《火星报》是正在创造中的党的真正领导者。

一九〇一年春季，克鲁普斯卡亚从俄国来到了慕尼黑。她成为《火星报》编辑部的秘书，并且积极地帮助列宁，特别是在与俄国维持关系这点上。

列宁和他的母亲、姊姊与弟弟经常通信，这是他的习惯，当时她们都在积极地参加革命运动。列宁非常关心他母亲，并且常常温柔而周虑地对待她。

当他不能亲自给她写信时，克鲁普斯卡亚便替他执笔。在一九〇一年夏天所写的一封信上，克鲁普斯卡亚这样讲到列宁：

> 乌拉地米尔目前工作得非常勤谨，我很为他而喜欢，当他倾全力于某种工作时，他感到很好并且高兴——这是他的一部分性格。他的健康是十分之好，感冒症的痕迹几乎完全不存在了，失眠症也不见了。他每天有一次冷水擦身，此外我们几乎每天去洗澡。

在《火星报》开始出版的二十世纪之初，是一个工业恐慌的时期，在俄国的工业繁荣之后，伴着大规模的罢工而在一九〇〇年发生了严重的恐慌；生产量减少而失业增加了起来。

国内政治形势的逐渐紧张，反映在一八九九——一九〇二年的不能制止的学生罢课与示威运动上。一九〇二年在许多大城市中发生了工人的政治罢工和工人的示威游行。

在这种危急的时代，确立社会民主运动的路线，是必要的。给经济派——社会民主主义阵营中的机会主义的倾向以无情的打击，是必要的。经济派否定了革命斗争，否定了在反对沙皇制度斗争中无产阶级的领导作用。他们否定那为争取无产阶级专政的斗争。他们反对战斗的集中的政党。俄国的机会主义——经济主义——是国际机会主义的一个表现，国际机会主义在第二国际的各党中是流行得很广的。经济派在圣彼得堡出版了一张《工人思想报》，在那上面，他们公开地宣传着这些资产阶级的观点。经济派分子克里乞夫斯基与马丁诺夫在国外出版《工人事业报》，在那上面他们在掩盖的形式之下鼓吹着这些同样的资产阶级的观点。

在那些年代，当党还仅仅是在创造过程中的时候，经济派给了极大的妨害。必须打倒经济派，否则便不能创造一个战斗的无产阶级的政党。这便是列宁认为必须出版（在一九〇一——一九〇二年冬天）他的《做什么？》一书的缘故，在那本书上，列宁指摘了经济派，主要的是《工人思想报》派的观点，并且提出了革命的工人阶级运动的任务。

在《做什么？》那本书上，列宁指出必须怎样组织政党。他分析并且粉碎了经济派在继续发展的错误的理论。

列宁在这本书中写道：

没有革命的理论，便不能有革命的行动……**只有被进步理论所领导的党，才能完成先锋队的任务**。

列宁指出，只有在马克思主义的基础上，经过反对它的曲解者如伯因斯坦和经济派的斗争，才能建立工人阶级的政党。那些主张工人应该把他们自己单单限制在经济斗争上，不参加政治活动的人们，是在降低和削弱工人阶级运动。革命的工人应该是国内整个政治斗争的领导者；他们应该对每一种专制和压迫、暴力和残酷发生反应。工人阶级是争取政治自由最前进的战士，并且是革命力量的前卫。在领导工人阶级当中，社会民主党应该把参加革命斗争的其他阶层的人吸引到自己这边来。

在《做什么？》那本书里，列宁反对降低工人阶级运动的经济派和其他机会主义者的倾向。他指出工人的政党应该把阶级意识和组织带给无产阶级的自发的斗争，而不是追随着运动的尾巴。他指出“尾巴主义”是一切机会主义的典型特性。社会民主党的任务是作为无产阶级的先锋队，去领导它前进，在它面前经常地提出新的任务，而不是跟在工人阶级最落后的部分的后面。

在《做什么？》那本书里，列宁激烈地反对所谓“批评自由”，它存在于第二国际的党中间，并且它是经济派企图介绍到俄国社会民主党中来的。实际上，这个讨厌的“批评自由”的意思便是可以在党内进行批判马克思主义和宣传与马克思主义敌对的观点，也就是与无产阶级敌对的观点。

关于这种“批评自由”，列宁写道：

> 我们紧握着手，肩靠着肩，按着险阻而崎岖的路径而前进。我们四面都是敌人，我们是在他们的几乎经常的炮火之下，我们自愿地大家联合起来，正为的是要与敌人斗争，不使自己陷落到邻近的泥潭中去。住在泥潭里的人，老早就责备我们独树一帜，责备我们选择斗争的道路，而不选择调和的道路。于是，我们中间有几个人叫道：我们到这个泥潭里去吧！我们开始讥笑他们的时候，他们就反驳说：你们

> 这些人是怎样的落后啊！你们竟这样不知羞耻地否认我们叫你们到好路上去的权利！哦，是的，先生们，你们不仅可以自由地叫我们去，而且可以自由地走你们要走的路，哪怕就是走到泥潭里去也好。事实上，我们认为你们的真正的位置是在泥潭中，而且我们准备极力帮助你们搬到那里去。可是，只要请你们放松我们的手，不要拉住我们，也不要弄污“自由”这种伟大的字眼，因为我们也可以“自由”地走我们的路，我们不但自由地与泥潭斗争，而且还要与转到泥潭的人们斗争。

在《做什么？》一书里，列宁指出经济主义是国际改良主义的一部分，是使工人阶级运动向资产阶级势力屈服的一种企图。列宁区别了俄国社会民主党与国际工人阶级运动中革命的与机会主义的倾向，列宁这本书的目的不仅是反对俄国的机会主义，而且是反对国际的机会主义。

关于俄国无产阶级的任务，列宁写道：

> 现在历史给了我们一个迫切的任务，这个任务是比其他任何国家的无产阶级的**迫切任务更加革命的**一个。完成这个任务，不仅把欧洲最强的反动支柱破坏，而且也（我们现在可以这样说）把亚洲最强的反动支柱破坏，这可以使无产阶级成为国际无产阶级的先锋队。我们可以相信：我们的前辈，七十年代的革命家已经当起了这个光荣的称号，现在的运动更广大而深刻千百倍，如果我们能用同样的奋不顾身的决心与毅力。来鼓励现在的运动，那么我们一定能得到这个称号。

《做什么？》这本书给了全体俄国社会民主党人一个非常深刻的印象。它致命地打击了经济主义。它指出马克思主义必须怎样来在俄国的条件中应用，它对于组织工人的政党提供了简单的、明确的计划。列宁的教训开始被执行了。

多年以来，《做什么？》这书成了党员的主要的指南，并且直到今天，还保持着它的重要性。列宁这本著作在一个战斗的无产阶级政党的创造中占有非常的重要性。它对于俄国社会民主党应该做什么的问题，给了明白的和切实的答复，并且阐明了放在无产阶级政党面前的主要的任务。

关于党的组织，列宁在本书中所指出的，也像他在文章里所说的一样，须要选择个别的同志，使他们将全部时间贡献给革命工作，也就是要他们成为职业的革命家。他特别加重说明，这样的一种革命活动，需要吸收工人参加。他指出，只有一个强有力的地下的革命者组织加上强大的领导的中心，才能认为是真正的政党。一个强有力的职业革命家的组织，可以坚固地支持无产阶级的全部斗争，并且一定能保证党的稳固和健全。

列宁便是这类典型的第一个职业革命家。另一个显著的这类典型的职业革命家便是斯大林。

远在一八九八年，斯大林就积极地参加外高加索革命的社会民主党的工作。他于一九〇〇年组织梯比里西（即第夫里斯）委员会，一九〇一年他在外高加索建立了列宁的《火星报》组织。他在梯比里西和巴东组织了许多次的罢工和示威。在汹涌的经济罢工的浪潮和五月的政治示威之后，梯比里西委员会被警察破坏了。斯大林走入秘密活动了。他成为一个职业革命家——一个布尔塞维克的地下工作者。

各地方的职业革命家们构成了俄国党的组织。

在组织党的工作中间，列宁特别注意下层的工厂小组。至于党的组织，在他的《写给一个同志的信》上，列宁这样说：

> 它们[1]对我们是特别重要的，因为运动的主要的力量发源于大工厂中工人的组织之间……每一个工厂必须是我们的堡垒。

当时《火星报》编辑部正忙于起草党纲，它在列宁和普列汉诺夫派之间引起了尖锐的意见分歧。

我们已经知道，列宁在监狱中写好了第一个党纲草案，后来又好几次反复着做这件工作。在开始讨论党纲问题时，列宁已经将这个党纲草案详细地拟好了。

党纲草案分为两个主要的部分——最大限度的纲

[1] 工厂小组。——作者原注

领和最低限度的纲领。第一部分说明了无产阶级政党的主要的要求，就是社会主义与社会主义社会；第二部分所提出的是即使在资产阶级社会中也能实现的那些要求（譬如，推翻专制，实行八小时工作制等）。

列宁要求，在党纲中间需要明白地说明，党是为了无产阶级专政而进行斗争的（普列汉诺夫"忘记"将这命题列入于党纲草案中了）。没有无产阶级专政这一点，这个党纲一定不能成为无产阶级政党的革命的纲领。列宁主张作为革命斗争领导者的无产阶级的阶级任务，应当明白地和确切地列入党纲里面。"**最初**，要使我们自己跟一切**隔离开**，**单独地**和**专门地**只强调无产阶级，**其次**，来声明无产阶级解放一切，号召一切，欢迎一切，这在我们是绝对必要的！"

普列汉诺夫所提出的那种党纲不能使列宁满意。他指出更明白地说明资本主义的特质，特别是俄国资本主义的特质是必要的，这在普列汉诺夫的草案中间是没有包括进去的。所必须要讲到的不是一般的资本主义，而是**俄国的**资本主义，我们是对于俄国资本主义首先开火的——列宁这样写道。

普列汉诺夫的草案，在列宁看来，与其说是一个为夺取俄国政权而斗争的无产阶级政党的战斗纲领，倒像是学生们的一本教科书。

在对于自由主义者的态度问题上，列宁与普列汉诺夫之间也发生了意见的分歧，自由主义者们不满意于腐败的沙皇制度的专制和它的统治，他们是不反对以革命的恐吓来恫吓这种专制，并且利用工人阶级的运动为他们自己获得“宪法”的。

未来的孟塞维克派认为迫在眉睫的革命，其任务是使资产阶级掌握政权来代替沙皇的专制政治。

列宁最不信任自由主义的资产阶级。他指出，在与专制政治进行斗争中间，它是最不能信赖的，并且它一定将要很快地转向沙皇那方面去。普列汉诺夫主张和自由主义的资产阶级取得密切的合作，他说，不应该和它敌对而应该和它成立一种协定。

在社会民主党的土地纲领上，列宁与普列汉诺夫之间也发生了严重的争论。在普列汉诺夫的坚持之下，列宁从他的纲领《俄国社会民主党的土地纲领》这一条中删去了关于土地国有的一点，即是没收一切土地为国家所有的一点。

一九〇二年春天，列宁到伦敦去居住。路上，他在蒲鲁塞尔住了不多几天。当时那里正发生罢工，此外还有示威游行，这示威被警察所驱散了。和列宁同在一起的一个同志叙述过，当列宁看到工人示威时他怎样变得异常兴奋而即刻要上去参加。

“我几乎跳到他身上去将他拖回”，他写道：“就在那个时候，警察从路旁出现，将我们从人群中分开了。”

列宁在伦敦过着一种颇为幽隐的生活，这时，他的全部时间都用在《火星报》和《黎明》的编辑上，以及党的工作和科学研究上，克鲁普斯卡亚在与俄国通信及报纸工作之外，亲自照管家务、做菜、洗地板等。

列宁每天早晨到一个公共图书馆去阅读英文报纸。一直到傍晚，他都在大英博物馆的图书馆内工作，这是欧洲最好的图书馆，马克思也曾在那里工作过的。

当时在伦敦居住过的阿列克塞也夫回忆道：

有一次，在与乌拉地米尔·伊里奇谈话的时候，我嘲笑了发表在伦敦《正义报》上的某篇关于社会革命即将爆发的文章（《正义报》总是喜欢发表这样的预言的）；V. 伊里奇不满意我的讥笑。“我自己希望活着见到社会革命”，他明确地说，并且附带讲了一点关于怀疑者的不恭敬的字眼。

列宁在空闲的时候便到伦敦各处去察看。他参加工人俱乐部与工人的集会，他到处都能和工人群众的生活联成一片。

列宁不欢喜无目的的“游览”，这是某种俄国侨民的习惯。他经济他的时间，把他的时间全部奉献给工人阶级斗争的事业。列宁在伦敦领导一个工人侨民的政治小组，他把党纲解释给他们听。他总是一句句地把党纲念给他们听，并且详细地加以解释。

这是列宁的特点，甚至在他来到伦敦之前，他已经仔细地研究过这个城市的街道，并且能够完全找出他所要走的道路，他能够知道从最短的道路到达任何指定的地点，这是使得许多老居民觉得惊异的。

“伊里奇研究了活生生的伦敦”，克鲁普斯卡亚写道。“他欢喜坐在公共汽车的上层在城内到处跑。他喜欢这个大商业城市的喧扰。宁静的广场，那点缀着绿色植物的、有着单独的入口与明亮的窗子的疏落有致的房屋，只有漆得光光的轻马车常常行走的街道，这是很容易看到的，但是被排挤在四周居住的伦敦工人的鄙陋的狭巷，那里，洗衣竿横在街上，孩子们在沟里玩耍——这些景象是在公共汽车的上层所看不到的。在这种区域里，我们就步行，观察着富有和贫穷的这些触目的对照，伊里奇总是咬紧了牙齿用英语说道：‘两个国家啊！’”

“乌拉地米尔·伊里奇常常被群集的工人所吸引。他到凡是能找到他们的地方去。他出去远足，那里，疲倦的工人们喜欢离开城市，他在草地上散步几小时，他并且到酒店和图书馆去。”

列宁在伦敦孜孜不倦地学习英文。休息的日子他常常到乡间去。他与克鲁普斯卡亚在伦敦的四郊骑马和散步，弄熟了各个“乡村的”小路以及邻近的一切所在。

一九〇二年夏季，乌克兰与其他南方的区域爆发了农民骚动并且和警察军队起了冲突。这是在长久的沉默以后的第一次大的农民运动。同时，小资产阶级的社会革命党出现，并出版了他们自己的出版物。

列宁在《火星报》上以及在他给俄国同志们的信上，展开了坚决反对社会革命党的斗争。

列宁在这时期所写的一篇文章的题目是:《社会民主党为什么必须坚决地和无情地进行反对社会革命党的斗争》。这的确是一个进行反对革命的敌人的坚决斗争的问题。列宁详细地说明，为什么工人政党必须采取这样的立场。

社会革命党反对唯一正确的、革命的社会主义的唯一科学的国际理论，即马克思主义。

社会革命党一筹莫展地向自由民粹主义的倾向让步，并且企图复活民粹主义的观点，这种观点早已被俄国的马克思主义者指明为资产阶级和小资产阶级的观点，并且早就被他们粉碎了。

社会革命党不了解和不认识阶级斗争，他们否认下面的事实，就是“在今天的俄国，只有将**俄国的工人运动与社会主义**联成一片的党才是确实革命的、真正社会主义的。”

企图依靠无产阶级、农民和知识分子的支持，同时又不承认无产阶级的领导作用，社会革命党是在替“俄国无产阶级在政治上在知识上隶属于俄国资产阶级民主”开辟道路。因此，“小资产阶级在思想上的不坚定”，就是社会革命党的明显的特质。

社会革命党的党纲是庸俗化的马克思主义与反动理论的结合，是小资产阶级的改良主义与无原则的冒险主义的结合。

由于它宣传恐怖是政治斗争的一种方法，社会革命党对工人阶级运动给了严重的损害，“破坏了社会主义工作与革命阶级的群众之间的不可分开的联系”。

恐怖主义“无论如何是和在群众中，为了群众利益，以及与群众在一起的工作联结不起来的”。它使革命的力量和基本的任务——工人政党的建立脱离了。它仅仅是“孤军作战’，这种战斗已被历史的经验所完全指斥了的”，它并且削弱群众反对专制政治的力量。

列宁在《革命的冒险主义》一文中指出社会革命党的恐怖主义的倾向是与它们站在工人阶级革命运动圈外的事实，密切联系着的。他们拒绝去认识，唯一的真正的革命阶级是无产阶级，其他阶级只能在有限的程度上，以及在特殊条件之下，才能够成为革命的。他们不明白，他们所依靠的农民是小资产阶级的一部分。

列宁指出，社会革命党事实上只是“资产阶级民主派的一个支派”。

《火星报》透过列宁和其他同志所写的文章，展开了一个不倦的斗争，反对社会革命党与他的反马克思主义的小资产阶级理论，并且反对他们加在劳动者身上的有害的影响。

为了向农民解释工人政党的任务起见，列宁在一九〇二年秋季写成了一本《告乡村贫民书》的小册子，这本小册子于一九〇三年春季在日内瓦出版，当时列宁与《火星报》编辑部全体搬到了日内瓦。

在《告乡村贫民书》这本小册上面，列宁以通俗而简单的文字向农民解释社会民主党的党纲。他写道:“我们是在努力得到一个新的更好的社会制度：在这个新而更好的社会里将没有贫富之分，大家都应当参加工作。共同工作的结果不应为一小部分富人所侵吞，而应为全体劳动者所享用。机器和其他技术改良应当减轻大家的工作，而不应当牺牲千百万人民的利益来使少数人致富。这个新的较好的社会叫做**社会主义社会**。”

列宁指出了这个社会制度要怎样才能够得到。工人们不顾一切迫害、不管监禁、流放、苦役和刑罚，正在组织到一个秘密存在的党内去。这个党是在反对专制、为争取政治自由而斗争。工人政党是唯一能够帮助农民，首先是乡村贫民从沙皇制度以及地主中获得解放的政党。

列宁指出贫农的生活是怎样困难。他们受着地主和富农的凌辱。贫农只有一个真正的友军——城市工人。贫农应该同时反对地主和富农。战胜了地主以后，他们势必追随无产阶级进行反对资本主义基础的斗争。

在工人阶级领导下的工人有贫农的联盟，将帮助农民走上新的向着较好的生活的道路。列宁写道，工人将要起来的日子临近了。他说："全俄国的农民将要起来，帮助城市工人，为工人和农民的自由而斗争到底。那时候，沙皇的军队尽管怎样强大，都将抵挡不住。”

通过《火星报》，通过它的代销员（那些职业革命家），以及通过各种信件和谈话，列宁领导着无产阶级的革命斗争而团结了党。在他的著作和文章里，他列举出党应该如何组织工人群众和领导他们走向胜利的方法。

《火星报》受着列宁的领导和影响。他写了那些提出革命的无产阶级的任务的主要文章。革命起草了组织战斗的政党的计划。列宁的《火星报》是我们党的集体的鼓动者、宣传者和组织者。

《火星报》指导工人阶级怎样去领导劳动人民反对沙皇制度的斗争。列宁的《火星报》反对资产阶级对马克思主义的曲解;《火星报》在倾向上是布尔塞维克的。

《火星报》在列宁领导之下团结了党在革命的马克思主义的周围。它曾进行了不妥协而坚决的斗争，反对机会主义者，也就是反对一切企图使工人投降于资产阶级的分子，以及反对工人阶级的明的和暗的敌人。它反对自由派，自由派不敢反对沙皇，它们只是等待机会联合沙皇反对工人阶级和农民，使工人阶级向资产阶级屈服。

《火星报》反对犹太工人同盟，他们要将统一的工人阶级的党分裂为没有一个强大的工作中心的个别民族的组织。《火星报》反对一切调和分子与妥协分子，他们企图将各种分子结合在一个党里面而调解各种各样的分歧意见。《火星报》作了无情的斗争，反对国际机会主义。《火星报》坚决地反对马克思主义原则的一切修正，反对一切曲解。列宁的《火星报》使党团结在马克思革命理论的周围。

斯大林同志说，在他看来列宁在那时就已经是一个更为出人头地的领导者，是一只山鹰。“我对于在九十年代末期，特别是在一九〇一年，《火星报》出版之后的列宁的革命活动的认识，使我相信，列宁是一个出奇的人。当时我并不以为他仅仅是党的领导者，我以为他是党的真正建立者，因为他一个人就了解我们党内部的实质和迫切的需要。当我将他和我们党的其他领袖比较时，我常常以为列宁的战友们——普列汉诺夫、马尔托夫、阿克尔塞罗得等人——是比列宁低一个头的。以列宁和他们相比，列宁不单是一个领导者，而且是卓绝的领袖，是一只山鹰，在斗争中他不知道害怕，他勇敢地领导着党在俄国革命运动的未开辟的道路上前进。”

第五章　俄国社会民主工党的组成

一张全俄政治报纸的存在，使久已期待着的党大会的召集便利了许多。

第一次党大会（一八九八年）只有九个代表出席，对于党的活动，影响也很小，尤其是在大会所选出来的中央委员会立刻就被捕了以后。

为了切切实实地组织党，为了通过一个党纲，并且为了巩固无产阶级的革命力量，召集第二次大会是必要的。而因为俄国革命运动的迅速生长，大会的召集是更为迫切了。

与召集大会有关的工作归《火星报》担任，而首先是由列宁担任的。在俄国成立了一个大部分由《火星报》代销员组成的组织委员会以筹备大会。在团结俄国各社会民主党员的工作中，表现得最积极的有N. 巴曼、兰格尼克、斯泰索伐、柴姆略奇卡与克拉希科夫。在外高加索，党的工作由斯大林所担任。

列宁经过了那些到国外来看他的同志，以及用通信的方法，指挥俄国的革命工作。因为转辗传递的缘故，信件要很久才能到达目的地。得一封回信要隔好几个星期或好几个月。这种通信真是一种伤脑筋的工作。只要有一封信，在一种隐讳的方式下通知他某些人被捕了，一个印刷所或者文件在路上被警察发觉了，就会使列宁在晚上睡不着。

在筹备大会的时候，列宁想使完全拥护《火星报》纲领的更可靠的党工作者参加，因为这次大会原是要团结工人阶级的中坚力量的。

经过了长期的努力，第二次党大会在一九〇三年七八月之间召开了。当时正是一个革命运动迅速发展的时期。有成千成万工人参加的同盟罢工浪潮，泛滥于俄罗斯南部全境。在外高加索，在斯大林领导之下，爆发了许多次工人的政治示威运动。在一九〇一年十二月里，斯大林掌握了巴东社会民主党组织的领导权，他组织那有名的工人政治示威，这次示威和警察宪兵起了冲突而告结束。在许多城市里（罗斯托夫、巴库、第夫里斯、敖得萨、明斯克、基也夫等）发生了工人反对专制政治的战斗性的示威。

受了无产阶级革命斗争的影响，农民都起来反对地主。他们焚毁了地主的地产，占据了他们的土地，并且开始跟沙皇的警察战斗。

工人阶级是日益革命了。它得为风起云涌的革命运动而准备起来。

列宁热切地期待着党大会。大会是党的最高权力机关，它有权力决定党里的一切基本问题。

大会所要通过的党纲，已经在列宁密切的协助之下制定出来了。早在大会开幕以前，列宁就已经起草好了党章草案，准备好了决议草案，并且制定了议事日程及议事规则。

代表们开始来到了，列宁和他们举行长时间的谈话。他问他们俄国国内的情形，并且把大会所要讨论的基本问题解释给他们听。在这些谈话中，列宁观察了各代表的政的倾向，谁是拥护《火星报》的，谁是反对的，以及谁是动摇的（像当时所说的在“泥淖中”的）。

出席大会的人都特别注意到普列汉诺夫的冷淡与不易亲近的态度。他一举一动都带着“勋爵”或“将军”的气派，而不容人家的批评。但是，和列宁在一起，任何人都感到亲切而不拘束。在大会开幕的前夜，列宁在他小小的寓所的简陋环境里，和各代表举行了一次非正式的友谊谈话。

有一个代表这样写道：“我们对于列宁的实事求是的精神，他的知识，以及他在解释他的见解时所特有的天禀，常常表示钦佩。有时……列宁约我们和他一同去散一会步，跟我作披肝沥胆的谈话。在这些谈话之后离开他的时候，我们更觉得他可爱了，虽然他从没有强使我们接受他的意见，也从不攻击跟他意见不同的人。他常常用一种极清楚并且特别有同志味的态度说，他对于某一问题的意见是怎样的。”

大会于一九〇三年七月三十日开幕于蒲鲁塞尔（在一个大面粉仓库里）。有代表着二十六个社会民主党组织的四十三个代表出席。由普列汉诺夫致开会词，开了几次大会以后，因为警察的追逐，就移伦敦开会。

大会承认《火星报》对于党有极大的贡献；大会指

出《火星报》是党借以团结起来的革命旗帜。

出席大会的除了坚强的《火星报》派，列宁的信徒以外，还有小资产阶级的“犹太工人同盟”、经济主义者以及所谓“泥潭中人”的动摇的或“软弱的”代表。

大会分子的复杂，势必引起了一个关于列宁的《火星报》的原则的斗争。

在选举主席团的时候就已发生了意见的分歧，马尔托夫主张选九个人，列宁主张选三个人成立事务式的主席团。大会通过了列宁的提议。在大会刚开始的时候，在组织委员会中就发生了一件事。组织委员会有一次开会的时候，有人提议邀请机会主义的“斗争社”派的代表D·里亚柴诺夫，作为有发言权而无表决权的代表出席大会，这提议被否决了。列宁和坚定的《火星报》派反对邀请D·里亚柴诺夫；马尔托夫及其他“软弱的”《火星报》派则加以赞成。

在讨论党纲的时候，又发生了新的意见分歧。普列汉诺夫，在列宁赞助之下，宣称：要把革命的成功放在第一位，并且为了革命的缘故，胜利的无产阶级可以剥夺那些反对无产阶级的阶级的选举权及其他权利（例如，解散资产阶级议会，取消资产阶级的出版自由等等）。这个声明博得了列宁及他的信徒们的赞成，但引起了机会主义者的猛烈的不满。

机会主义者亚基莫夫反对党纲草案中关于无产阶级专政的条文。列宁和坚定的《火星报》派对于我们党纲中这重要的一条加以拥护。

在讨论土地纲领的时候，机会主义者说农民永远不会拥护革命，因而不会追随无产阶级。他们说，因为农民总是反动的，所以期望在农民中发动革命运动是没有什么用的。列宁与他的信徒们，恰巧相反，认为革命的农民是无产阶级的同盟者。

讨论到党对于自由主义派的态度时，又表现出了两种倾向，有些人提议和自由主义派成立妥协（就是说，和资产阶级成立联盟）。别的人指出，党的基本任务是向工人们说明，自由主义派（例如，他们的主要组织，由斯托罗夫所领导的“解放同盟”）是反对工人并且仇视革命的，自由主义派的阶级利益使他们投向专制政治的阵营去。列宁拥护了后一种立场。

对于党章的第一条，大会上起了特别激烈的斗争。

列宁提议，只有那些不仅仅接受党纲而且还在党的组织中积极工作的人，才能作为党员。马尔托夫提议，不参加组织活动而光是用某种方式帮助党（财政上的帮助等等）的也得为党员。马尔托夫，像列宁所说的，是要“把阿猫阿狗都算作党员”。列宁指出，马尔托夫的方式是“对一切混乱、动摇、机会主义的分子开着大门。”他说：

“十个切切实实工作而不自命为党员（真正的工作者并不在乎名称）的人，要比一个只会嘴里讲讲的却想有权利与机会做一个党员的人好得多。”

列宁指出，党愈强固愈团结，它对工人阶级的影响也就愈大。党不能包括整个工人阶级，它应该巩固与组织它的前卫，而这样一个团结了工人阶级最前进分子的党，才能够领导整个工人阶级。

列宁是要一个能够领导工人阶级向资本主义的堡垒进攻的统一的、可靠的、战斗的工人政党。而在另一方面，马尔托夫与他的信徒，却想把大批知识分子以及其他一切不坚定的分子拉进党里来。

在这一点上，开始表现了两种矛盾的政策。列宁号召组织一个战斗的革命政党，这个政党不但要推翻专制政治，而且要领导工人阶级向资本主义进攻。马尔托夫以及后来的孟塞维克要组织一个政党，这个政党在推翻了专制政治以后，就把它的斗争完全限制在资产阶级民主政治的机构以内，依照欧洲改良主义的方式，只成为一个和平的资产阶级统治的反对党。从这两个政策的分歧中，引起了一切基本的不同意见——在对自由主义派的态度问题上，在组织问题上等等。

列宁为拥护他所拟定的党章第一章以及拥护严格的党的集中制而斗争，因为他要创造一个新型的党，一个战斗的革命政党。

第二国际的各党都是“安于和平”的政党。他们不想领导工人阶级走向革命斗争。他们所做的就是进行国会选举，然后他们自己就从事于国会内的和平工作，想跟着资产阶级政党亦步亦趋，并且事实上充当后者的应声虫。第二国际的社会主义者嘴里谈革命谈得天花乱坠，但是事实上他们想尽可能和资产阶级妥协，而且企图阻挠工人的革命行动。

列宁要创造一个能够领导武装起义、推翻专制政治、并且准备领导无产阶级夺取政权的有力的健全的党。

为了完成这一个巨大的任务，俄国的无产阶级必须创造一个战斗的无产阶级政党，列宁热衷地坚决地为这样一个党而斗争。

列宁认清，如果工人阶级不组织这样一个政党，它就不可避免地要在将来和专制政治和资产阶级的斗争中遭到失败。但是，马尔托夫所拟定的党章的第一条在大会上却为极小多数所通过了，这个极小多数包括“犹太工人同盟”的分子以及其他机会主义派的代表。

后来，在一九〇五年春天所开的第三次大会上——布尔塞维克大会上，马尔托夫的方案从党章中删去，而列宁所手订的关于党员的条件的方案被通过了。

第二次大会中，在“犹太工人同盟”问题上引起了尖锐的争论。“犹太工人同盟”是一个代表小手工业者利益的犹太工人的团体。“犹太工人同盟”提议，党要成为一个按照民族性而团结工人的各民族组织的联盟。例如，“犹太工人同盟”派要求犹太工人（不管他们在什么地方）都通过他们自己特殊的民族组织而加入党。“犹太工人同盟”派主张成立分散的各民族党以代替单一的各民族共同的党。如果“犹太工人同盟”派的主张胜利，那么俄国将有的不是一个强固的统一政党，而是跟俄国民族的数量同样多的政党了。

列宁坚决地反对“犹太工人同盟”派这些小资产阶级的提议。大会支持了列宁，于是“犹太工人同盟”派示威地退出大会，声明脱党。《工人事业报》的代表们（马丁诺夫、亚基莫夫）也退出了大会。于是拥护列宁的就成了多数。

“布尔塞维克”（从俄文 bolshinstvo——多数这字变化出来）和“孟塞维克”（从俄文 menshinstvo——少数这字变化出来）这两个名词就是发源于此的。列宁的信徒就被称为“布尔塞维克”，而马尔托夫的信徒就被称为“孟塞维克”。

大会选举列宁、普列汉诺夫与马尔托夫为《火星报》的编辑委员会（在大会上，普列汉诺夫是站在列宁这一边的），马尔托夫坚持以前《火星报》所有的编辑——波特勒索夫、柴苏里奇与阿克塞尔罗德都选入编辑委员会。大会主张要一个可靠的统一的编辑委员会，就否决了这议案。于是马尔托夫声明他不愿意在编辑委员会工作。少数派在大会上示威地宣称，他们拒绝参加选举中央委员会。拥护多数派（即拥护列宁）的代表——克尔日尚诺夫斯基、蓝格尼克和诺斯科夫被选入了中央委员会。

大会开会以后，列宁又和各代表团以及个别的代表举行谈话，把布尔塞维克与孟塞维克分歧的根底解释给他们听，鼓励他们尽可能地吸收工人到党里来，并且要和职业革命家保持密切的联络。

列宁用他在第二次大会期间的工作，把一个党员对党大会应有的态度作出了卓越的模范。他替大会作了精密的准备，差不多替一切决议案都起了草案。在大会开幕之前，他和所有的代表举行谈话，并且主持在大会期中所开的《火星报》派的会议。每一次会他都出席，积极参加大会的工作，做报告，参加讨论，做主席，在大会休会的时候和各代表谈话，起草决议案。他备有一本记载大会情形的日记，把大会中的主要点与主要事项都写了下来。大会开完以后，他把大会的决议解释给各代表听，指示他们怎样在俄国实行这些决议案。后来他把大会的情形写了一本辉煌的详细的纪录:《进一步，退两步》，在这本纪录里，他把大会中引起冲突的各种动态都写得很明白。列宁在大会中采取了坚定的路线，不屈不挠地维护革命的立场。

大会中革命的多数派击溃了机会主义者。

列宁写道："……《火星报》派的分裂是大会主要的政治结果之一……"在俄国社会民主工党里形成了布尔塞维克派与孟塞维克派。

当时有些短视的政治家认为，工人政党为了空洞的言词，为了党章第一条的内容，为了琐屑小事而引起了分裂。那些机会主义者，在党内促成了分裂以后，却批评列宁，说他玩弄"分裂的策略"。在过去了三十年以上的今天，对于每一个人都已经很清楚，当时列宁是多么正确，当时所聚讼纷纭的问题是多么基本而非偶然的问题。今天已特别明显，列宁能在当时估量出多数派与少数派间分歧的意义，并且把拥护马尔托夫者所要使俄国革命运动走进去的深渊揭发出来，这需要何等的天才。

党的革命派与机会主义派之间的思想上的分歧，早在过去列宁与机会主义者的论争中，例如，在他给"信仰"的答复中，在《做什么？》一书中，以及在《火星报》上表现得很明显了。大会把两派对于党纲、策略以及党组织的一切基本问题的不同意见显露了出来。

俄国的孟塞维克以及他们欧洲工党中的大好老开始对布尔塞维克，尤其是对于列宁加以谴责，说他倾向于过分的集中制，倾向于勃兰基主义（就是说，一小部分革命家策划密谋与叛乱而不让群众参加的一种企图）。

现在我们知道，当时列宁努力要创造一个有着强固的中心的、健全的、组织得很稳固的党，是多么正确。那时列宁看出，孟塞维克是要驱使工人阶级到资产阶级的怀抱中去。

这次大会决定了党的整个未来的命运。列宁成功地把大会的多数代表——形成布尔塞维克党的基干的真革命者们团集在他周围。

斯大林在他向苏联共产党第十五次大会的报告中，这样说：

> 我们来讲一讲一九〇三年我们党开第二次大会的时期。在这时期，党有了一个转变，从和自由主义者妥协转变到与自由资产阶级作决

死的斗争，从准备反沙皇制度的斗争转变到对他作公开的斗争以彻底摧毁沙皇制度与封建制度。那时的党由六个人：普列汉诺夫、柴苏里奇、马尔托夫、列宁、阿克塞尔罗德与波特勒索夫所领导。这个转变对于其中五个人成了致命伤。他们离开了革命的队伍。革命只剩了一个人……现在对于每一个布尔塞维克都很清楚，如果列宁当时不对那五个人作坚决的斗争，如果那五个人不被打倒，我们的党不会锻炼成为一个能够领导无产者走向革命的布尔塞维克党……

先前是俄国社会民主工党中一个派别的布尔塞维克，后来在一九一二年组织了一个独立的俄国社会民主工党，领导俄国的无产阶级完成胜利。孟塞维克在一九一二年被驱逐出了俄国社会民主工党，他们成了资产阶级的帮手，以后就公开地走到了反革命方面去。

俄国社会民主工党在一九〇三年开第二次大会时的组织成立，以及布尔塞维主义之作为一种政治思想的趋向，作为一个政党而出现，这在整个国际工人阶级运动的历史上是一个重要的转换点。

布尔塞维克主义，不仅仅作为一种纯粹俄国的现象而发展起来，而是在列宁和他的拥护者对国际工人阶级运动队伍中的机会主义所作的全部斗争的基础上，在全世界无产阶级斗争经验的基础上，在马克思学说（这学说在欧洲以及别处的无产阶级斗争的火焰中锻炼了起来）的基础上发展起来的。在第二国际以及在俄国社会民主工党的队伍里，都有革命分子与机会主义分子以及妥协分子。俄国社会民主党队伍中的分裂指示出了无产阶级在它斗争中所应该走的道路。

为什么一个新型的战斗的无产阶级政党恰恰出现在俄国呢？为什么俄国产生了世界革命的领袖——列宁？为什么一个比较落后的国家首创了这个无产阶级革命的时代？

沙皇俄国是帝国主义各种矛盾的“结节点”。它是帝国主义体制的重要部分，是各种压迫的渊源。没有一个别的国家的劳苦大众是受着这样横蛮的剥削的。在这里，资本家的剥削和地主的压迫联结了起来。沙皇的警察与宪兵用武力来支持一切形式的剥削。整个政治制度都浸透了这种压迫。工人们只拿到一点菲薄的工资，他们有最长的工作时间，最坏的住居和生活的条件，而享受最少的权利。

农民受着地主和乡村资产阶级（富农）的剥削。他们生活在极端贫困和经常饥饿的条件之下。

沙皇制度使一切非俄罗斯的民族受着特别严酷的压迫和虐待。波兰、外高加索、芬兰以及中央亚细亚的民族被强迫俄罗斯化。非俄罗斯的民族被剥夺了一切权利。教授民族的土语是被禁止的。犹太人受着特别的压迫。这种民族的压迫更增加了劳动者对沙皇制度与拥护沙皇制度者的憎恨。

外国的资本家，利用了沙皇政府所给他们的种种方便，都欣欣然投资于俄国，因为在俄国，他们可以得到最高的利润。沙皇政府，经过它的警察与军队，帮助这种对于俄国无产阶级的国际的剥削。沙皇政府从人民身上勒索了千千万万的卢布以偿付外国资产阶级所借给它的债款利息。

此外，沙皇政府还帮助西方的资产阶级剥削与分割东方的国家：波斯、土耳其、中国等。沙皇政府是欧洲的宪兵。根据斯大林同志的话，沙皇政府“是帝国主义东欧的看门狗”。对沙皇政府给以打击也就是对整个帝国主义体制给以打击。

所以，沙皇俄国是各种压迫并且是最野蛮最非人道的压迫的渊源。

在这个时候，民众的革命在这个国度里生长着。这个革命是由以战斗的列宁的党为首的最先进的阶级——无产阶级所领导的。

俄国的革命，对沙皇制度给予打击，也就是对世界帝国主义予以威胁。它必然会成为一个有国际重要性的革命，因为它会在世界帝国主义的体制中造成一条裂缝。因此，国际的局势以及俄国本身一切内部条件都使世界革命运动的重心移到了俄国。

俄国成了列宁主义的发源地。这里出现了一个新型的政党，而从这里产生了这个党的创造者和领袖，乌拉地米尔·伊里奇·列宁。

大会以后，布尔塞维克与孟塞维克之间的斗争更趋激烈了。

“国外俄国社会民主党联盟”在日内瓦举行了大会，讨论第二次大会的结果。孟塞维克，由马尔托夫与托洛茨基所领导，对列宁大肆攻击，并且声明他们对中央委员会表示不信任。这次大会以后，普列汉诺夫也断然走到孟塞维克方面去了。他主张所有在第二次大会中没有当选的旧编辑都补选到《火星报》的编辑委员会中去。普列汉诺夫，很暂时地和列宁站在一起以后，又回到了他自己的一伙中去，从孟塞维主义的机会主义观点跟列宁与党作斗争。

列宁认为普列汉诺夫不忠实地违反了第二次大会的决议，他退出了编辑委员会。从第五十三期起《火星报》成了孟塞维克的机关报。旧的、列宁的《火星报》教育党与工人阶级怎样进行不屈不挠的革命斗争以反对沙皇制度与资产阶级，而孟塞维克的、新的《火星报》却传播机会主义，把政治上的小资产阶级观点灌输于工人阶级。托洛茨基完全站在孟塞维克一方面。在新《火星报》以及其他的小册子《我们的政治任务》中，他完全表现了孟塞维克的一切机会主义的观点，托洛茨基反对集中制与纪律，发表反对无产阶级专政的言论。在他的文章里他特别猛烈地攻击列宁。

列宁进行了坚决的斗争反对孟塞维克机会主义者。到来了一个在党的历史上困难的时期。列宁离开了《火星报》的编辑委员会以后，就在中央委员会做工作。但是在中央委员中，也有人（克拉辛、诺斯科夫）主张跟孟塞维克妥协。列宁努力要召集一次新的代表大会。

他要求严格执行党的决议，但是多数中央委员却背叛了布尔塞维主义——他们走到了孟塞维克方面去，和他们联合了起来，并且责备列宁替大会说话。

列宁和普列汉诺夫在政治上决裂了，对于普列汉诺夫，他是一直很敬重的。列宁和马尔托夫曾多年共同干革命工作，因而有很好的友谊，但列宁和他也分裂了。他和其他的“劳动解放社”分子，和《火星报》的编辑委员会也破裂了。中央委员会中一部分布尔塞维克的信徒投向妥协派的阵营，列宁进行了坚决的斗争反对他们。孟塞维克在他们的文章与小册子里向列宁投掷泥污。列宁连一个可以由他支配的新闻机关都没有，他似乎完全被解除了武装并且很孤单。

但是列宁知道他的路线是正确的，只有进行无情的斗争才可以克服机会主义，只有一个团集在布尔塞维克主义旗帜之下的有力的革命政党，才可以得到工人阶级的胜利。他和一小部分的拥护者坚决地为了他的意见而斗争，为了把党团集在布尔塞维克口号的周围而斗争。他知道，俄国的工人是拥护布尔塞维克的口号的，孟塞维克在国外的“胜利”并不反映出俄国国内的情形。

列宁把党大会的情形以及双方争论的性质写了一本专门的小册子《进一步，退两步》。在这本小册子里，他详细地解释了大会中所发生的斗争的意义，他揭发了孟塞维克（包括托洛茨基那种业已证实的孟塞维克在内）的机会主义。孟塞维克公开出来反对集中制的党，反对无产阶级的纪律与统一。

《进一步，退两步》可以说是《做什么？》这本有名的小册子的续编。它给了新的例子，怎样和一切歪曲马克思主义的、脱离革命的无产阶级道路的错误作斗争。这本小册子极直截了当而又清楚明了地论到了这个问题，就是在俄国社会民主党队伍里存在着两种显明的、尖锐地对立的倾向，简直是两个不同的政党。

它指出，像普列汉诺夫、马尔托夫以及其他的孟塞维克，他们以前反对经济主义者与“犹太工人同盟”，现在却实际上采取了他们的立场。它还指出，那些反对召集新的代表大会的妥协分子是帮助孟塞维克的。

列宁对于第二次大会会议纪录的辉煌的剖析，成了布尔塞维克在护党斗争中的主要的南针。

《进一步，退两步》成了一个统一党的力量的纲领。它被热烈地阅读，并且引起了热烈的论争。

列宁也继续给广大的工人群众写文章。在一张一九〇四年“五一节”散发的传单里，列宁对俄国的工人讲了这样的话：

> 旧的俄国是在死亡下去了。一个自由的俄国正要来到以代替旧的俄国。那些拥护沙皇专制政治的黑暗势力是趋于消灭了。但是只有有阶级觉醒的、只有有组织的无产阶级才能够给这些黑暗势力以致命的打击。只有有阶级觉醒的、有组织的无产阶级才能够为人民争取真正的、不是伪造的自由。只有有阶级觉醒的、有组织的无产阶级才能够对欺骗人民、剥夺人民

权利以及使人民成为只是资产阶级手中的一个
工具的各种企图给以打击。

对于无产阶级力量的信心，对于他自己的正确以及对工人阶级必然会胜利的信念，给了列宁力量，他继续团结党的力量。

列宁知道他是走着马克思主义所指示的道路，而孟塞维克是背叛了无产阶级并且帮助资产阶级的。他写了好几十封信到俄国去，解释布尔塞维克与孟塞维克间冲突的性质。他说："无产阶级的政党要求真理。无产阶级的党要求把这种慢性的小组织风气加以坦白率直的揭发。"

在俄国国内，在革命的社会民主党——《火星报》派之间，布尔塞维克的立场得到了热烈的反响与支持。

斯大林完全是在高加索活动，他是外高加索党组织的领袖，开第二次大会的时候他在牢里，所以不能出席。他的监禁期间是一九〇二年四月到一九〇三年年底为止。在牢里听到了第二次大会的决议以后，他就坚决地表示与布尔塞维克共进退。他写了封信给列宁。后来在放逐中他收到了列宁的复信。

斯大林回忆到列宁这封信的时候说："这封信对于我们党的实际工作给予了勇敢无畏的批评，并且对于党目前工作的整个计划作了一个很清楚很简明的纲要。只有列宁才能够把最最复杂的事情写得这样简单明了，这样扼要清楚——以致每句话都好像都不是说出来的，而是像打一枪那么发出来的。"

就这样，用了书信和谈话，列宁对千百个杰出的党工作人员与布尔塞维克给以指导，在最困难的年头里培养与团结了党的力量。

列宁对一切采取不坚定的、调和态度的人都进行坚决的斗争。他猛烈地攻击中央委员会中的调和分子（诺斯科夫·克拉辛和克尔日尚诺夫斯基），他们还在竭力地想使布尔塞维克和孟塞维克妥协。

在这时候，调和性的党中央委员会走到了孟塞维克方面去，列宁退出了中央委员会。

在一九〇四年秋天，在列宁发动之下，在日内瓦开了一次二十二个布尔塞维克的会议。在出席者之中有下列的一些人：V.I. 列宁、N. 克鲁普斯卡亚、P. 莱比辛斯基、M. 奥尔明斯基、A. 卢那却尔斯基、R. 柴姆略奇卡、V. 伏罗夫斯基、S. 戈舍夫和V. 威里奇金娜。这次会议通过了一个列宁起草的对党的申请书，要求立即召集第三次党大会。列宁知道，党的大多数将支持他，正像第二次大会的大多数一样。所以他向党申请准备召集第三次大会。召集大会是克服危机的唯一方法。列宁决定要出版一张保持布尔塞维主义的新党报。在一封写到俄国去的信里，他指出这张报纸必须成为“俄国工人阶级运动的真正机关报”。列宁对这张报纸出版特别注重。他写道：“这张机关报现在是一个重要的东西，没有了它我们必定将遭到不光荣的灭亡。”

他把奥尔明斯基，伏罗夫斯基与卢那却尔斯基选入了这个报的编辑委员会。他并且还得到了其他许多布尔塞维克作家的合作。

在一九〇五年一月，布尔塞维克的报纸《前进报》第一号出版了。列宁很高兴地这样写信给他在俄国的同志：

大多数人都前所未有地欢欣鼓舞。我们

终于结束了那个卑贱的争论，而和那些要做工作而不要无理取闹的人亲密地在一起做工作了！……乌拉！不要灰心；情形又光明起来了。

头几期的布尔塞维克报纸，在布尔塞维克中，得到了最热忱的反响。例如，S. 戈舍夫说他“很喜欢”这张报纸，“他从头至尾读了好几遍。”列宁竭力想和工人们建立更密切的关系。他提议工人们把通讯处通知报馆，好使《前进报》套在信封里寄给他们。他说，“工人们是不会害怕的。”他要求这报纸上的通讯要从工人们自己的手中得来。

他写信给敖得萨党委员会说：“为什么你们不让我们直接和工人发生关系呢？连一个工人也没有给《前进报》写稿子。**这是一种耻辱**。我们无论如何必须有几十个工人通讯员。”

在一九〇四年秋天，举行了三个不同地区的布尔塞维克党委员会的会议。外高加索委员会的会议则特别重要。

作为这些会议的结果，成立了一个由伐舍夫、柴姆略奇卡、李维诺夫、略多夫以及其他的人组成的多数派委员会的联合局。这个局，在列宁领导之下，立刻开始为召开第三次党大会而工作。在列宁直接指示之下，许多城市里都举行了党的会议，在这些会议上，大家斥责了孟塞维克与调和性的中央委员会的破坏活动，并且采取了准备召集大会的各种步骤。在这个准备期内，斯大林在拥护布尔塞维克党的斗争中做了许多工作。他写了一本小册子叫《关于党内分歧的几句话》在这本书里他叙述了分裂的历史，辩护列宁关于无产阶级政党的意义的意见。斯大林是外高加索布尔塞维克们以及全高加索党委员会的领袖。他指挥党报工作，到外高加索各地去巡视，并且对孟塞维克，社会革命党以及民族党进行剧烈的斗争。

第三次大会宣称，外高加索的组织是“我们党最最战斗的组织。”

布尔塞维克在俄国对孟塞维克的斗争很为成功。许多组织都到列宁这边来了。

第二国际的领袖们，在孟塞维克反对第二次大会决议案、反对布尔塞维克以及他们的领袖——列宁的斗争中，一致支持了孟塞维克。

考茨基宣称，如果他出席第二次大会的话，他一定投票赞成马尔托夫而反对列宁。奥古斯特·倍倍尔，和考茨基一样，也是第二国际最有权力的代表之一，他宣称，在俄国社会民主工党中形成布尔塞维克派与孟塞维克派，是列宁个人争吵和“宗派”的不可调和性所产生的结果。倍倍尔提议，成立一个“仲裁委员会”借以和解布尔塞维克与孟塞维克。列宁猛烈地反对整个的国际机会主义。列宁代表布尔塞维克拒绝了倍倍尔的“仲裁委员会”，他指出只有党的第三次大会（布尔塞维克大会）有权可以决定一切问题。露莎·卢森堡，她是德国社会民主党的左派，在俄国社会民主党内分裂的问题上，也和孟塞维克站在一起，出来反对列宁。俄国社会民主党在第二次大会上所发生的分裂，在国际工人阶级运动中，指出了一条跟机会主义者分裂的道路。

斯大林同志写道：“……远在大战以前，大约在一九〇三——一九〇四年，当布尔塞维克派在俄国获得了组织形式以及德国社会民主党左派开始出现的时候，列宁主张在这里——在俄国社会民主党内，以及在那边——在第二国际，特别是在德国社会民主党内，和机会主义者一刀两断，和他们分裂。

“……俄国的布尔塞维克曾经用了一切方法督促西方的社会民主党左派，特别是德国社会民主党左派和他们自己的机会主义者与中央派分裂。”

但是左派的半孟塞维克的错误，他们在组织上与思想上的弱点，妨碍他们和机会主义者分裂，而这也就说明了，为什么在俄国社会民主党内分裂的问题上，露莎·卢森堡和孟塞维克站在一起反对列宁这个事实。

只有布尔塞维克坚毅地毫不动摇地跟第二国际内的机会主义者作斗争。

第六章　一九〇五年革命

在一九〇四年，迫近眉睫的大革命的惊人的轰炸响彻了全俄国。

列宁在那时屡次指出革命快要到来，无产阶级的党应该有所准备。

一九〇四年爆发了日俄战争，这是一个沙皇俄国和资产阶级——地主的日本为了瓜分中国、朝鲜与满洲而起争夺的一个帝国主义侵略战争。

沙皇是指望靠军事上的成功来维持他在国内的威信，来激起一个爱国思想的浪潮，并且阻止那日益迫近的革命。列宁分析了当时的形势，认为沙皇俄国的失败将增加国内革命的酝酿。他指出，“争取俄国自由以及俄国（和全世界）无产阶级为社会主义而斗争的事业，是大大地依赖于专制政府所受的军事上的失败的。”

沙皇专制政府想在满洲与朝鲜攫取新的领土。从战争一开始的时候起，沙皇政府就受到了惨败。一次又一次的败退。这个可耻的战争向全世界、向俄国的千百万劳动人民暴露了专制政治的一切昏庸腐朽，它的文武官吏的无能与腐败。它在各阶层的人民之间引起了深刻的不满，促进了革命运动的迅速的生长。

一九〇五年一月之初，日本占领了沙皇将军们所称为决不能攻陷的旅顺港。这就预示了沙皇军队的全盘溃败。

列宁在旅顺港陷落以后曾经写道："受到了可耻的失败的不是俄国人民，而是专制政府。俄国人民却因为专制政府的失败而有所收获。旅顺港的降服就是沙皇制度降服的序曲。"

在这时期内，全国到处爆发了剧烈的罢工。在一九〇四年十二月里，巴库发生了总罢工。在第二年的一月初，圣彼得堡的普梯洛夫工厂发生了罢工，这罢工立刻波及到了首都所有的工厂、工场和作坊。在一九〇五年一月九日（公历一月二十二日），工人群众，在加邦牧师鼓动之下，列队至各宫递呈请愿书。工人们向沙皇递呈的请愿书里面，也含有我们党的党纲里所载着的若干政治经济的要求。这是由圣彼得堡革命工人的要求而加进了请愿书的。沙皇的军队用子弹来迎接了和平的工人代表团。好几千工人被屠杀与击伤。俄国无产阶级得到了一课血的教训，这一次教训它是永世不会忘记的。

当列宁得到一月九日事变的初次消息时，他就立即完全把握住了它的革命意义。党在列宁领导之下所准备的革命已经来到了。列宁说，“革命已经开始了。”他看得很清楚，直接准备武装起义的时机已经成熟了。

孟塞维克想把一月事变认为工人阶级斗争中一个孤立的插话，列宁却认清，俄国是走进了一个新的历史阶段。“工人阶级在内战中已经得到了一课极大的教训；无产阶级的革命教育在一天中要比它在卑贱、无聊、悲惨的生活的几年几月中产生更大的进步。”

列宁，虽然离俄国很远，却专心注意事态的推演，仔细地研究发表在各种外国报纸上的俄国新闻，把它们和党负责人寄给他的信互相比较印证。他每天指导俄国各地党委员会的工作，寄指示和书信给各地同志，向他们询问他所要弄清楚的事情，以便确知局势的一切详细情形。他注意到全国各地的事情，注意到哪里正进行着斗争，他给党作出详细的具体的指示。任何东西都不能逃过他的注意。

在无产阶级与它的党的面前有了新的战斗的任务——需要把斗争的未来途径计划一下。列宁认识得很清楚，武装起义的时机已经到来，所有的准备必须做得迅速而完善。

列宁在他的小册子《做什么？》里，已经说到了要准备民众的武装起义。在一篇论一月九日事变的论文里，他写着，现在不但需要宣传武装起义而且需要组织武装起义了。立即武装工人，是主要的任务。“只有武装的民众能够作为民众自由的真正堡垒。”他指出工人阶级运动已经进入了更高的阶段，它已经开始发展到暴动了。他号召无产阶级学习内战的艺术。

革命是一种战争。它是历史上所有战争中唯一合法的、正义的、真正伟大的战争。它并不像其他的战争一样是一种为了少数统治者与剥削者的自私利益而进行的战争，而是为了人民大众的利益以反对暴君，为了千千万万的被剥削的劳苦大众的利益以反对专制与武力的。

列宁又重新阅读了马克思与恩格斯所写的关于暴动的文章。他钻研了军事的书籍。他对巷战与游击战的经验，对过去暴动的经验，特别是一八七一年巴黎公社的经验作了一番仔细的研究。他不但号召准备起义，而且把它的各种技术问题都设想周到了。

他亲自校阅了巴黎公社克鲁西爱尔将军所寄的关于巷战一书的翻译。列宁认为这本小册子很有价值，因为它对于怎样建筑防御物、怎样占领房屋，并加以设防，怎样用炸弹等等都有具体的指示。

列宁组织了购买军火及将它运输到俄国去的工作，以武装正在形成的无产阶级的武装队伍。

在《前进报》一连好几篇的文章里，他说明了无产阶级策略的原理。他指出，组织必须广泛地发展起来：“要组织，组织成千成百的团体。”他号召广泛地吸收青年，尤其要吸收到战斗的团体里来。

在俄国有着成千成万的民众，我们只需广泛地勇敢地吸收青年进来，更勇敢些更广泛些，并且还要更广泛些更勇敢些，**不要有什么害怕**。

革命斗争的领导权必须放在无产阶级手里。无产阶级必须支持全体农民反对沙皇与地主的斗争。它将支持乡村无产阶级与贫农反对富农阶级，反对整个资产阶级的斗争。工人阶级用它斗争的方法（罢工、武装起义）给了农民一个怎样斗争的例子。

列宁说，一次胜利的起义可以创造出一个新的政权。工人们应该努力建立无产阶级与农民的革命民主专政以代替沙皇的统治。由革命所产生的临时革命政府将摧毁一切专制政治的现象并且给无产阶级与农民保证政治上的自由。在这个革命以后。工人阶级要立刻展开争取社会主义革命的以及完全消灭一切剥削的斗争。这两个革命是紧密地联系着的。要实现这计划，党必须加以巩固。

列宁固执地催促他的同志们召集大会。他揭发了中央委员会中的调和分子，他们迟延了大会的召开。第三次大会是要把布尔塞维克团结起来，并且给他们以指示。这是一个特别形式的大会，是在进行决战的前夜来集合起战争的力量。

列宁提出了一个口号：“大会必须简单（像一个军事会议一样），时间很短（像一个军事会议一样），人数要少（像一个军事会议一样）。这是一个筹划战争的大会。”

大会终于在一九〇五年四月举行于伦敦。列宁的努力得到了成功。

大会的大本营是在一个阁楼上。列宁在这里和每个代表举行长时间的谈话，仔细地问他那个地方革命运动的各种情形，甚至最琐屑的事情也要问个清楚。同时他又以不惹眼的方式把自己的见解告诉他们，借以教育他们。

出席第三次大会的有二十五个委员会的代表，就是说，大多数的俄国党组织的代表都到了。只有九个委员会选举了孟塞维克，他们没有出席大会，而自己开了一个单独的会议。第三次党大会完完全全是一个布尔塞维克大会。

在大会开会之前，列宁就已起草好了所有主要的决议案，并且在《前进报》上写文章拥护这些决议案。列宁指挥这次布尔塞维克大会的全部工作，积极参加各种小组委员会，仔细地考察所有到会的布尔塞维克，计划着怎样并且在哪里能够把每一个人最好地利用于革命事业。

列宁关于无产阶级在革命中的策略的动人的演说，以它的铁一般的逻辑而摄住了每一个人。他指出了党斗争的新路线，并且揭发了孟塞维克的见解与口号。

孟塞维克，在他们小册子与报纸里，竭力反对暴动，并且反对列宁的一切战略与策略。

孟塞维克，因为害怕革命，就像鹦鹉一样地反复说，这个革命是一个资产阶级的革命，要是革命胜利了就应该把一切权力让给资产阶级。他们反对无产阶级参加临时政府，拒绝无产阶级与农民专政的口号，并且反对组织武装起义。

列宁指出，暴动是达到无产阶级胜利的唯一道路。他说只有组织临时革命政府才能巩固无产阶级起义的胜利，临时革命政府将是无产阶级与农民的革命民主专政。

在大会上他说：“如果专制政府真的被推翻了，必须由另一个政府来代替它。而这另一个政府只能是一个临时革命政府。它只能从革命的民众，就是说从无产阶级与农民得到支持。它必须是一种专政，就是说，不是一个维持‘秩序’的组织而是一个指挥战争的组织”。

大会把筹划与实行武装起义的一切有关的问题作了详细的讨论。它指出，群众罢工是政治斗争的一柄有力的武器，必须把它转变为暴动。光是鼓吹暴动是不够的；还必须作各种技术上的准备：必须贮蓄武器，要起草好各种计划，例如哪里应该筑防御工事，城市中哪几个地点应该加以占领等等。

列宁指出，农民，在工人阶级领导之下，并且和工人阶级在一起，是革命的一种推动力，因为革命成功可以给农民以土地。农民夺取地主的产业是一种最重要的革命行动，因为它可以摧毁地主的权力，而地主是沙皇制度赖以支持的主要力量。我们的党无论如何不会阻止农民采取这行动。相反地，我们的党将支持农民并且将努力完全把一切土地夺取过来。

大会修改了党章，通过了列宁所规定的党章第一条。在大会上，列宁坚决地主张，在党委员会中要有更多的工人。他提议，在委员会中，每有两个知识分子，必须有八个工人。

> 把工人提拔到委员会中来不仅是一个教育的任务，而且是一个政治的任务。工人们有一种阶级本能，只要稍为有些革命经验，工人不久就可以成为坚强的社会民主党员。

第三次大会巩固了布尔塞维克，选出了布尔塞维克党的中央委员会。

在他关于第三次大会决议的声明里，列宁代表中央委员会，对于工人阶级当前的任务讲了这样的话：

> 无产阶级是不害怕伟大的任务的。那些预言它将因胜利而遭受灾害的人，它都轻蔑地加以摈弃。俄国无产阶级能够把它的责任完成到

底。他能够领导民众的武装起义。它并不害怕参加临时革命政府的艰巨任务，假使这任务落到它身上来的话。它能够反攻一切反革命的企图，无情地打击自由的一切敌人，用全力来保卫民主共和国，并且用革命的方法来求得我们最低限度纲领的实现。俄国的无产阶级一定不会害怕，而是热情地希望着这样一个结果。我们在即将爆发的民主革命中得到了胜利以后，还将迈着大步前进走向我们社会主义的目标。

在这个战斗的布尔塞维克大会开会的时候，一个孟塞维克的会议也正在举行。当布尔塞维克集中他们的力量以准备武装起义的时候，孟塞维克对于武装群众，在士兵中做工作等问题却连考虑都没有考虑，并且对暴动的各种技术准备都加以摈弃。

布尔塞维克提议成立农民委员会与夺取地产；孟塞维克把农民问题的解决一直迁延到召集立宪议会的时候。在别的问题上，孟塞维克也采取了机会主义的态度。布尔塞维克与孟塞维克在一切革命问题上意见的极端分歧是很显然的了。

在第三次大会之后，列宁就在他的光辉的著作《社会民主党在民主革命中的两个策略》中解释了这些基本的分歧。必须尖锐地对立这两个立场，并且给无产阶级确定一定的任务。这本小册子给工人阶级与农民指出了他们要战胜专制政治所应该走的道路，并且指出了怎样才能获得无产阶级对沙皇制度与资产阶级的胜利。列宁把孟塞维克与布尔塞维克意见分歧的主要意义作了详细的解释，并且为他自己的革命理论辩护。斯大林说，在这本小册子里，列宁“把资产阶级民主革命与社会主义革命描写做一条链条中的两个环节，描写做俄国革命进展的一幅单一的完整的图画。”

列宁认为，工人阶级与它的党在这次革命中有领导作用。那即将爆发的革命当然是一种资产阶级的而不是无产阶级的革命，就是说，它不会直接反对资本主义的基础，它是反对专制政治与封建残余的。但是这个资产阶级革命对于无产阶级与农民是有利的。它对于无产阶级是需要的，因为它清除了更进一步为社会主义而斗争的道路。

列宁说，无产阶级必须领导这个革命，而且如果农民大众和它联合起来，它一定可以在这次斗争中得到胜利。资产阶级支持这个革命，是不坚决的，从自私自利的观点出发的，不大热心的。只要专制政府对它稍为让步些，它狭隘的自私利益得到了满足，资产阶级就会不可避免地一齐走向反革命，站到专制政府一方面去反对革命，反对人民。农民则恰恰相反，会坚定地支持革命与共和国，因为革命可以给它土地。

无产阶级在农民支持之下得到了有决定意义的胜利以后，将走上夺取政权、成立无产阶级与农民革命专政的临时政府的道路。这个专政将采取若干革命的办法以消灭封建制度的残余。

在斗争的过程中，无产阶级将组织并且增加它的力量，把贫农争取到它方面去，将给资本主义以打击——资产阶级革命将发展成为社会主义革命。

无产阶级必须把民主革命进行到底，在这革命中联合农民群众以便用武力粉碎专制政治的反抗，麻痹资产阶级的动摇性。无产阶级必

须完成社会主义革命，在这革命中联合民众中半无产阶级分子，以便用武力粉碎资产阶级的反抗，麻痹农民与小资产阶级的动摇性。

列宁用这样的话结束了他的小册子："领导全体民众，特别是农民——为完满的自由而战，为彻底的民主而战，为共和制而战！领导一切劳苦群众与被剥削者——为社会主义而战！"

列宁就这样辉煌地指出了那条我们党所以胜利地走过来的道路。孟塞维克反对这些简单明了的布尔塞维克的策略，他们能有什么贡献呢？

他们说：假使我们踏入了资产阶级革命的时代，那么领导作用一定不属于无产阶级而属于资产阶级。无产阶级只是资产阶级的帮手，不能替自己提出单独的任务。孟塞维克并不相信农民的革命力量，反对和它联盟。我们已经知道，他们还反对武装起义。

列宁指出，在俄国存在着一切条件，足以把成功的资产阶级革命立即发展成为社会主义革命，但孟塞维克却认为，革命只会带来一个冗长的资产阶级统治的时期。因此孟塞维克显出他们是资产阶级的真正代理人。

列宁并且继续和小资产阶级的社会革命党作斗争。社会革命党，和孟塞维克一样，否认无产阶级在革命中的领导作用；他们也只是资产阶级的帮闲朋友。

> 列宁写道："小资产阶级政策最弱的一环，是它完全不能把自己从自由资产阶级思想的政治影响之下解放出来。不是偶然，而是由于每一个资本主义社会基本的经济情形，小资产者都成了立宪民主党的随从。因此，社会民主党的主要任务——一个孟塞维克所绝对没有想到过的任务——是不屈不挠地工作以便摧毁自由派对民主派的优势，不屈不挠地工作以便把小资产阶级群众从立宪民主党的影响下解放出来，把他们放在社会民主党的影响之下。

在发展中的革命需要和孟塞维克、特别和托洛茨基作激烈的斗争，托洛茨基所代表的孟塞维主义是有着最危险的形式的。

托洛茨基喊出了这样一个口号："不要沙皇，而要劳动政府。"这就是说托洛茨基认为革命不需要农民参加。托洛茨基把他的"理论"加以发展，他说，讲什么无产阶级在革命中的领导作用，讲什么和农民联盟以及无产阶级与农民的革命民主专政，这些都是空话，因为农民势必要反对工人阶级的。托洛茨基主张，只有当胜利的欧洲工人阶级的政权在全欧洲建立起来的时候，当胜利的欧洲无产阶级能够帮助俄国无产阶级及农民斗争的时候，俄国的革命才能够得到胜利。这就是托洛茨基底恶名四溢的"不断革命"的"理论"。但是如果工人阶级没有农民作同盟军，没有领导农民，那么这事本身也就说明，无产阶级说不上是革命的领导者了。没有无产阶级与农民的革命民主专政，那么要战胜沙皇制度，要把资产阶级民主革命发展为社会主义革命，都是不可能的。

列宁严厉地批评托洛茨基的立场，指出托洛茨基这种看来似乎是"革命"的理论，在本质上是孟塞维克的，它解除了工人阶级的武装。

不断革命的"理论"表示出来，拥护这种理论的人不仅看轻了农民在革命中的作用，而且对于无产阶级的领导力量，对于工人阶级争取农民与领导农民的能力也缺乏信心。托洛茨基这种反革命的“理论”是反对无产阶级专政的。托洛茨基在一九〇三年第二次大会上就已站出来反对无产阶级专政，这并不是偶然的。

其时，国内的革命斗争是在发展着。

在一九〇五年“五一”宣言里，列宁用下面的话描写出了国内形势的特征：

> 俄国从来没有过像现在这样的从睡眠、压迫与奴役中觉醒过来。社会各阶级从工人农民到地主资本家，都已起了动荡；在圣彼得堡、在高加索、在波兰、在西北利亚，到处都发出了愤怒的声音……为争取自由的斗争变成了普遍的斗争。

无产阶级运动的成长在农村里也表现了出来。农业劳动者的斗争开始爆发了，农民拒绝缴纳租税，后来就开始了反对地主的叛乱，在叛乱中打毁了地主的田庄。

在一九〇五年夏天，全国掀起了一种继续不断的工人骚动的浪潮，这种骚动在有几处发展成了与军警的冲突。

前线上不断的败北以及沙皇舰队在对马海峡的毁灭，这对于革命斗争更是火上添油。陆军与海军已经开始被革命思想所“传染”，而且有一部分走向了革命。在六月里，黑海中的“波坦姆金”战舰上发生了叛变。黑海舰队中其他的军舰也都挂起了红旗。

华西里也夫犹仁说，当列宁送他回俄国到叛军那里去时，列宁指出，起义的军舰必须采取坚决的行动。

他们必须尽一切力量来把舰队中其他的军舰也放在他们控制之下。我相信大部分的军舰会和“波坦姆金”采取一致行动的。所必须要做的只是勇敢与坚决地行动。过后立刻派一艘鱼雷舰来接我。我将到罗马尼亚去。

“乌拉地米尔·伊里奇，你真的认为这都是可能的吗？”我无意地问。

“当然，我想这是绝对可能的。所必须做

的只是坚决而迅速地行动。”他带着坚定与自信的态度又重复地这样说。

虽然“波坦姆金”叛变被镇压了下去，但是舰队的叛变却表示出，沙皇制度的堡垒——它的海陆军——是动摇了，国家的武装力量开始和工人的力量联合起来了。

工人的罢工与农民的骚动继续不断地发生。革命是在蔓延着。

沙皇政府为了使它敌人的阵营内发生动摇并且为安慰资产阶级起见，它声明要召集一个咨议性质的国家议会，就是由各部分人民的代表组织议会以供沙皇“与他们商议”国家大事。在这个议会里绝对没有工人的议席。列宁立刻揭发了这种笨拙的诡计，他号召工人们排斥布里根议会（布里根是沙皇总长的名字），列宁号召工人们更坚决地继续向专制政治进攻，并且准备武装起义。

国内革命运动的生长把布里根议会撇在一边了。

第七章　武装起义

列宁夫妇在那个幽静的、小资产阶级味的日内瓦的小寓所便是俄国革命的总司令部。当地居民，观察着俄国侨民列宁的生活，他与新来的俄国人的会谈，他经常在图书馆里的研究工作，从不疑心过这个外貌不扬的最谦和的人是在紧张地指挥一个反对沙皇政府的伟大斗争。

这个初期的革命使大批革命者从俄国到外国来，他们把斗争进展的详细情形告诉了列宁。信件和新闻报导的数量增加了。工作繁重了起来，前途有了光明。

列宁好比每天研究着革命的军事地图，发出指示，指挥着各部队的斗争。

大部分中央委员（克拉辛、波格达诺夫等）是在俄国，但是中央委员会的工作却进行得很迟缓。

列宁不满意于中央委员会的工作，认为它并没有正确地估计了新的形势。他讥刺地说："并没有中央委员会，并没有人感觉到它的存在，没有人注意到它……中央委员会在党内的政治领导是看不出来的。……"他指出了其中的原因：中央委员会的委员们以为他们可以照老方法，用谈话，用个人的接头来做领导工作，这是幻想。"他们必须公开的领导"，就是说，用传单，用报纸，用在区会议上作讲演等等方法来领导。列宁想叫中央委员会印发传单与出版小型报纸。

列宁坚决要求立即召集全体中央委员举行会议：有许多问题须要解决。他指出，第四次大会已经隔得不远了，大会的准备工作也必须做起来了。他号召中央委员们好好地做工作："更勇敢更广泛地去接近工人"，关于一切组织无产阶级斗争的问题他都对中央委员会给了指示。

一九〇五年秋天，列宁在一封寄到俄国去的信中写道："在俄国，我们的革命进行得很好，我们希望不久可以回来。"他看清楚了无产阶级斗争发展所必须走的道路。主要的事情是最快地准备暴动。列宁提议，把群众组织为成千成万的战斗的支队，这些支队应该竭力把自己武装起来，并且进行各种可能的准备。

在圣彼得堡，成立了一个隶属于党委员会的斗争委员会以准备暴动。但是这个委员会工作得并不紧张，列宁骂它只是空谈武装，却不进行实际的步骤，“到青年那里去。立即到处在学生中，尤其是在工人中组织起战斗的支队来。”

在他《关于革命军队的任务》的指示里，列宁缜密地、具体地、连最微细之点都不放过地指示了，怎样来实实在在准备武装起义。

组织战斗支队，在开始的时候必须只有两三个人。这些支队应该竭力使自己武装起来——用长枪、手枪、炸弹、筑防御工事用的铲、铁丝、抵抗骑兵用的铁钉等等武装起来。

列宁列举了训练这些支队的方法：他们应该收集武器，进行各种侦察，弄到监狱、警察局和各部长公署的地图，寻觅适合于进行巷战的房屋等等。

列宁说，“暴动已经开始了。”客观的事实的确飞快地发展起来。在我们党的领导之下，莫斯科印刷工人的罢工很快地发展成为总罢工。在其他城市里也发生了罢工：有许多地方都筑了防御工事，而在某些地方军队拒绝向工人开枪。

十月二十日（俄历十月七日），在莫斯科——喀山铁路上发生了罢工。第二天罢工就已扩大到所有莫斯科段的铁路线而且还继续蔓延着。全俄铁路工人大会制定了一张要求条件的表递呈给政府。到处是集会与示威，跟哥萨克与军队起冲突的事也随之发生。工厂与作场的罢工继续着。运动也波及到了学生。布尔塞维克们在列宁领导之下拼命地工作着。党中央委员会和地方委员会散发了好几十种传单。党的煽动家与组织家在工厂里、作场里、铁路站上一刻不停地工作着。它的代表们在集会上不倦地作着演说，把布尔塞维克的口号解释给群众听，号召他们进行坚决的斗争，反对沙皇制度。罢工继续蔓延着。

到十月二十五日（俄历十二日），俄罗斯帝国所有的铁路，除了芬兰以外，都罢了工。总罢工卷入了莫斯科、圣彼得堡、波尔塔伐、库尔斯克、沙拉托夫、萨玛拉及其他城市。

十月二十六日（旧历十三日），在所有圣彼得堡的工厂和作场里举行了工人代表苏维埃的选举，而当夜就举行了苏维埃第一次会议。

甚至资产阶级的知识分子也开始参加了工人的罢工。律师、公务人员、国家机关中的雇员，药剂师等等都参加了。

在圣彼得堡，电话局接线员和电报局报务员罢了工，在国家银行里，在财政部里也发生了罢工。在莫斯科，军队包围了大学，因为大学校里举行着革命的集会。在外高加索，在波罗的海区域，在波兰都爆发了起义。全国到处发生了与军队的武装冲突。发生了巷战。农民运动扫荡了全国；地主的府邸被放火焚毁了。

专制政府被迫着表示让步，以求得不致丧失了一切。十月三十日（俄历十七日）沙皇发表了一个宣言。这个宣言答应要召集一个代表人民的国家议会。沙皇答应给人民以“自由”。

革命获得了第一次的胜利。

第二天，十月卅一日（俄历十八日），沙皇的宪兵司令，特勒波夫（他对于革命者的残酷手段是出名的）

下了“不要节省子弹”的命令，在圣彼得堡技术学校那里，枪弹向群众密集射击。为执行政府的命令，黑色百人团在全国各地滥肆屠杀。

列宁，布尔塞维克们永不会被政府的诺言所欺骗。列宁在《无产者》(一种布尔塞维克报纸的名字——译者)里写道:“政府开始在口头上让步，但是立刻在行动上准备了进攻。”

关于沙皇让步这个问题，列宁写道:“我们所一定要得到的，不是一句给人民以自由的诺言，不是纸上的自由，而是真正的自由。我们所一定要获得的，不是耻辱沙皇政府，不是使它承认人民的权利，而是打倒这个政府，因为沙皇政府就是黑色百人团对俄国的统治。”

因此，自由之唯一保证是武装民众的力量。布尔塞维克动员群众以更进一步进行武装推翻沙皇制度的斗争。

布尔塞维克党从秘密状态中出来了。党的报纸与宣言开始在合法的印刷所里印刷。党的会议差不多公开地举行。

工人们没有被沙皇的诺言所欺骗：他们知道这些都

是空话。斗争继续。工人阶级在党的领导之下，为彻底推翻专制政治而工作着。

但是沙皇政府也在急亟地集中它的力量。宪兵与警察继续在全国对犹太人施行大批的杀戮，并且屠杀革命的工人，射击革命的无产者与农民。

列宁决定回到俄国来。他让斯太索伐留在日内瓦作为中央委员会的代表以便替国外的党和国内保持联系并觅取帮助。在他离开之前，列宁又一次尝试把普列汉诺夫争取到布尔塞维克方面来，请他为布尔塞维克报纸工作，但是普列汉诺夫继续和孟塞维克在一起。

在一九〇五年十一月，列宁回到了俄国。立即召集了一个中央委员会全体会议，列宁参加了这次会议。

现在列宁直接在当地领导党与革命斗争。从清早到深夜，他和从圣彼得堡以及别的城市来的同志们谈话，给他们指示并且把国内的政治形势解释给他们听。他指挥着中央委员会的工作，在党的会议上讲演，并且进行了激烈的斗争以反对孟塞维克与社会革命党人。党觉得它的舵手是在掌着舵，在用着一只坚强的手领导着无产阶级的斗争。革命的领袖现在是在革命群众之中了。布尔塞维克的理论现在在斗争中受试验了。

在圣彼得堡出版了一种布尔塞维克的报纸《新生活》。列宁透过了这张报纸领导党，他写了好些文章，估计当前的形势与阶级力量的对比，并且指出应该做些什么。

在第一篇文章里，列宁论到党的时候说："我们党活动的条件是在起着剧烈的变化。集会、结社与出版的自由已经得到了"这些合法的便利必须加以广泛的利用。但是要依赖这个被颁布的自由则是蠢笨与罪过的，斗争还在我们面前。"党的秘密机构必须加以保持。"

必须更勇敢地更广大范围地把工人吸收进党里来。"然后勇敢地前进，拿起新的武器来，把它分配于新的群众，扩展你们的据点，把一切社会民主党的工人团集在你们的周围，成千成百地把他们编入党的组织之内！"

列宁在第二篇文章里说明了关于农民问题的政策。

列宁在圣彼得堡工人代表苏维埃中做了一个报告，苏维埃根据了他的报告通过了一个关于资本家关厂斗争的决议。在圣彼得堡成立了工人代表苏维埃以后，在其他城市里也成立了苏维埃。苏维埃成了革命的中心组织。孟塞维克们，为革命进展的程度所惊骇，想把苏维埃转变为相同于市政厅之类的自治政府。

在列宁看来，苏维埃是暴动的机关，是民众政权的胚胎。列宁指出，苏维埃必须被利用来更进一步加强与组织无产阶级，以及准备新的进攻以反对沙皇制度。

在莫斯科、罗斯托夫、叶加德林堡（那里有斯维尔德洛夫在做工作）、萨玛拉、哈尔可夫、叶尼赛斯克、克拉斯诺雅尔斯克及其他城市都成立了工人代表苏维埃。布尔塞维克领导着这些苏维埃，并在列宁的指示之下把苏维埃变成了革命的战斗中心。

在一九〇五年十一月里，全俄国发生了邮电工人的总罢工。黑海舰队里爆发了新的叛乱。军队里到处发生了叛乱。

布尔塞维克党，在列宁领导之下，不倦地组织群众，发展他们的战斗组织，积极地领导国内的革命斗争。它坚毅地执行列宁的计划：组织一个全国性的武装起义以战胜沙皇制度。

由于列宁的发起，十二月里，在芬兰的塔墨尔福斯举行了布尔塞维克代表会议。预定的党大会没有举行，一半是因为有许多代表正在领导着很快地发展着的革命斗争，不能够离开工作的地方，一半是因为铁路罢工。所以开了代表会议以代替大会。

由于列宁的提议，塔墨尔福斯会议把党纲中的土地纲领，根据了第三次大会的决议加以变更。党宣称它拥护农民的革命方法，拥护农民没收地主的一切地产。

斯大林是外高索的代表，他积极参加了这次代表会议。

他和其他许多代表在这里第一次遇见了列宁。列宁像平常一样，按时到会，在许多代表到会以前，就出现于全场，并且立刻在一个角落里和一些先到的人开始谈话。像以前一样，他是纯朴而谦和的，可是每一个人都知道，这个外貌平凡的矮个儿，是无产阶级的领袖，他的每一句话他们都听了进去。

斯大林同志这样描写了列宁关于时事和土地问题的演说在大会上所产生的印象：

这些都是令人兴奋的演说，它们使整个会

议激成了一种热情的奔放，一种使人信服的非凡力量。论据的简单明了，大家都能了解的短句子，没有装模作样，没有猛烈的姿势，没有高声的句子，也没有想加强效果的做作——这一切使列宁的演讲和普通“国会”中的演说家的演讲比起来有了天壤之别。但是并不是列宁演讲时的特点在那时吸住了我。我是被列宁演讲中一种不可战胜的逻辑力量所吸引了，这种逻辑，虽然有些干燥，却完全征服了听众，渐渐像电一般地感动了听众，然后使整个听众都被抓住了。

整个俄国是在革命的阵痛之中。在一九〇五年的最后三个月中，差不多有一百五十万人民起来罢工。农民反对地主的起事，是在工人阶级革命斗争的直接影响之下发生的，在一九〇五年春天的时候，只有在全俄国百分之十七的地区中发生了农民起事，而在一九〇五年十一月，则已有百分之五十二的地区里发生了农民起事。好几百个地主的府邸被烧毁了。工人阶级的革命斗争与农民的起事动摇了沙皇制度的支柱——军队。在一九〇五年春夏两季中，陆军与海军中都发生了些零星的骚动，在秋季中却发生了八十九件革命的骚动。布尔塞维克在军队中进行了广泛的鼓动工作，出版了好些给士兵看的报纸。

孟塞维克拒绝准备武装起义。他们宣称不需要为它作有组织的准备，而只有当起义自发地发生的时候，他们才同意承认这个起义。

孟塞维克马尔托夫写道：工人必须不是用武器而是用“一种想把自己武装起来的热望”武装起来。布尔塞维克，在列宁领导之下，领导了革命斗争，准备武装起义，购买军火，武装工人们。这个战斗的工作是由最优秀的布尔塞维克组织者在列宁指示之下进行的。李维诺夫在一封给列宁与克鲁普斯卡亚的信中写道：

> 购买军火的念头常常萦绕着我。去年我们完全可以自由运输军火，但是我们到哪里去弄钱呢？那些孟塞维克多么舒服啊！运输“把自己武装起来的热望”并不使他们化费什么，但

是我们坚强的工人却并不满足于这个……

在一九〇五年十二月，政府对革命进行了坚决的反攻，圣彼得堡工人苏维埃的代表被捕了。革命进行着。它对政府一拳还一拳。在党的决议之下，在莫斯科开始了一个总罢工。发生了潮涌一般的示威运动并且和军队发生了冲突。这个由布尔塞维克莫科斯区委员会领导的罢工，发展成了武装起义。全城都建起了防御工事。沙皇从圣彼得堡调来了炮兵与卫兵团以镇压工人。在其他城市；克拉斯诺雅尔斯克、顿河罗斯托夫、索尔莫伏以及在拉脱维亚、外加高加索等城市里也发生了起义与巷战。

在莫斯科，沙皇的军队围攻了革命队伍所集中着的普勒斯尼亚区。炮兵轰毁了最后的防御物。工人们大批被捕，遭受枪决。莫斯科的起义经过了长期的血腥斗争以后被镇压下去了。其他城市里的起义也都被平服了。

无产阶级的革命运动在这几个星期里进展到了更高的阶段。群众的罢工已经发展成了暴动。但是胜利还没有来到。

列宁总结了当时的形势，指出十二月起义是无产阶级斗争向前迈进的新的步骤，他提议党应该学习这次起义的经验而更有组织地准备一个新的对沙皇的进攻，孟塞维克们（包括普列汉诺夫在内），在十二月起义失败以后，竟断然放弃了他们所有的革命立场而宣称说："他们原不该用武器的啊。"他们诋毁了无产阶级的英勇的斗争。

一九〇六年初，俄国在国家议会选举的前夜。列宁指出，革命还没有结束，民众为夺取政权的斗争还在进行着。必须为了一个新的高潮而准备起来。必须为了暴动而准备起来。国家议会是一个粗糙地伪造起来的代表人民的机关。工人与农民不能选举他们的代表参加议会。参加选举不会增加无产阶级的斗争准备，而只会瓦解了它。参加选举会使民众相信，议会也许可能为劳苦群众的解放做一些事。因此他们必须不参加议会，必须抵制议会。主要的事情应该是为了新的革命进攻而准备起来。

布尔塞维克听从了列宁的领导拒不参加选举，孟塞维克主张参加选举。他们想迅速地从革命转到和平状态去。他们羡慕欧洲的改良主义者。他们所要求的是国会中的空谈。他们想很快地和资产阶级成立默契，并且准备和专制政府妥协。

列宁积极地指挥一切党的工作，他到圣彼得堡党会议去演讲，到莫斯科去向那里的党组织鼓吹他的主张。在国家议会的选举中，资产阶级的立宪民主党得到很多的票数。列宁在他那本小册子《立宪民主党的胜利与工人政党的任务》里，分析当时的形势时，指出了，立宪民主党的成功是暂时的，他是在替地主与工商业资产阶级的胜利清除道路。立宪民主党一定竭力想在最短时期内和专制政府成立默契以便镇压工人农民。我们的任务不是拥护国家议会，而是去组织群众以从事战斗，以争取胜利。

在这本小册子里，列宁解释了无产阶级与农民的革命专政是什么。

它是“人民借暴力来压制那些用暴力来压制人民的人们……它是在法律以外的无限制的权力，——这权力是依赖于最严格意义的武力的——这就是专政。”

沙皇专制政治是少数人用以对付人民大众、对付劳动者的专政。无产阶级与农民的革命专政则是大多数人的专政，用以对付剥削者、对付压迫人民的少数人的。

列宁号召工人农民继续向沙皇制度进攻。

党继续进行它购买与输入军火的工作。李维诺夫、斯托莫尼亚科夫以及其他布尔塞维克们，受了列宁的嘱托，到各国去购买军火。李维诺夫乔装作一个厄瓜多尔国家的军官，购买了来复枪，在保加利亚装上快艇，假称是运给土耳其的阿尔美尼亚人的。大风暴妨碍了这次装运。但是购买军火的事并没有停止。

列宁那时是在使党准备着做新的战斗。

第八章　革命向前发展着

莫斯科十二月暴动的失败并不是革命的失败。在一九〇六年春天，列宁写道："现在的沉寂不能看做是革命势力的失败，而应当看做是革命力量蓄积起来的一个时期。"在一九〇六年有一百一十万八千人民起来参加罢工。农民暴动以及海陆军中的革命起义还是继续发生着。国内战争还是继续着。必须为了新的武装起义而准备起来。

在一九〇六年之初，列宁作了种种的准备以召集第四次统一的党大会。这次大会开于一九〇六年四月。

为什么这次大会是一个"统一的"大会呢？在俄国，信从孟塞维克的工人是和布尔塞维克工人肩并肩地一道斗争反对沙皇制度的。一种"统一战线"从下层建立起来了。这次大会是一个"统一的"大会，但是布尔塞维克的党的领导中心和布尔塞维克的领导委员会仍旧在各地方作为独立的领导机关而存在着。

像往常一样，在大会开会之前，列宁和到会的代表作长时间的谈话，详详细细地询问他们，叫他们“吐露”他们的意见并且争取他的拥护者。伏罗希洛夫，那时是顿巴斯区的大会代表，描写出，怎样在一次这样的会谈中列宁听了所有代表的报告，把这些报告作了一个简短的总结，然后开始和各代表谈话。

> 在这种会谈中，乌拉地米尔·依里奇说了很多笑话，在他的谈笑中他先问问这个代表然后问问那个代表，问许多各种不同的往往出人意料的问题。他真是对每一件事情都感兴趣的。他用了同样的兴味听取各种报告，关于国家议会选举，关于孟塞维克的阴谋，关于立宪民主党，关于我们的战斗支队，他们的训练与装备，关于在罗冈斯克附近的哥萨克，关于夺取了地主地产的农民等。我还清楚地记得，当乌拉地米尔·伊里奇把与他的见解相符合或足以证明

他的假定的某一点报告抓住时所表现的热情奔放的姿态。……乌拉地米尔·伊里奇给了我一个深刻的印象。他的一切东西——他演说时的姿态，他的纯朴，而首先是他的一双深邃的、刺人心坎的眼睛——都使我觉得是非凡的。

有四十六个布尔塞维克与六十二个孟塞维克出席大会。在这次大会上，俄国社会民主工党和各民族的社会民主党（拉脱维亚与波兰的社会民主党以及犹太工人同盟）合并了。

斯大林作为外高加索的代表出席大会。他拥护列宁，猛烈反对孟塞维克的多数。在他的演说中他发展了列宁关于无产阶级领导权的见解，他说“无产阶级不能够不积极参加组织武装起义，不能够不去夺取政权”。

列宁对于孟塞维主义所进行的猛烈斗争支配了大会的整个过程。他把民族党的代表（拉脱维亚人与波兰人）争取了几个过来。

在他的演说中，列宁宣布了整个布尔塞维克的政纲，尖锐地攻击孟塞维主义的机会主义“理论”。孟塞维克们集中了火力攻击列宁。

在土地纲领的问题上，列宁与布尔塞维克提议，要坚决地号召革命的农民起来向地主进攻。列宁提议，没收地产与建立革命农民委员会的要求，应当遵照塔墨尔福斯会议的决议，列在纲领之内。列宁坚持土地国有（就是民主共和国建立起来时把土地移交国家）的要求。在提出这些要求时，列宁心目中是看到了农民的直接革命斗争——农民暴动的。

在别的问题上也引起了尖锐的争论。列宁认为革命正临近了一个新的高潮，中心的事情是广大群众的斗争，无产阶级必须领导革命并且把农民吸引过来追随它。

孟塞维克们把所有的希望都放在国家议会上。他们认为革命已经过去了。他们不愿意听什么武装起义或游击战。大会通过了包含着孟塞维主义精神的决案。孟塞维克在大会上的胜利一点也没有使列宁灰心，而只有增加了他的毅力。

斯大林说：

我记得，布尔塞维克的代表们聚成小小的一群注视着列宁请他指示。在有几个代表的谈话中可以发觉出有一种惶惑与败兴。我记得列宁，在回答这种问话的时候，咬紧了牙齿狠狠地说道："不要灰心，同志们，我们一定会胜利，因为我们是对的"。憎恨那些动不动就灰心的知识分子，相信自己的力量，抱着胜利的信心——这就是当时列宁对我们所说的话。那时大家都觉得布尔塞维克的失败是暂时的，布尔塞维克在最近的将来一定会胜利。

"遇败不馁"。这是列宁行动的特点，这特点帮助他团集在他的周围一支尽忠到底而又相信自己力量的军队。

这次大会又一次显示出，列宁与普列汉诺夫之间不仅在基本问题上意见不同，并且他们两个人的性格也是完全不同的。

列宁和工人代表们亲切地谈话，耐心地解释他们的疑问。他在大会休息时的大部分时间就是这样地花掉了的。代表们因此觉得列宁真正是他们中的一个，他在思想上在精神上是紧紧地与工人阶级连结着的。

普列汉诺夫是矜持的、高傲而不易亲近的。他要使他在会场上出现的时候好像一个主角在舞台上一样。他一举一动像一个“将军”（像当时所说的）。他并不讲话，他专发独断的言论。他对和他谈话的人采取高昂傲慢的态度。并且常常对他们的话表示轻蔑。和工人谈话的时候他一点也不能够抓住中心。工人代表对他很尊敬，但是他们不信任他。他不是他们中的一个。

作为一个演说家，普列汉诺夫是以他的智慧与辉煌的词藻出名的，但是他的辩才却带有做作的热情与戏剧式的姿态，而缺乏内在的热力。他讲演的时候“像一个律师”。

列宁的演说不是为了戏剧的效果，而是要使他的听众信服，向工人们解释布尔塞维克的路线。他并不力求高亢的词句或机智。他把他们演说建筑得像一座坚固的、造得很好的大厦，这座大厦的每一样东西都安放得恰当，每一样东西都很明朗而用水泥砌得很结结实实的。他的听众总为他铁一般的逻辑，他的热情与自信心，他的光明磊落的心肠所抓住。他们从开头的几句话就看得出，他的演说不是打算博得听众的喝彩（普列汉诺夫的演说常常是那样的），而是一个战斗的领袖向广大的民众宣讲，领导他们到为争取社会主义的斗争中来的演说。

在一九〇六年春天，列宁用了卡尔泊夫的名字在圣彼得堡人民大厦的一个盛大的群众大会上作了一篇演说。他的演说抓住了全体听众。工人们看到了这里是一个他们可以放胆信从的真正的革命领袖。大会散会以后，群众高唱革命歌曲并举起了用他们衬衫上撕下来的布条所做的红旗，然后散会。

全国到处发生罢工。一个新的农民骚动的浪潮是在起来了。沙皇政府进行了反犹太人的屠杀与射击，调了军队到圣彼得堡来，解散了国家议会，把所有的社会主义的报纸都封闭了。布尔塞维克在列宁领导之下，正进行着组织群众的革命斗争。党的号召在下层的士兵与工人群众之间唤起了热烈的反响。

在一九〇六年七月，在斯维亚堡发生了一个海陆军士兵的起义；在克隆斯达特与勒瓦尔爆发了海军士兵的叛乱；在其他许多城市也都发生了罢工，跟警察发生流血的冲突。

列宁把国家议会解散以后所发生的局势作了总结，这样说："国家议会的解散是趋向独裁制度的一个彻底的转变。"列宁号召采取坚决的斗争反对专制政治，不要停留在暴动上。他积极准备在圣彼得堡举行一个援助斯维亚堡与克隆斯达特叛乱的总罢工。他亲自指示党派遣到斯维亚堡去领导叛变的同志们。他指挥着布尔塞维克的军事组织。

但是专制政府却终于压平了起义。沙皇的警察大发疯狂；发生了搜查、逮捕与枪决。

列宁在那时是用了化名住在圣彼得堡的，这时躲来躲去躲了一阵而终于不得不逃到芬兰。他移到了离圣彼得堡一小时路程的库卡拉。他从那里指挥布尔塞维克的一切活动。每天有同志们带了信件、报纸与材料来看他。接受他的指示与命令。

在库卡拉，列宁和其他党的同志住在一所茅屋里，他在二层楼有一个小房间；房间里有两张沿墙壁放的床，上面铺着朴素的廉价毡子，在两张床之间放着一张小桌子，上面盖着一层报纸。房间里堆满了书籍。

布尔塞维克中央委员会和其他党会议有好几个月都是在这里开的。日常的党务也在这里讨论。

当革命的浪潮低落时，列宁也并不灰心。他号召准备一个反对沙皇政府的新进攻。

同时他提议对于国家议会的策略必须加以改变。以前布尔塞维克是抵制国家议会的；列宁现在提议要参加国家议会，因为政治形势已经改变了。

党应该参加第二届国家议会的选举，俾能利用国家议会作为一个宣传鼓动的手段。列宁指出，在国家议会中的斗争“是教育与训练无产阶级并把无产阶级组织成一个独立的阶级政党的办法之一，是为谋工人解放的政治斗争的手段之一。”

可是，在参加国家议会的时候，布尔塞维克应该把他们大部分的注意力放在无产阶级的群众组织与它当前的斗争上。

列宁竭力主张游击战术的可能与必要。他说，在国内战争中，无产阶级政党是一个**战斗的政党**。游击战术是武装斗争形式的一种。游击战术之所以可用因为它可以打击敌人并且可以使敌人陷于混乱。

列宁写道："在群众运动确已达到了暴动点的时候，以及国内战争中在'大战'前后有长时期的间歇时，游击战术是一种不可避免的斗争形式。"

在竞选的时候，工人阶级的政党应该确定它的立场：它得和其他政党订立一个协定呢或是以独立的姿态出现呢？

有好几个政党参加竞选：有黑色百人团，它是拥护绝对帝制、警察的权力与地主的产业的，它是民众最野蛮的敌人，是刽子手，是刽子手政府的守卫；有所谓十月党，是资产阶级的代表，工商业家的拥护者；有立宪民主党，是帝制派自由资产阶级的代表，他们想和沙皇成立妥协以反对工农；有劳动党，它是护拥小有产者的利益而反映出农民的革命情绪的；最后就是布尔塞维克党。

孟塞维克想使工人政党和立宪民主党——帝制派的自由资产阶级政党——成立选举协定。他们竭力想把工人阶级运动从属于资产阶级。列宁坚决反对和资产阶级订立协定。"抛开那种与资产阶级合作的念头吧！"

他说，“工人政党在竞选运动中必须不仅在口头上，而且在实际上是独立的。”只有这样，才能够帮助建立与巩固一个独立的无产阶级政党。

列宁每天指导着议会选举运动，特别是圣彼得堡的选举运动。在十四个工人选出来的初选人（人民先选出初选人然后由初选人选出国家议会的议员）中有八个是布尔塞维克。

列宁激烈地攻击孟塞维克在选举中的破坏活动以及孟塞维克破坏工人政党独立路线的企图。孟塞维克的中央委员会为了这些攻击决定要使列宁受党的审判，但是他们也没有敢执行这个决议。列宁揭发孟塞维克的中央委员会，布尔塞维克把各地方党委员会争取了过来，把孟塞维克的机会主义者逐出了领导机关之外。

列宁密切地注意第二届国家议会的会内会外的斗争，第二届国家议会是一九〇七年二月召开的。他斥责立宪民主党的背信，孟塞维克的妥协性，劳动党的动摇。他坚决地领导着布尔塞维克的组织。

列宁的态度，布尔塞维克的态度，是很清楚的：他们是赞成“左派联合”的，就是，和国家议会中劳动农民的代表（劳动党）成立协定，俾能影响他们，鼓动他们进行反对专制政治、反对地主与资产阶级政党的革命斗争。他们主张在国家议会会内会外的革命斗争中联合并领导农民。

第二届国家议会的选举很写实地表示出了国内阶级力量对比的基本上的变化。帝制派、地主与资产阶级的各政党已大大地增加了他们的力量。但是同时，无产阶级与农民的不满却并没有消灭。国内的革命骚动是在生长着。

党得估计新的局势，跟把一切希望放在国家议会上的孟塞维主义作决定的斗争，加强无产阶级对革命农民的影响，计划党的斗争策略。

为解决这些问题起见，党在一九〇七年的春天召集它的下一次（第五次）大会于伦敦。

在这次大会上，布尔塞维克得到了一部分拉脱维亚与波兰代表的拥护，在许多问题上都能贯彻了他们的主张。出席大会的代表有三百个以上，代表着十五万党员。三分之一的代表是工人。

这次大会很明显地表示出布尔塞维克在无产阶级队

伍中所得到的成功。在列宁领导之下，党不仅训练了成千成万的钢一般的社会主义战士，而且训练出了许多工人阶级的领袖，这些工人阶级的领袖后来成了无产阶级革命与苏维埃国家的领导人。

这次大会上所有重要的决议都是在列宁指导之下起草的。列宁在大会上作了许多次的讲演。他猛烈地批评孟塞维克中央委员会在两次大会期间的行动和它的反革命的态度。在他关于对资产阶级政党态度的讲演中，以及后来发表的一篇专论中，他指出了布尔塞维克对于资产阶级态度的完全正确。列宁说，自由资产阶级已经肯定地走到反革命的营垒中去了。它想阻止革命。绝对没有和它成立协定的余地。同时列宁指出了孟塞维克对于农民的见解的错误。孟塞维克不把农民看作无产阶级的同盟者。但事实上，农民，在它要求土地的斗争中，在它反对地主的斗争中，恰恰是无产阶级革命斗争的支持者。

列宁在这次大会上讲道：

……资产阶级既不能做革命的主要动力

也不能是革命的领导者。只有无产阶级才能够把革命进行到底，就是说，进行到完全胜利。但是只有无产阶级使大部分的农民和它站在一道才能够获得这个胜利。只有作为无产阶级与农民的革命的民主专政，俄国现阶段的革命的胜利才是可能的。

对于这个问题，大会通过了列宁所起草的布尔塞维克的决议。由于列宁的提议，大会通过了一个强硬的决议，谴责孟塞维克所提出的召集一个无党无派的劳工会议的提案，孟塞维克想用这个劳工会议来代替党。这是孟塞维克的一种企图，想使党不再是工人阶级的先锋队。大会否决了孟塞维克的提案和它们的口号："不惜牺牲一切保持国家议会"，这是孟塞维克从立宪民主党借来的口号。

大会把列宁选入了新的中央委员会。布尔塞维克在伦敦大会上胜利了。

斯大林是作为外高加索布尔塞维克的代表参加了大会的，他在他一九〇七年发表于《巴库工人报》上的《第五次大会一个代表的手记》里，把俄国社会主义工党的伦敦大会的工作作了一个精密的分析。斯大林指出，布尔塞维主义是代表真正无产者的策略，而孟塞维主义则代表无产阶级中半资产阶级分子的策略。关于他在第五次大会上和列宁会见的情形，斯大林这样说道：

那时我看见列宁第一次成了胜利者。胜利往往使普通一般的领袖弄得昏头昏脑，使他们傲慢自大。在这种情形之下，他们总是标榜他们的胜利而安于既得的成功。但是列宁绝不是这样的领袖。相反地，恰恰在胜利之后，他变得特别警觉，时时留心。我记得列宁在那时的话给了代表们强烈的印象："第一件是，不要被胜利冲昏了头脑，不要自大；第二是，巩固既得的胜利；第三是，扑灭敌人，因为他只是被打败了，无论如何还没有被扑灭。……"

"闻胜不骄"，这是列宁性格的特点，这特点帮助他冷静地估量敌人的力量，保证党能够抵抗可能的意外事变。

开完大会以后，斯大林回到高加索，在巴库住了下来。他在这里把组织团集在大会口号的周围，指导秘密机关报《巴库无产者》的出版，并且组织了一个很成功的斗争，把孟塞维克从巴库的区委员会中撵了出去。巴库成了布尔塞维主义的堡垒。布尔塞维克在全国都很活跃。

正当党发觉在它面前有了新的政治任务的时候，伦敦大会的决议刚好到达了各地的地方组织。

第九章　反动时期

用逮捕与死刑削弱了群众的革命斗争以后，沙皇政府决定要来一次政变。它的目的是想一下子取消它在革命的压力下所作的让步，而重新建立沙皇与他的官吏们的专制权利。那专制政府进行了一个决定的反攻。

在一九〇七年六月十六日（俄历六月三日），第二届国家议会被解散了，议会中的社会民主党党团被捕而受了审判。一九〇五年颁布的确定国家议会选举办法的选举条例被废止，代以了一个由沙皇颁布的新选举条例。新的条例减少了工人农民在国家议会中的代表而增强了资产阶级与地主的代表。所有社会民主党与左派资产阶级的报纸都被禁止了。对于革命的工人大批加以逮捕。

刚刚经过了一个革命高涨时期的党这时必须作退却

了。在列宁的英明领导之下，党在这第一次退却时只遭受了很少的损失与灾殃。

放在党面前的重要问题又是它应该不应该参加第三次国家议会选举的问题。一部分布尔塞维克主张加以抵制。L. 加米涅夫特别竭力主张这个政策。列宁主张参加选举。他说，在直接革命斗争的道路开放着的时候，对国家议会加以抵制是正确的。现在，局势已经变了。必须加强在非法状态下的党而用一切能和群众接近的合法的可能性。第三届国家议会必须被利用为公共的讲台。加米涅夫以及其他主张抵制的人都没有认清这一点。

列宁指摘那些抵制论者，他写道：

> ……既然那该诅咒的反革命把我们赶到了这倒霉的猪圈里[1]，我们为了革命的利益甚至在那里也当干工作，不要怨尤，但也不要自夸。

在圣彼得堡党组织的会议上，在芬兰的全俄会议上，列宁反对抵制国家议会。会议中的大多数代表拥护

[1] 指国家议会。——著者注

列宁。党决定了参加选举。

专制政府似乎已经很坚强地巩固了它的地位。我们的党被驱逐到了深深的地下。它的最重要的领袖都被放逐，被监禁或者亡命到外国去了。工人的报纸被封闭了。工会受了打击被打垮了。罢工的浪潮低落了：在一九〇五年有三百万罢工工人；一九〇六年有一百万；一九〇七年有四十万；一九〇八年只有十七万四千；到一九〇九年竟减到了六万四千人。沙皇的警察把工人们的组织陷进了密探的网里。一个密探（叫马里·诺夫斯基）甚至钻到了党的中央机关与国家议会中工人议员的小组里。

大部分知识分了，不久以前还玩弄革命而高呼“打倒专制政治！”的，现在转到了黑色百人团去，或者完全放弃了政治。自由资产阶级变得更反革命，在它对工人政党的斗争中比以前更凶猛了。在农村中，富农们利用了那使富有的农民便于购买土地的斯托雷宾法令，增加了他们的财产，榨取贫农。甚至在一部分工人阶级中也渗入了一种消沉的心境。

在布尔塞维克党自己的队伍里，像我们所已知道的，也有许多在困难之前畏缩的动摇分子，有许多机会主义者。有些知识分子完全脱离了党。关于这，列宁很愤怒地这样写信给高尔基：

> 党清除了小资产阶级的废物，工人们都要求做更多的工作。工人出身的职业革命家的作用是增加了。这都是很好的。

在反动势力猖獗的时候，只有列宁，只有布尔塞维克们还高高举起革命的红旗。在那反动的年代中，布尔塞维克党受到了严重的打击，但是它并没有屈服。列宁是有本领在他的领导之下保持党的主力的。

> ……这次大失败……给了各革命政党与革命的阶级一课真正的极有用的教训，一课历史辩证法的教训，一课使你理解怎样作政治斗争，使你把握政治斗争的手腕与艺术的教训。……
>
> 各革命政党必须完成他们的教育。他们已

经学会了进攻。现在他们一定要懂得，他们这种知识必须加以补充，就是他们还得懂得怎样恰当地退却。他们必须理解——革命的阶级已由它自己痛苦的经验学会了理解——不学会怎样正确地进攻与退却，胜利是不可能的。在所有遭受失败的反对党与革命政党之间，布尔塞维克是退却得最井然有序的。

被放逐中的、被罚做苦工的以及亡命在外的布尔塞维克们都被一种思想、一种感觉所鼓励着：他们知道那洁白无瑕的布尔塞维克的旗帜是在列宁的强有力的掌握之中，而进行新的军事进攻的时间也已不远了。他们准备对沙皇制度作坚决的斗争。他们谨慎地估计他们的力量，把党中所有不可靠的分子都清除出去，他们围绕在布尔塞维克口号的周围。

在一九〇七年秋季，列宁出国去出席在斯徒加特开会的国际社会党大会。

在他争取工人群众到他那一边来的斗争中，列宁积极参加了第二国际的国际大会与会议。列宁揭发机会主义者是劳工运动中资产阶级的代理人，他耐心地向外国的工人解释布尔塞维主义的要旨。在第二国际，斯徒加特大会的议事日程上放着几个极重要的问题：反战斗争，殖民政策以及其他的问题，这些问题不久就使国际分裂成了两半。

在这次大会上，德国的代表团提议请大会通过一个承认殖民地扩张政策的决议。

甚至在当时，德国的社会民主党已经采取了一种拥护帝国主义与帝国主义压迫殖民地政策的立场。在列宁领导了大会中革命的代表作了一场论争以后，这个提议被否决了。

论及这个问题时，列宁说，殖民政策使一部分无产阶级受了殖民的沙文主义[1]的影响，而屈服于资产阶级的意识。资产阶级政府从他们殖民地的掠夺物中丢一些屑屑给工人的上层分子与某些“领袖”，就收买了他们而使他们成了他们的奴仆。

因此，甚至在当时，列宁已看到了欧洲劳工运动面前的危机，这危机使第二国际在大战爆发的时候完全破

[1] 一种以向外扩张为政策的狭隘的国家主义。——译者注

产——使第二国际出卖了工人阶级的利益。

列宁提出了彻底反对黩武主义的问题，竭力使大会对于这问题通过一个革命的决议。列宁指出，只有这个决议指出了社会革命的必然性，指出了无产阶级准备采用最革命的斗争方法，这个决议才有意义。

列宁和其他几个代表对于反战的决议草案加以补充。这些补充说明黩武主义是阶级压迫的一个主要武器，指出了必须在青年中进行宣传，并且强调说，社会民主党的任务并不是单单反对战争，而且是利用由于战争所发生的恐慌而促进资产阶级的崩溃。这个公式已经包含了列宁后来所提出的口号的萌芽，这个口号就是："转变帝国主义战争为国内战争。"

这些补充为大会所采纳。因此所通过的决议，像列宁所说的，是"思想丰富而又正确地指出了无产阶级的任务的。"

在这次大会上，德国社会民主党的机会主义表现得特别清楚，列宁尖锐地提出了这个问题。

在大会上他争取了一部分左翼分子（露莎·鲁森堡、克拉拉·蔡特金及其他几人），并且召集了一个左派的秘密会议以对付第二国际领袖们的机会主义。当左派揭发第二国际领袖的机会主义政策时，列宁支持他们，而当他们离开了坚决的革命政策时，列宁也批评他们。

在斯徒加特大会之后不久所写的一篇论文中，列宁写道：

> 假使我们要忠实于马克思的精神，并且帮助俄国的社会主义者担负起工人阶级运动当前的任务来，那我们必须毫无顾忌地公开地批评德国领导者的错误。

在斯徒加特大会以后，列宁代表布尔塞维克党成了国际社会党常务局的一员。

在过去，第二国际的机会主义者用了各种方法不让列宁厕身于这个国际劳工运动的中央机关。在孟塞维克反对布尔塞维克的斗争中，他们支持孟塞维克。这一次他们却不得不让步了——已不能够再否认，强有力的工人政党是在列宁领导之下的。

在国际常务局里，列宁继续反对欧洲劳工运动中的机会主义，坚毅地揭发第二国际的机会主义的领导。在《马克思主义与修正主义》（一九〇八年）一篇论文中，列宁写道，革命的马克思主义者与机会主义者中间的分歧，到了直接的无产阶级革命的时候，一定会不可避免地变得更尖锐，而革命者与机会主义者会站在两个不同的战线上的。

鉴于土地问题在俄国革命中的特别重要性，列宁在一九〇八年写了一本关于俄国社会民主党土地纲领的书，在这本书里，他把布尔塞维克与其他政党对于土地问题的立场作了一个透彻的分析。

在一九〇七至一九〇八年的冬天，沙皇政府开始逮捕那些藏匿在芬兰的革命者。列宁被迫迁移到芬兰的中心地点去。在那里沙皇的警察也追捕他。逮捕他的命令发下来了，列宁不得不移居到国外去。照平常那样搭乘轮船是不可能的，因为在所有的码头上都有警察局的侦探在守望。必须避开码头而从一个小岛上搭轮船。但是要到这个小岛去，他得在冰上步行三俄里。虽然已是十二月，冰还结得不坚固。当他在夜里穿过冰块的时候，冰块在他足下裂开，列宁几乎淹死。

列宁经过斯笃哥尔摩到了日内瓦。于是开始了他第二期亡命生活的艰难时期，这一个时期一共有九年半之久。看起来似乎革命已被粉碎而沙皇制度胜利了。但是列宁不是那种一失败就沮丧与懈怠的人。他立刻开始了工作。在他到达的第一天，他就写了一封信去询问有没有一家可以印刷布尔塞维克报纸的印刷所。他把其他城市的党员招来成立《无产者》报的编辑部。大约在一个月以后，他写信告诉高尔基："一切都已就绪了，在一两天之内我们就可以登出我们的广告来了。"

这张报纸还是应该成为团结布尔塞维克力量的中心。它应该高举战斗的布尔塞维克革命的旗帜，把握革命的经验，使党与工人群众准备一个新的进攻。

在一九〇八年的二月里，党中央机关报《无产者》又恢复出版了。

在这一期的《无产者》的一篇文章里，列宁作了这样的结论：

社会民主党员们已经创造了一个无产阶级的政党，这个党并不因为在第一次战斗中失败了而灰心，并不失魂落魄，也并没有被危险的冒险而弄昏了头脑。这个党是在向着社会主义迈进，并不把它自己或它的命运和资产阶级革命任何特殊时期的问题联系起来。正因为此，它也不受资产阶级革命脆弱的影响。而这个无产阶级政党正在走向胜利。

把革命的年代作一总结，列宁指出，革命的基本问题还没有解决，而反对专制政制的斗争还在进行。在革命的几年中，俄国各阶级的分界线已经确定了。自由资产阶级已经成了反革命的了。它是站在沙皇制度这方面的。黑色百人团的贵胄和大资产阶级霸占了国家议会。他们是专制政治的真正堡垒。工人阶级与劳苦群众已经获得了革命斗争的经验。他们还是受着悲惨的压迫而一有机会就会再起来斗争的。党的任务，列宁写道，是保持秘密的党组织而在群众中广泛地进行革命的宣传鼓动。在反动势力所造成的困难情形之下，在地下状态的党，在列宁领导之下，壮大起来并且与工人阶级的广大阶层发生了接触。

在反动的年代，孟塞维克们想摧毁工人政党，说是在秘密状态下的党应该取消。

他们赶紧走到绝对合法的活动方式去，抛弃了反对专制政治与地主的斗争，号召工人们和专制政府妥协，不要参加革命的斗争方式。他们把这种背叛行为掩藏在各种响亮的虚伪的言词之后。

大部分的孟塞维克领袖变成了取消派（这是给那些要“取消”秘密组织的分子所取的名字）。只有普列汉诺夫和其他少数人坚持必须保持秘密的党。

社会革命党是陷于完全分崩离析的状态了。它的右派公开地“使自己适合于富有的农民的利益”（列宁的话），简直做着和沙皇大臣们同样的工作。

社会革命党的“左派”主张一种半犯罪性的剥夺和各种危险的冒险。

社会革命党的“领袖们”也主张取消秘密的党。同时他们也不参加国家议会的工作，把自己隐藏在劳动党的背后。列宁激烈地跟那些工人阶级卑鄙的叛逆——取消派，跟社会革命党作斗争。

一九〇八年十二月在巴黎开会的党代表会议拥护列

宁的立场。它斥责了那些取消派，指出对于秘密的党组织的建立与加强应该加以极大的注意，同时还须利用一切合法的与半合法的可能性（如国家议会、工会、各种团体、报纸等）。会议指出，工厂与作场中的强固的党小组应该成为党组织的基础。

沙皇政府越是狂暴，孟塞维克与社会革命党就越向右转。他们在工人阶级与农民的群众中间也就越发清楚地暴露出他们自己是资产阶级的走狗。

沙皇政府，一方面继续它的恐怖政策，一方面企图收买农民的上层分子——富农。由沙皇的大臣斯托雷宾所起草的一条法令被通过了，这条法令准许农民离开农村公社并且有购买土地的便利。主要的只有富农分子得到了这种权利。他们获得了归自己所有的田地，得到了最好的土地，购得了破产的贫农的财产。这个政策的结果是使贫农与中农对于地主与富农的憎恨加强了，可是政府却在农村中多少得到了一些拥护。

在革命以后，土地问题仍还是社会各阶级注意力的中心。似乎为他刚写的关于土地纲领的小册子作一个补充，列宁又写了一篇详细的文章叫《十九世纪末叶俄国的土地问题》，在这篇文章里，他把俄国农村中的情形作了一个清晰的政治的与经济的分析。列宁关于土地问题的这两本著作，供给了党一种很精细地编制起来的材料，这材料说明了俄国农村中的阶级矛盾，并且指出了无产阶级与在无产阶级领导之下的农民采取联合行动的道路。

在这些混乱的年代，我们党中某些分子表现出了政治上的不坚定。一个在波格达诺夫领导之下的叫作“召回派”的反对派出现了。他们根据了国家议会是沙皇政府的工具这个理由，要求把我们的代表从国家议会里召回来。这在本质上是抵制国家议会这个策略的重复。“召回派”不赞成利用任何合法的斗争方法。要是那样做，党会被剥夺了机会在群众中进行鼓动并且经过它在国家议会中代表的演讲去组织他们。这种策略结果只会使孟塞维克们把持了一切合法的组织。

和“召回派”同时并起的还有一个叫作“哀的美敦书派”，列宁叫它作“怕羞的召回派”。“哀的美敦书派”要求给我们国家议会中的党团提出一份哀的美敦书：要它提出一种革命的政策，假使这个哀的美敦书不能完成，党团就得从国家议会中被召回。列宁指出，我们固然应该对代表们的错误加以批评，但同时也该训练与教育他们。恫吓或哀的美敦书是不会改善党团的工作的。

对“召回派”与“哀的美敦书派”，或者像列宁所称呼他们的“变形的取消派”，列宁进行了坚决的斗争。还须加以说明，由“召回派”与“哀的美敦书派”联合组织的“前进派”，也反对列宁利用一切合法斗争方法的策略。一九〇九年六月，列宁召集了《无产者》报编辑部的扩大会议，这会议通过了开除“召回派”与“哀的美敦书派”出党的决议。

党和“召回派”与“哀的美敦书派”的分别是很大的。后者的大部分人（波格达诺夫、卢那却尔斯基以及其他诸人）离开了马克思的哲学思想，离开了唯物论，而开始倾向于唯心论；其中有几个人甚至倾向于宗教与“造神论”；例如，卢那却尔斯基，竟公开地主张社会主义与宗教合并。小资产阶级的知识分子，他们在革命的浪潮高涨的时候站在党的一边，而反动的潮流一来就从革命斗争中退了出去，堕入了神秘主义与宗教。

列宁看到有坚决抑制这些唯心论的必要，就着手写一本维护马克思主义哲学的书。为了这目的，列宁透彻地研究了两百种以上的哲学著作，并且特地到伦敦去以便利用大英博物馆中的图书馆。列宁不倦地写他这本《唯物论与经验批判论》，一共写了五个月，而此外还照常进行他经常的政治活动。

列宁这本哲学著作是他最重要的著作之一，可以和马克思、恩格斯的哲学著作并驾齐驱。正当第二国际的领袖与理论家们固执地离开了马克思的唯物论而走向唯心论的时候，列宁却发展与丰富了辩证法唯物论的理论，把它推到了一个新的水平。

斯大林同志写道：

> 列宁所加于理论上的伟大重要性，其最显著的表现恐怕就是，他自己在唯物论哲学的范围内负起了很严重的任务：把从恩格斯时代起到他的时代为止的所有科学上最重要的成果都加以通俗化，并且把马克思主义者中反唯物论的思想加以透彻的批判。恩格斯说，“唯物论必须跟着每一个新的伟大发现而带上一个新

的面貌。”我们大家都知道，就他的时代而论，没有别人，只有列宁，在他卓越的著作《唯物论与经验批判论》中完成了这个任务。

大家都知道，甚至于喜欢嘲笑列宁“不懂得”哲学问题的普列汉诺夫也没有敢认真尝试担负起这样一个任务来。

在这本书里，列宁对于那些企图修改马克思哲学的人给予了致命的打击。在同一时期内，他在许多论宗教的论文中以及在书信中，猛烈地攻击那想用宗教以及各种寻神论造神论去愚昧无产阶级的企图。

在一封给高尔基的信中列宁写道：

寻神论与造神论，建神论或创神论等等的分别，正好像黄鬼与蓝鬼之间的区别一样。如果谈寻神论并不是为了否认所有的鬼神，否认一切精神上的变态（每一种神都是一种变态心理——即使它是一个最纯洁最理想的神，一个不是由人去求而是人创造出来的神），而是为了说明蓝鬼胜于黄鬼，这比不说什么还要坏到一百倍。

在最自由的国家里，已**完全**不必要诉诸“民主政治、人民、舆论与科学”的了，在那样的国家里（美国、瑞士等），人民与工人们的心灵都正被一种纯洁的精神上的神，一种人造的神的思想所愚昧着。每一种宗教的思想，每一种任何神道的思想，甚至每一种对神道的倾慕，都是一种难以形容的卑鄙，而这种卑鄙是为**民主的**资产阶级很宽容地（而往往甚至是表示好感地）欢迎的——而正因为这缘故，它是最危险的卑鄙，最可诅咒的“疫病”。千万种的罪恶、坏行为、横暴的行动与**肉体上**的传染病是更容易为大家所发觉的，因此要远比穿在最漂亮的“意识形态”的外衣里的、微妙的精神上的思想更少危险。引诱少女的天主教神父（我偶然在一张德文报纸上发现有这样一个神父）对于“民主政治”的危险要远比一个不穿法衣、不讲粗劣的宗教的神父，一个宣传人造上帝的、有教养的、民主的神父来得小些。因为第一个神父很**容易**被揭发、被裁制、被驱逐，而第二个是**不能**这样容易被驱逐的，揭发他要困难一千倍，而没有一个简单的“脆弱的不坚定的”俗物会同意对他加以“制裁”的。

而你既知道俄国（为什么要说俄国的呢？意大利的难道更好一些吗？）俗物的灵魂的“脆弱性与不坚定性”，却又以毒药，以最甜蜜的、包了最多糖衣的、包在各种五彩纸里的毒药掩蔽了这种灵魂！

真的，这是可怕的！

在我们之中很有些人用自己贬抑代替了自我批判。

而造神论不就是最坏的自己贬抑的形式吗？任何一个从事于造神或甚至容许造神思想的人——都是用最坏的方式贬抑自己，因为代替了“行动”，他在实际上自己默想、自我赞赏，而且这个人“默想”着造神所崇拜“自我”的最卑鄙、蠢笨与下贱的特性或它的繁琐细节。

在许多的论文、书信与谈话中，列宁教育布尔塞维克们，怎样维护马克思的革命理论，怎样加强秘密的党，怎样利用每一个合法的可能性以及对右的与“左的”机会主义者进行顽强的斗争。

在反动的年代中，列宁与布尔塞维克们继续跟托洛茨基主义作斗争。

托洛茨基做了一个中央派，企图用左的言词来掩盖取消派的背叛行动而在实际上他却帮助他们。

斯大林同志曾经指出：“中央主义不是一种空间的观念：例如，在一边是右派，在另一边是‘左派’，而中央派在中间。中央主义是一种政治上的观念。它的观念是**在同一个党内**把无产阶级的利益去适应与从属于小资产阶级的利益。这种观念是和列宁主义不同而且相反的。”

托洛茨基想把自己扮演作一个“超然于宗派”的人，扮作一个努力调和“敌对的宗派”的人，但是在实际上他比取消派作了更有害的行为，帮助了无产阶级政党的敌人。

列宁写道，必须揭发“犹大——托洛茨基”[1]，他把机会主义者隐蔽在他的“左的”言词之后。像取消派一样，托洛茨基把资产阶级的腐化带到了工人阶级里来。在一切革命的基本问题上，托洛茨基采取了取消派的立场。他并且利用外国社会民主党的报纸，并且靠了第二国际领袖们的帮助，散播了各种对于布尔塞维克的诽谤。

托洛茨基在维也纳出版了一张报叫《真理报》(他们叫它维也纳《真理报》以区别于从一九一二——一九一四年在圣彼得堡出版的布尔塞维克《真理报》)。在这张报纸上他拥护取消派而发动了一个反对布尔塞维克的斗争。在一九〇九年七月所写的一封信里，列宁用如下的话来指出托洛茨基所做的工作的特征：“托洛茨基底行为像一个最卑鄙的钻营家与宗派主义者。……要和这个无赖决裂并且在中央机关里揭发他。他喋喋不休地谈论党，而他的行为却比其他一切宗派主义者还要坏。”

列宁并且也揭发那时在布尔塞维克党队伍中的调和分子——加米涅夫、季诺维也夫、汤姆斯基、李可夫、

[1] 犹大是圣经中所传说的耶稣的门徒之一，后来出卖了耶稣。——译者注

诺金、杜布罗文斯基等等，他们企图把布尔塞维克和机会主义者统一在一个党内。加米涅夫与季诺维也夫采取了一个可耻的隐藏在列宁背后的虚伪政策，用各种方法帮助取消派与召回派来破坏党。列宁把党内的调和分子看做是公开的机会主义者的走狗。

列宁揭发李可夫和“前进派”式的反党集团“卖弄风情”，他对李可夫的提出退出中央委员会，这样写道：“……这是在敌人当前的时候开小差，是在危急的时候背叛布尔塞维主义。”

虽然一部分的党组织被破坏了，它们的最重要的负责人被捕或被放逐了，列宁却坚定地继续把党团结起来。他得到了俄国与国外的布尔塞维克们的帮助。不管沙皇政府的一切迫害，党负责人却并不屈服而执拗地进行他们的工作。

在外高加索指挥布尔塞维克活动的斯大林，在一九〇八年被捕，被放逐到了伏洛格达县。他逃跑了两次而又恢复了革命的活动。成百成千的列宁的信徒与同志都表现了革命的坚韧性。

一九一〇年春天，列宁在哥本哈根的国际社会党大会中作了积极的活动。他在那里把第二国际的左派团结起来而作了坚决的斗争，使大会的决议都带有革命性。在大会上他攻击机会主义者、妥协分子和各种调和分子。

孟塞维克们在这次大会上猛烈地反对列宁。他们说他是在“毁坏党”，希望列宁失踪或死掉。有人问一个孟塞维克的领袖，一个人怎么能这样危险，他愤怒地回答说：“因为没有一个别人会在二十四小时内都全神贯注于革命，除了想到革命以外没有别的念头，甚至睡梦也只看见革命的。你倒试试去对付这样一个家伙看。”

是的，的确，要对付这样一个有群众信从的无产阶级的领袖，不仅为孟塞维克能力所不及，而且是所有受国际帝国主义支持的俄国剥削阶级所无能为力的。

这几年中，在德国社会民主党的革命分子机会主义者之间发生了尖锐的斗争，在第二国际的内部也发生了同样的斗争。列宁在他的论文与讲演中愈来愈尖锐地攻击第二国际的机会主义的领袖们，指摘他们背叛工人阶级的政策。他指出这些领袖是为资产阶级工作，而不是为工人阶级的解放工作；他看出，在紧急关头他们是会出卖无产阶级的。

第二国际的领袖们又企图干涉布尔塞维克与孟塞维克间的斗争，想借此削弱革命的布尔塞维克而减轻它对于俄国工人阶级运动的影响。

列宁尖锐地攻击那些支持孟塞维克的第二国际的领袖们。

> 当德国人写作的时候，他们常常避免分歧的问题。当俄国人在德国社会民主党的出版物上发表写作的时候，我们看见，或者是国外所有的小团体和取消派结成联盟以便向“列宁主义者”投以最非礼的侮辱（一九一二年春天在《前进报》上所发表的著作就是这样），或者是铁士哥[1]派，托洛茨基派或者属于其他那些故意混乱这问题的国际派系的某一个人的著作。**好几年来**没有过一张文件，没有过决议汇集，没有思想的分析，没有一次收集实际材料的尝试！

[1] L. 若其奇士，他对取消派采取了妥协的态度。——著者注

让我们可怜这些德国领袖们，他们……

恬不知耻地倾听而又重复他们取消派报告员的故事。

像往常一样，列宁想把他和第二国际领袖之间的龃龉诉之于无产大众的论台之前。他在讲演与写作中，向外国工人们解释，布尔塞维主义的本质。他在外国的社会主义报纸上写文章，使外国的工人认识俄国革命与布尔塞维克的意见。

俄国革命对于全世界工人阶级运动与民族解放运动有巨大的促进革命的影响。俄国总罢工的经验开始也被西欧的无产阶级所采用了。在俄国革命的直接影响之下，东方爆发了资产阶级的革命（在中国、波斯与土耳其）。列宁赞许这些革命，他指出，东方的民族民主革命，对于无产阶级反对国际帝国主义时革命斗争是有帮助的。布尔塞维克的思想、列宁的思想散播于世界各国。

列宁在一九〇五年革命失败以后的时期内所做的斗争是无产阶级领导的一个模范。在反动势力胜利以后，党被迫得作退却。最野蛮的沙皇恐怖统治着。工人阶级的组织被破坏了。资产阶级已完全变成反革命的了。知识分子们，向一九〇五年革命献媚一番以后，就替反动势力服务去了。在无数的论文中、在书籍、在文学中散播着宗教的迷信与对于革命的诽谤。在这样的条件之下，列宁却能够领导党经过一次困难的退却，保存了党的实力，不仅打击了敌人想瓦解我们党的企图，而且打败了党内的取消派与左右机会主义者，把党训练得钢铁一般，以迎接当前的新的斗争，进行新的进攻。

第十章　列宁团集布尔塞维克的力量

一九一〇年之末，在长时间的间歇之后，在圣彼得堡又举行了街头示威，有一万人示威反对沙皇制度。一个新的罢工浪潮起来了。

列宁在一九一〇年十二月中写道：

> 从一九〇五年到 九〇九年在**退却**（虽然有好多次很大的间歇）中的无产阶级，是在集中起它的力量而开始**进攻**了。

在一九一二年，起来了一个完全的革命高潮。组织与领导这正在开始的革命高潮，加强在工人阶级中的活动，是成为必需的了。

党在这时期内最重要的任务之一是出版一张合法的

布尔塞维克报纸，这报纸可以传播布尔塞维克的口号并且领导那高涨起来的群众的革命高潮。

在同年十二月，布尔塞维克的期刊《思想》以及革命的报纸《星报》都出版了。《星报》是在普列汉诺夫以及他的信徒的合作之下出版的。普列汉诺夫在那时是反对取消派的。关于《思想》，列宁这样写道：

“它完全是我们的，它使我感到说不出的高兴。”

现在列宁可以在合法的报纸上给俄国工人写文章了，他一篇又一篇地寄稿子到俄国去。《星报》与《思想》在工人中间大为流行。孟塞维克的《涅瓦呼声》也好，《光线》也好，都不能得到布尔塞维克工人报纸在群众中间所得到的影响。甚至孟塞维克也承认这点。在一九一一年，革命的群众运动继续在生长起来。

在一九一一年夏天，列宁在巴黎郊外的隆朱慕成立了一个党校，收纳从俄国来的工人布尔塞维克。这个学校是布尔塞维克党校与将来共产主义大学的萌芽。这个学校和“前进派”在一九〇九——一九一〇年所开办的学校是大不相同的。那联合在“前进派”里的召回派、哀的美敦书派、寻神派与造神派，他们在波罗那与加波里办了学校，目的是在利用学校来加强他们反党的派别。列宁严厉地批评这些学校的办理人，称他们为“失意的文人，不被承认的哲学家，可笑的造神派。”他们恰恰要在波罗那与加波里办学校，并不是偶然的。他们有意把学校开在与列宁和我们党其他领袖所住的城市离得很远的地方。

在隆朱慕训练党干部的方法也和波罗那与加波里学校所用的方法在原则上不同的。

在加波里的“前进派”的学校里，注重艺术史、俄国文学史、俄国的教会与国家，而在巴黎郊外的布尔塞维克学校里，则有关于土地问题、劳动法、社会主义的理论与实践的讲座。在隆朱慕的列宁的学校里，对于党干部的理论的训练是和时事政治问题的研究相联系起来的。列宁从这个学校的学生中训练出新的党的领袖来。

在上课的时候列宁对于学生们是严厉而顶真的，但在休息的时候他是一个单纯而愉快的同志。他领导一个歌咏队，教他们唱国际歌。他参加学生们的爬山运动，并且和他们一同去洗澡。

在加波里学校读书的工人布尔塞维克们不久就看出

来，人们教他们寻神的哲学与政治，以代替马克思的学说。他们中有几个人就到了巴黎，开始在列宁与其他布尔塞维克领导之下学习。

列宁不倦地继续做团结布尔塞维克的工作。他看到新的革命斗争在迫近了。党的组织应该迅速地加强起来。而要做到这点，就必须不仅和机会主义者而且也和一切动摇分子彻底分裂；必须把追随孟塞维克的工人争取过来，而打击那些工人阶级的叛徒——取消派。

调和分子们（李可夫、加米涅夫及其他诸人）——那些列宁所叫作“乔装的托洛茨基派——用他们的政策迟延了跟机会主义的决裂。鉴于革命运动起了新的高潮，当时很重要的事是：尽可能快地把布尔塞维克党与孟塞维克的力量动员起来，并且和各种各式的机会主义者完全分裂。

列宁决定召集一次党代表会议，这会议于一九一二年初在普拉格开会，它团结了布尔塞维主义的力量。这次会议是准备得很周密的。在开会之前，俄罗斯组织委员会在俄国各工业中心区域的秘密布尔塞维克委员会中作了很多的组织活动。由于列宁的主张，只有俄国秘密的布尔塞维克组织的代表可以被选为出席会议的代表。由于俄罗斯组织委员会工作的结果，有代表着二十个秘密党委员会的二十个代表出席。

普拉格代表会议，在加强布尔塞维克党——肃清了机会主义者的新型式的党的——这点上是一个重要的步骤。会议把取消派从党里驱逐了出去，指出取消主义是资产阶级对于无产阶级影响的表现。党坚决地和小资产阶级的派系与倾向分离，向群众揭露出他们反党反无产阶级的本质，并且坚定地巩固布尔塞维克党组织上的独立性。正因为在布尔塞维克党内已经克服了对取消派的调和倾向，和取消派与其他机会主义者分离才成为可能的。

这次代表会议得到了克服布尔塞维克党内反列宁主义倾向的胜利，并且没有留下可以让取消派、孟塞维克与召回派钻进党里来的空隙。

普拉格会议选举了一个新的中央委员会（其中有列宁，奥尔忠尼吉哉与斯潘达良）以领导党的全部生活。斯大林，那时是在放逐中，在他不在的时候也被选入了中央委员会。

普拉格代表会议指出，党的基础是秘密的工厂小组，在工作中党必须依赖非法的地下组织，而同时必须广泛地利用一切合法的斗争形式（国家议会、工会、工人俱乐部与报纸）。

对于迫近眼前的第四届国家议会的选举，党规定了这样的口号："民主共和国！八小时工作制！没收一切土地！"（在我们合法的报纸里，这三个口号被叫作"三个柱石"）。党最重要的任务是利用合法的可能性，把属于各种合法组织（孟塞维克取消派常常在这些组织里活动）的工人们团结在党的背后。

普拉格代表会议巩固了党并且把它团集在列宁的周围。列宁这样写信告诉高尔基：

> 虽然有那些取消派的无赖们，我们终于把党与它的中央委员会复兴了。希望你对于这一点能和我一道感到欢欣。

那些被赶出党队伍之外的孟塞维克们、托洛茨基派、"前进派"、开始进行猛烈的斗争反对代表会议的决议案，反对布尔塞维克，反对列宁。

列宁把代表会议的决议案加以通俗的说明，他动员了党围绕在它口号的周围。他努力使决议案在一切党组织里彻底加以讨论。他要求俄国各地的党委员会毫不迟延地通过决议案以表明他们对会议的态度，并且积极地把代表会议的决议案执行起来。

大部分的俄国党组织是站在布尔塞维克一边的。斯大林，从放逐中逃出来，就奉中央委员会的指令，巡视了俄国许多地方，准备“五一节”示威。

这时列宁住在巴黎郊外一个小公寓里。他的书斋是一个小房间；厨房也就是餐厅、客厅与会客室。他照旧消磨大部分时间于图书馆里；但是巴黎的图书馆办理得很坏，不能满足他。

他的妹妹说他生活得很坏，吃得很苦，穿得很破烂。他为头痛与失眠症所困。但是列宁毫无怨言。有一个同志问他物质生活怎么样，列宁回答说他生活得并不比一个普通的法国工人坏。实际上他在很坏的条件之下生活着。像马克思一样，列宁在艰难的物质条件之下过生活。但也像马克思一样，不管这些，他把他全部的精力与力量献给了工人阶级的事业，献给了世界革命的事业。

在他空闲的时候，列宁喜欢到乡下去骑自行车或散步。在夏天，有时候他想法到海边去洗澡。他极喜欢洗澡，爱好海与海上的和风。

列宁喜欢出席工人们的集会，喜欢到工人们的咖啡馆去。他带着极大的兴趣倾听革命的歌手歌唱反对资产阶级与政府的歌曲。

巴黎和俄国相隔的遥远阻挠了列宁和俄国同志的通讯与接触。在一九一二年夏季，列宁搬到了克拉库夫[1]。

这里，列宁和俄国的边境是大为接近了。从党同志来的信、报纸与消息到得更快了。越过俄国边境也很容易。这里列宁对于时事可以反应得更迅速，可以立刻对在俄国工作的同志发出指示。警察对于外国革命者的监视也没有像巴黎那么严。而最重要的，从这里他可以更直接地领导《真理报》的出版以及所有俄国国内的党的工作。

列宁从早上九点钟工作到十二点。到十二点，从俄

---

[1] 在波兰。——译者注

国来的邮件到了。他和他的同志们一道阅读书信与报告，并且立刻起草答复，决定写文章的题目等等。

接着就吃午饭（老是汤与肉丸子）。午饭以后列宁又开始工作，一直工作到晚上九点钟，工作完毕以后他自己把邮件送到车站去。

列宁繁重地工作着，从克拉库夫指挥一切党的工作，对个别的党员给以指示，给党报编撰所有的重要文章。

俄国国内的事态在发展着。在一九一二年四月，雷那金矿的工人们用和平的方式向检查官请愿，要求释放在罢工的时候被捕的几个同志，军警向工人开了枪。有二百七十人毙命，好几百人受伤。

雷那的枪杀事件在全国工人之间掀起了一个愤怒的浪潮。政治的抗议与罢工弥漫了所有的大工业中心。到处举行街头示威。在一九一二年差不多有一百万人民参加了罢工。

一个新的革命浪潮已经起来了。

在这个战斗的无产阶级热情奔放时期，一张新的工人报纸——《真理报》出版了。《真理报》的创刊号是在五月五日（旧历四月二十二日）出版的。一张合法的布尔塞维克日报的出版对于工人阶级与它的党是一个伟大的胜利。这张新的报纸是工人阶级的一个真正的儿子，出版的费用是在工人中募集起来的。斯大林是这报纸的创办人与领导人之一。在一篇《真理报十周年纪念》的文章里，斯大林讲到当时创办《真理报》的情形：

> 在一九一二年四月中旬的一个晚上，在波莱塔也夫同志的寓所里，两个国家议会的议员，朴克罗夫斯与波莱塔也夫，两个作家，奥尔明斯基与巴吐林，以及中央委员会一分子的我……议定了《真理报》的方针并且编好了创刊号……靠了《星报》的鼓动，靠了广大工人群众的同情以及工厂作场中对于《真理报》自愿的群众捐助，出版一张报纸所需要的技术的与物质的必要条件都已齐备了。《真理报》真真是俄国工人阶级，特别是圣彼得堡工人阶级努力的结果。
>
> 《真理报》是把群众在党与党中央委员会的周围，在党秘密委员会的周围组织起来与团

结起来的一个中心机关。《真理报》培养与准备了工人们进行新的革命斗争。

《真理报》出版的时候，是在党发展到了这样的一个时期：当时秘密的革命工作已经完全在布尔塞维克的手里（孟塞维克是逃避秘密工作的），但是各种合法的组织——国家议会的党团、报纸、疾病补助基金委员会、保险基金委员会以及工会还没有完全从孟塞维克手里夺取过来。这是一个布尔塞维克进行坚决的斗争把取消派（孟塞维克们）从各种合法的工人阶级组织中赶出去的时期。“把孟塞维克们从他们的地位撵出去”的口号是当时工人阶级运动中最流行的口号。《真理报》的新闻栏里充满了各种把取消派从保险组织，从疾病基金委员会，从工会里赶出去的报告，有一个时期，取消派是牢牢地霸占了这些组织的。所有工人市评议会中的六个议席都从孟塞维克那里争取了过来。孟塞维克的报纸是处在同样的或几乎同样的没有希望的地位。这真是一个信仰布尔塞维克的工人们英勇为党斗争的时期。

《真理报》正是列宁在一九〇二年所讲到的报纸。它不仅是一个集体的鼓动者与宣传者，而且是一个集体的组织者。许许多多的工人通讯员围绕在《真理报》的周围。每一期《真理报》都解释工人的生活，解释工厂与作场中的生活，在这个或那个工厂里的工人斗争的每一阶段都在《真理报》上得到了反映与支持。《真理报》成了工人们爱读的报纸。

列宁差不多每天替报纸写文章。他在信里面给编辑部以指示，告诉他们怎样办报；他注意到它的发行方法。好几次他细心地计算《真理报》上工人通讯员的数目，以及工人们捐款的数目，因为这可以表示出，报纸和工人群众的联系是在加强起来。单单在一年里，就有一万一千封工人寄来的信发表在《真理报》上。工人们一个戈贝一个戈贝地捐募了好几万卢布以维持他们的报纸。列宁很高兴地指出，在两年之内，将近有六千个工人团体替《真理报》募捐，他指出，《真理报》是被工人们自己所支持，而孟塞维克报纸的经费主要的是从知识阶层与自由资产阶级那里得来的，自由资产阶级想帮助取消派反对革命的马克思主义。

在列宁与斯大林领导之下的《真理报》，变成了帮助团结党并且帮助把大多数俄国工人引到布尔塞维主义这边来的一种力量。

成千的工人通讯员，在工厂与作场中散发报纸，并且替报纸募捐的工人，使报纸与群众联系了起来。

《真理报》反映了工人们的要求并指示他们怎样组织起来，怎样进行反对沙皇制度与资本主义的斗争。由于它对于取消派、社会革命党以及各种机会主义者进行了不停息的不妥协的斗争，《真理报》用布尔塞维主义的精神教育了无产阶级。它是布尔塞维主义的旗帜。

列宁常常叫他的布尔塞维克的同工作者给布尔塞维克的报纸刊物（报纸——《真理报》与《社会民主报》以及期刊——《教育》）写稿子。他鼓励他们写文章，给他们拟定题目，校阅他们的文章并且赞许他们工作做得好。

他努力不懈地使马克沁·高尔基（他有一个时期是波格达诺夫团体的一员）更接近党。他很尊崇最杰出的无产阶级作家高尔基，耐心地把波格达诺夫与前进派错误的性质解释给他听。在书信与谈话里，他把布尔塞维克的不妥协态度的正确性阐明给他听。他请到了高尔基给《真理报》写文章。当高尔基答应担任布尔塞维克期刊《教育》的文艺栏的编辑时他很高兴。他写信给在加波里的高尔基："不管一切，我们的事业是进步了，工人政党成为一个反对那自由主义的叛徒——取消派——的**革命的**社会民主党了。现在是轮到我们来庆祝一下了。"

在这种事务式的通信中，列宁亲切地问候高尔基的健康，劝他保养自己而渐渐强健起来。他对于高尔基的创作工作很感到兴趣。

当工人阶级团集在布尔塞维克党与它的领袖列宁的周围的时候，在国外的取消派、托洛茨基派以及其他的派别却继续对布尔塞维克大施攻击。托洛茨基努力想把所有这些派别联合成一个"联盟"（即所谓八月"联盟"），这联盟实际上是工人阶级的敌人，资产阶级的帮闲者——取消派的"联盟"。因为在工人中起不了什么影响，它就以攻击列宁和布尔塞维克的革命政策作为它的主要工作。它是一个一切反党分子的结合，他们联合起来就是专门为了反对布尔塞维克的。八月“联盟”完全放弃了革命的社会民主主义的口号和党的党纲。他们在民族问题上主张一个民族主义的纲领叫作《民族文化自治》。列宁对这托洛茨基的“产物”（八月“联盟”）进行了坚决的攻击，列宁这样描写了托洛茨基：

> 托洛茨基没有，从来没有过任何“政治的面貌”，他只是在自由主义者与马克思主义者之间动摇转变，到处说着漂亮话与激昂的词句……托洛茨基模糊那些没有阶级意识的工人们，他对秘密政治活动的问题保持沉默，并且说我们没有自由的劳工政策等等以维护取消派！托洛茨基，分裂了他自己的八月“联盟”，放弃了所有党的决议，既离开了秘密工作又离开了有组织的工人，已经显出他是一个最坏的破坏分子。

托洛茨基在这时所采取的中央派的立场，是对于孟塞维克与取消派并不巧妙的一种掩护。斯大林在他给《无产阶级革命》（一种刊物的名称——译者）编辑部的信里指出了，托洛茨基与他的党徒们是在俄国宣传中央派理论的主要的、最重要的派别，为了这目的他们成立了一个专门的组织——八月“联盟”——作为俄国中央派的中心。在列宁的打击之下，托洛茨基所组织的没有原则的“联盟”不久就崩溃了。

在一九一二年的仲夏，第三届国家议会任期满了，它真是第一个完成了五年任期的议会。第四届国家议会的选举又迫近了，党中央委员会考虑了这种选举的异常重要性，训令各地方党组织动员一切党的力量参加选举运动。

列宁利用了一切可能的秘密工作的方式，从克拉库夫指挥着整个选举运动，他给《真理报》寄了论选举的论文去，对圣彼得堡的党负责人给以实际的指示与训令。

斯大林，那时刚从挪里姆的戍地（这是他第五次被捕）逃出来，秘密住在圣彼得堡，但是这并没有阻碍他直接领导选举运动，执行列宁的指示与训令。他在工厂和作场的会议上讲演，解释布尔塞维克的选举纲领。作这些讲演是冒着极大的危险的，但是工人的组织和工人们自己设法保护他，防备那追踪着他的警察。斯大林起草了工人给他们的议员的指示，这个指示说，议员在议会中必须进行一个两条战线上的斗争："反对封建的官僚政治以及反对那想和旧制度成立联盟的自由资产阶级……而这个斗争，只要工人阶级能够领导人民的运动，一定会胜利的……"这些由斯大林所起草的指示得到了列宁的赞同。在一封寄到《真理报》编辑部给斯大林的信里，列宁写着："这些给圣彼得堡的议员的指示必须绝对用大号字放在显著的地位。"

党认为议会选举运动是一个作广泛的鼓动与宣传的机会，是组织工人群众的方法之一。布尔塞维克并没有把选举斗争变成一种光是为争取议会中议席的斗争。议会党团在议会以内以外的活动是有极大的革命意义的。

选举条例定得使工人们要选举代表到议会去是极困难的。不出所料，选举的结果是黑色百人团得到了很大的胜利。但是工人们，虽有警察的种种压迫（逮捕、取消工人选民的资格、压迫工人报纸等等），却完全选了布尔塞维克为议员。有六个布尔塞维克议员获选。很少的几个孟塞维克是从非工人的区域里选出来的。

列宁每天帮助布尔塞维克议员们在议会中的工作。选举一结束，当所有的议员们都到了圣彼得堡，列宁就提出了成立党团的问题。他对于每一个议员都很关心，问他们工人所给他们的指示，在当地选举是怎样进行的，并且把这次选举运动作了一个总结。布尔塞维克议员的一切工作都是在列宁与斯大林的直接领导之下进行的。列宁，那时住在克拉库夫，指示他们发表怎样的演讲，给他们起草演讲稿子，在他们到克拉库夫去的时候，在私人谈话中给他们指示。

议会里的布尔塞维克党团，在列宁领导之下，作为无产阶级政党的先锋队而行动着。列宁从没有停止过向布尔塞维克的议员们解释，党的议会斗争的目的和意义。他向议会的工人议员巴达也夫说：

黑色百人团的议会是永远不会通过任何改善工人生活的法律的。工人议员的任务是从议会的讲台上天天提醒黑色百人团，工人阶级是强壮有力的，那扫尽黑色百人团以及它的大臣和政府的革命再起的日子已经不远了。当然他也可以提出修正案或甚至某种立法，但所有这些活动必须归结到一件事：必须历数沙皇政府的罪状，指出政府的可怕的暴政，指出工人阶级受着最残酷的剥削，最残酷地被剥夺了权利。这正是工人们所必须从他们的议员那里听到的。

议会中的布尔塞维克党团照列宁所说的方式进行着一切工作；他们利用国家议会作为一个讲台，从那讲台上揭发专制政治与统治阶级，并且提出工人的要求。

同时在工会中，布尔塞维克也强大起来了。在圣彼得堡，十八个工会之中有十四个是由布尔塞维克领导的。他们在社会保险的组织里也占了多数。

布尔塞维主义在《真理报》的发行上得到了特别显著的成功，《真理报》的销数比取消派的机关报多了好几倍。

布尔塞维克的议员们，在建立工人报纸与布尔塞维克的宣传上，都给了很大的帮助。他们并不局限于在议会中发言以及给合法的报纸写文章——他们常常瞒过了警察在秘密的工人会议上讲演，那里是什么事情都可以公开说的。

在起初，布尔塞维克和取消派在形式上是组织在一个议会党团里的。但是虽然外表是统一的，他们在革命运动的各种问题上每天都要发生冲突。差不多在每一个党团所讨论的问题上，在六个布尔塞维克与七个孟塞维克之间都发生了剧烈的斗争。

利用他们多一票，取消派用各种可能的方法阻碍布尔塞维克。

时间一个月一个月地过去，党团只是在名义上统一的这一事实就日益明显了。在列宁的提议之下，六个布尔塞维克成立了一个自己的独立的布尔塞维克党团。

列宁，一面跟俄国的机会主义者斗争，一面还进行猛烈的斗争反对国际劳工运动中的机会主义者。像以前一样，第二国际的最重要的领袖们是站在取消派这一边的。列宁的文章与党的正式文件常常不能在外国的社会民主党报纸上刊印出来。第二国际的机会主义者竭力想使布尔塞维克和取消派、托洛茨基派等等联合起来。

列宁利用每一个可能的机会，向外国工人们解释布尔塞维主义的真谛以及它跟取消派、孟塞维克、社会革命党等作斗争的意义。他攻击外国各国党的机会主义错误。他支持德国、荷兰、意大利党以及其他政党里的革命分子，而同时批评这些左派的错误，这些左派常常采用一种调和的中央派的立场。

另一方面，列宁把欧洲无产阶级和东方被压迫民族革命斗争中最重要的事件解释给俄国工人们听。

列宁预见到有爆发世界大战的可能。他把那压迫工人与剥削殖民地人民的帝国主义者罪恶揭发出来。他指出，在欧洲各国以及在受帝国主义压迫的国家里已经堆积起了多少容易爆发的材料。

在这几年里，在土耳其、在中国都发生了革命，在爱尔兰以及在别的国家里发生了剧烈的总罢工。

这一切说明了，被压迫的民族开始用革命的方法来摔掉奴隶的锁链了。无产阶级，不管那些第二国际的领袖们，已经采取了革命的斗争方法。

帝国主义列强中间的矛盾开始走向武装冲突了。战争在意大利与土耳其之间，并且也在土耳其与保加利亚和塞尔维亚之间爆发了。

鉴于俄国革命运动的迅速发展，列宁在一九一三年一月，在克拉库夫召集一个党中央委员会与圣彼得堡、莫斯科和乌拉尔的党负责人的扩大会议。斯大林，他从西伯利亚逃跑出来而那时正在圣彼得堡做工作，想要到国外去积极参加会议的工作。会议指出："俄国已经进入了公开的群众革命斗争的时期了。"它提出了组织革命的街头示威和别的群众革命行动的口号，并且再度指出，革命运动的主要力量，是四周有合法的与半合法的工人团体围绕着的秘密的党与党的小组。

俄国国内少数民族被压迫的加紧，东方国家的民族革命，欧洲民族解放斗争的持续——巴尔干各国对土耳其的斗争，爱尔兰、匈牙利以及波兰的斗争——都是世界大战在酝酿中的征象。给无产阶级的党定出一条清楚与决定的路线来是必须的了。在这种情形之下，民族问题有了极大的重要性。

在这个时候，斯大林孜孜不倦地从事于民族问题的研究，写了他的著名的论文《马克思主义与民族问题》。

这个问题已经成为一个未来世界无产阶级革命中后备军的问题而有极大的意义。列宁，当他知道了斯大林的这篇著作，极为兴奋。他写信给高尔基："我们有一个优秀的乔其亚人，他正在埋头给'教育'写一篇详细的文章，他已搜集了所有奥国的以及其他的材料。"

列宁与斯大林的文章奠下了布尔塞维克民族政策的原则。

无产阶级的政党坚决地跟一切方式的民族压迫作斗争。它要求各民族有平等权利；它承认每一个民族都有脱离母国而成立独立国家的权利（自决权）。"没有一个压迫其他民族的民族是能够自由的"——列宁喜欢引用马克思这句话。

受资本主义压迫的民族是无产阶级在它反对资产阶级斗争中的一个后备军。列宁指出，被压迫民族斗争的目的是反对共同的敌人——资本主义，对于工人阶级有特别的重要性。

列宁跟孟塞维克、犹太工人同盟以及乌克兰民族资产阶级的代理人乌克兰民族党作斗争，并且也跟露莎·鲁森堡之类的左翼社会民主党作斗争，她否认民族自决权，认为这会破坏了工人阶级运动的统一。露莎·鲁森堡的这种立场实际上帮助了拥护大俄罗斯沙文主义的人。

国内革命运动的迅速滋长，以及欧洲战云的密布，都要求立即召集一次新的党代表会议。

在一九一三年十月，代表会议开会于伽里西亚的一个小村波罗尼诺。列宁和另外几个中央委员曾在那里度过夏天。在这次会议上，民族问题是特别讨论的题目。

在它的决议里，代表会议提议要开始进行政治罢工的各种准备；它追认了以前所提出来的革命口号：民主共和国；八小时工作制；没收土地。

在一九一四年，大家都疑心马里诺夫斯基，一个中央委员与议会议员，是一个密探。这不久就证实了。后来列宁关于这个问题写道："在一九一二年，马里诺夫斯基，一个密探，混进了布尔塞维克中央委员会。他出卖了很多最好最忠实的同志，使他们去受罚役，并且使其中许多人受死刑。但他并没有引起比他所做的坏事本身更多的危害，因为我们已经在我们合法与不合法的工作中有了适当的配合。作为一个党的中央委员与议会的议员，马里诺夫斯基为了取得我们的信任起见，不得不帮我们建立合法的日报，这张日报甚至在沙皇制度之下也能够进行反对孟塞维克机会主义的斗争，并且在一种恰当的隐秘的方式之下宣扬布尔塞维主义的基本原理。马里诺夫斯基用一只手把许多最好的布尔塞维克送去受罚役与死刑，却不得不用另一只手帮助我们透过了合法报纸的媒介教育出成千成百的新布尔塞维克来。”在十月革命以后，马里诺夫斯基受无产阶级法庭的审判，作为一个叛徒被枪毙了。

马里诺夫斯基这一段事实并不能瓦解列宁所领导的党的队伍。

在一九一四年，革命运动继续高涨。在“五一节”那一天，全国有一百万以上的工人举行罢工，以拥护党的口号。

在一九一四年的夏天，在圣彼得堡发生了一个罢工，这个罢工波及到了所有的工厂。大约有三十万工人起来了。工人与军队发生了巷战，他们并且企图筑起防御工事来。在巴库和俄国其他工业城市发生了剧烈的罢工。

布尔塞维克党组织在数量上在力量上都发展了。为了召集下一次党大会，曾作了种种努力的准备。群众跟随着列宁的党。俄国是在爆发一次新的革命底前夜了。而专制政府却正在为了和德国开战而作着狂热的准备。

沙皇准备用这个方法来粉碎革命运动。

第十一章　世界大战

资本主义的列强很多年来就已准备着一个世界大战，一次新的世界分割。秘密的军事条约已经订立了，攻击的计划拟定了，大批的武器与军火已经积贮了起来。

一九一四年七月二十八日，奥国向塞尔维亚宣战，八月一日，德国向俄国、以后又向法国宣战。八月四日，英国向德国宣战，而差不多在一星期以内，整个欧洲都陷于战争了。

一次血腥的屠杀开始了，在这次屠杀中，千千万万的工农，为了在资本主义列强间重分世界而被屠杀了。

列宁不止一次地指出世界大战的迫近。他已拟出了战事发生时工人政党的策略。在国际大会与会议上，他屡次要工人群众注意战争危机，注意到在军队中进行革命工作，以及准备无产阶级作反战斗争的必要。

当战争爆发的消息第一次传到波罗尼诺（加里西亚的一个小市镇，那时他住在那里）的时候，列宁就迫切地等着看各工人政党对于这已经开始的屠杀会有怎样的反响。他恐怕机会主义者，第二国际的领袖们，会出卖工人阶级。报上的电讯果然证实了他的担心。

列宁对于革命的无产阶级政党所该走的路线看得很清楚：对于战争与资产阶级政府不要给以任何支持，转变帝国主义战争为国内战争。

奥国的当局逮捕了列宁，因为他是俄国人；他们疑心他是间谍。列宁被搜查的时候，在身上被发现了统计图表，被认为是暗号。侦探报告他在市镇四郊散步，说“他爬上山去测量道路。”

交战各国的警察，为资产阶级报纸上疯狂的文章所激动，眼睛里望出来到处是间谍了。军事法庭可以不经一定手续处置有嫌疑的以及他们所讨厌的人物。光是嫌疑就足以使一个人被判处枪决或凌迟。

必须立刻想办法营救列宁。住波罗尼诺的同志们打电报给他们所认识的奥国议会中的议员，跟当地的地方当局闹，要求立即释放列宁，并且想到了办法可以往监牢里去探视他。

监牢里有许多农民。列宁帮助他们，给他们法律上的指示，替他们写各种的状子。他在那里立刻就受到了极大的尊敬，农民们都称他为“硬汉。”

有几种报纸设法送到了监牢里。当同志们（克鲁普斯卡亚以及其他的同志）来看他的时候，列宁详细地问他们各交战国社会党的举措。

列宁的案子在这时移交到了军事法庭。他被监禁了十一天，而全靠俄国、波兰、奥国朋友们的出力，列宁才得释放，他立刻到瑞士的伯尔尼去。

当列宁从狱中放出来的时候，第二国际的背叛行为完全暴露出来了。德国的社会民主党投票允许政府举行战债。法国的社会党和他们的资产阶级站在一起；在别的国家里也发生同样的情形。社会党、职工运动的负责人、社会党的报纸都和资产阶级站在一起，成了资产阶级的拥护者。

特别使人听了泄气的是，许多在战前被认为属于劳工运动左翼的社会主义者（例如盖斯德）竟也拥护了战争。

在第二国际中，机会主义已经胜利了。

在他到了伯尔尼以后的第二天，列宁召集了住在那里的布尔塞维克们。他朗读他关于战争的提纲，这提纲是布尔塞维克一切更进一步策略的基础。

在所有第二国际的领导人物中，只有列宁一个人出来剧烈反对社会党的普遍叛变，反对他们走向资产阶级政府一边去，反对和资产阶级和平相处的口号。他是唯一的鄙弃这种社会主义叛变而号召继续无产阶级斗争的人。

列宁指出，这个战争是一个帝国主义的侵略战争，是一个为了夺取市场，为了掠夺别国的战争。为了资产阶级的利益，一个国家的工资奴隶被煽动来反对别一个国家的工资奴隶。投一次赞成战争的票就是直接叛变了社会主义。它表示第二国际已经破产了。这破产是由于机会主义者的策略，他们放弃了阶级斗争而继续走着和资产阶级妥协的路线。那些借口必须保卫祖国以拥护战争，而实际上帮助掠夺的社会主义者，已经开小差逃到资产阶级一方面去了。

布尔塞维克的口号是：宣传社会主义革命；号召士兵们不要把他们的武器向他们自己的弟兄——“敌”国的无产者瞄准，而要朝向他自己的资产阶级政府；进行无情的斗争反对沙文主义，反对背叛社会主义的第二国际的领袖们。

列宁这个提纲在这次会议上通过并且寄到了俄国去。

在他到伯尔尼之后不多几天，列宁知道了普列汉诺夫的叛变。像大多数的孟塞维克一样，普列汉诺夫已经成为一个保卫祖国论者，一个社会沙文主义者，就是说，他号召工人们在战争中拥护沙皇政府。不久以后，列宁特地去听普列汉诺夫关于战争的讲演，讲演完毕，列宁是唯一签名参加讨论的一个人。他猛烈地攻击普列汉诺夫的立场并且解释布尔塞维克所采取的立场。

在他和普列汉诺夫破裂以后，列宁在瑞士几个城市里作了关于战争的演说。在这些讲演中（以及在给党同志的信件中）他详细阐发了他的见解。最重要的事，他说，是转变帝国主义战争为国内战争。在群众中宣传这句口号是必要的。为了革命的成功，必须使自己的政府在这次帝国主义战争中失败。必须进行坚决不挠的斗争反对自己国家内的民族主义，也就是，反对保卫祖国等等的口号。

第二国际中，机会主义者，那些努力使无产阶级与资产阶级妥协，并从而把无产阶级屈服于资产阶级的无产阶级革命的敌人，已经胜利了。这些阶级协调论的信徒们现在是直接走到资产阶级一边去了。他们变成了社会沙文主义者。他们把自己隐藏在社会主义空谈的幕后，在事实上却成了资产阶级政府的忠实奴隶与支持者。他们开始推进战争，并且比以前更凶猛地反对无产阶级的革命运动。

列宁写道："资产阶级已经在**所有的**国家里为自己产生、养育、并且巩固了社会沙文主义'资产阶级工党'。"

在和社会沙文主义作斗争的时候，列宁也激烈地攻击那些考茨基与托洛茨基式的"社会主义者"，考茨基和托洛茨基站在"中央"，就是说：表面上他们超然于革命的社会民主党与社会沙文主义者。中央派躲在革命的词句之后，假装反对他们自己的政府甚至反对战争。

但事实上他们支持社会沙文主义的全部政策，帮助他们欺骗工人群众。中央派同样是资产阶级的帮闲者。

列宁写道："机会主义者是公开的坏蛋。由考茨基领导的德国的'中央派'是外表隐蔽的暗藏的坏蛋，它弄瞎了工人们的眼睛，蒙混了工人们的心地与良知，是最最危险不过的。"

在这时候所写的信中，列宁说："考茨基是最虚伪的、最令人作呕的、最最危险的！""现在我憎恨与鄙视考茨基比对任何人还更甚：他是一个卑鄙、无聊、自大的伪善者。"

在俄国，布尔塞维克党的行动是和普遍的叛变与出卖尖锐地对照着的。甚至在列宁的提纲到达以前，圣彼得堡的委员会就已经散发了一种传单，上面写着这样的口号："打倒战争！""以战争反对战争！"中央委员会也散发了一种有同样精神的传单。

国家议会中的布尔塞维克党团反对了战争。从列宁那里收到的宣言提纲由布尔塞维克的议员们加以讨论并且被中央委员会全体认可。因此，在这危急的时候，国外的和俄国国内的布尔塞维克是完全一致的。列宁的信徒与同志坚定地高举着革命的、布尔塞维克的旗帜。布尔塞维克党是第二国际中唯一忠实于工人阶级与无产阶级国际主义的党。

收到了在俄国国内的中央委员们的复信以后，列宁起草了那用中央委员会名义发表的对于战争宣言的最后定稿。但是要发表这个文件是并不这样简单的。党的经费一共只有一百六十法郎了。又没有纸张。找一家印刷所也很困难。列宁亲自来办理这件事情。用了他天生的精密，列宁计算出用几号字排印可以省一些纸，怎样印出来，应该印多少份等等。

《社会民主》第三十三期终于出版了，里面就印着那宣言全文。宣言并且还单独印了出来。

“把目前帝国主义的战争转变为国内战争——这是唯一正确的无产阶级的口号；这是巴黎公社的经验所指示我们的。”这是宣言的中心意思。

宣言里说，第二国际的破产也就是机会主义的破产。“无产阶级的国际并没有灭亡也不会灭亡。虽然有种种阻碍，工人群众将创造一个新的国际。”

许多年来列宁对于第二国际领袖们所作的斗争已达

到了最后关头了。像列宁所预见的，第二国际的领袖们出卖了工人阶级与革命。和第二国际的分裂而把国际无产阶级的革命力量团结在一个新的组织里是必要的了。

列宁是早已准备好和第二国际分裂的。他知道，只有跟调和分子与机会主义者——资产阶级的走狗与奴仆——严格地分裂，才能够把世界无产阶级的革命力量结合起来，正像布尔塞维克党曾经和孟塞维克分裂一样，因此它也必须和别国工人政党中的机会主义者分裂。

他说：

> ……我们革命者不能够失望。我们是不怕分裂的。相反地，我们认为有分裂的必要。我们向群众解释，为什么分裂是不可避免而且是必需的，号召他们起来反对老的党，起来进行革命的群众斗争。

在各国社会主义政党分崩离析的时候，只有俄国的布尔塞维克公开地起来反对他们的政府，不为威胁所屈，没有成为普遍的“爱国”狂热的牺牲品。沙皇政府对布尔塞维克加以野蛮的报复。议会中布尔塞维克党团被捕了。议员们被威胁着要受军事审判并处死刑。被监禁了几个月以后，他们受了法庭的审讯。

在审判的时候，工人议员彼得洛夫斯基与缪拉诺夫发表了揭发沙皇政府的演说，但是和议会党团一同被捕的加米涅夫却畏缩得很无耻，他想证明他不同意于中央委员会而是一个善良的社会爱国主义者。列宁关于这次审判写道：“由于审判的结果，俄国工人们的阶级口号现在已经传送到最广大的群众了。”同时他斥责了加米涅夫在审判时所采取的背叛的立场。

当孟塞维克、社会革命党以及其他冒充的社会主义者对沙皇政府给以各种帮助，宣称战争为不可避免与必须，并且号召民众“保卫祖国”的时候，布尔塞维克却继续他们反政府的斗争。

很多积极的布尔塞维克被捕与放逐了。斯大林，在他从国外回来（一九一三年）以后就立刻被捕，被放逐到了沙俄最坏的地方——吐鲁汉斯克区。

但是，虽然有这种压迫，一切有阶级意识的俄国工人在战争发生以后的头几个月里就团集在列宁口号的周围。

沙皇政府与资产阶级报纸的一切努力都不能够在无产阶级与布尔塞维克党之间划一条鸿沟而把前者争取到“爱国主义者”这方面来。

列宁的口号，对工人阶级指出了走向胜利的真正道路。列宁知道他是对的，布尔塞维克的口号一定会胜利。他说：“我们人数少不碍事，将有千百万的人会来和我们在一起。”

在整个战争期间，列宁都住在瑞士。在许许多多的论文、书信与谈话中，他从那里指挥，把所有布尔塞维克的革命力量团集起来。列宁带着热情坚毅地进行他的工作，他对布尔塞维克理想的完全成功，从来没有一刻怀疑过。

在每一期党的中央机关《社会民主》上，列宁写论文，阐发布尔塞维克对于战争以及对于放在无产阶级面前的任务的见解，他和住在国外的布尔塞维克，和国际社会主义运动中左翼的代表们进行广泛的通信，坚执地解释与阐明布尔塞维克的见解。在他给李维诺夫，倍尔静与科伦泰的信中，他指示他们在国际社会主义者的会议上对于战争讲些什么话。

他坚忍不拔地领导那些散布于全世界的布尔塞维克。他在他的手里握着所有联结着反对战争的个别革命者与革命组织的线索。

每一个地方的革命者都知道，在瑞士的崇山中，住着那辉煌的无产阶级领袖，他密切地注意着世事的推移，用着坚定的手领导着那进行新的无产阶级革命斗争的各种准备，不息地跟一切叛徒与出卖工人阶级的人作斗争。

列宁耐心地努力把每一个没有追随第二国际机会主义者的优秀的社会主义者争取过来。对于他所希望争取到革命的马克思主义方面来的同志，列宁是不吝啬耗费时间和他们作长时间的谈话的。

列宁特别注意于社会主义的青年。一九一五年在伯尔尼开会的社会主义青年国际的成立大会上，布尔塞维克所提出的国内战争的口号，甚至对于最进步的青年代表也有些难以理解。他们不赞同布尔塞维克，但是列宁并没有放弃希望。他知道，年青的一代，比较少受社会沙文主义的影响，可以被争取到他那方面来。他答应布尔塞维克党对新成立的青年国际，加以支持。他用长时间的讨论与个人的谈话纠正青年运动领袖们的政治路线。他在谈话与通信中批评他们的错误。青年运动领袖之一的留孙堡（他在列宁影响之下成了共产党员）说："他的批评从没有使我们不高兴，我们从没有觉得自己受了谴责。而即使把我们批评得很严厉的时候，他也常常在我们工作中找出一些值得赞扬的地方。这种鼓励最有效力，使我们带了比以前更大的热忱从事工作。"

青年运动以及它的苏里支国际常务局的革命化都是由于列宁的直接影响与领导。在瑞士社会民主党大会上，青年的代表拥护列宁对于战争的态度。

列宁对于那正在作反战斗争（虽然是畏怯地、不大热烈地）的国际妇女运动也给以指示和政治上的领导。当一个妇女代表会议在大战期内开会于瑞士的时候，列宁派了几个布尔塞维克党的代表去。这些代表们在那里发言拥护布尔塞维克的立场。他亲自和许多到会的代表谈话，向她们阐明他的见解。

为了巩固布尔塞维克的力量起见，列宁不顾战时各国间交通的一切困难，在一九一五年春天在伯尔尼召集了一个布尔塞维克外国支部的会议。这次会议表现出，布尔塞维克们是坚强地团结在列宁所提出的口号的周围的。

会议指出了建立工人政党秘密组织的必要；它主张一切和资产阶级订立的协定都要完全撤销，要鼓励各战线上的士兵间的亲善，要支持群众的革命活动。

决议中认为第二国际已经完全破产，并号召在和社会沙文主义分裂的基础上组织一个第三国际。

在列宁指导之下起草的伯尔尼会议的决议，成了团结全世界布尔塞维主义信徒的一个基础。

一九一五年秋天，意大利的左派提议召集一个革命的马克思主义者的国际会议。列宁抓住这个提议而在瑞士的齐美瓦尔德召集了一个各革命组织（它们在某种程度上是反对第二国际的政策的）的代表会议。

列宁完全知道，在会议上会有中央派分子，但是他认为应该利用这个国际会议来宣传布尔塞维克的口号。

大多数出席会议的人抱着不坚定的动摇的态度，但是列宁成功地成立了一个左派，这个左派采取了——

虽然并不充分——革命的口号。在会议上，在围绕着列宁的左派与大多数代表之间起了热烈的斗争。虽然只有少数代表追随列宁，它究属帮助着团结了革命的马克思主义者。

不顾沙皇的压迫，俄国的布尔塞维克（特别是圣彼得堡的委员会）进行着深入的地下活动。列宁在一篇题为《几个提纲》的文章里对这种活动作了总结，在这篇文章里他讲到了摆在俄国社会民主党面前的当前任务。

最主要的事情是加强与扩大在无产阶级中的社会主义活动，支持那已经开始的罢工运动的领导。列宁写道：“俄国无产阶级的任务，是在俄国完成资产阶级的民主革命，俾能在欧洲燃烧起社会主义革命来。”

列宁在一九一五年秋天写道：“现在我们又向革命迈进了。”

各国的资产阶级政府以为战争会在长时期内粉碎任何与每一个革命运动。第二国际的领袖们用了一切方法使无产阶级听命于资产阶级的意志。整个资产阶级的报纸大鼓吹其工人的爱国主义。但是在这疯狂的沙文主义的年头，列宁却天才地预见到革命是到来了，他勇敢地有信心地为了无产阶级的胜利而准备起来。

这里是群众的真正领袖，他能够正确地估计阶级力量的对比、群众对于斗争的准备，并且能够推测历史发展的过程。

在一九一六年之初，列宁从伯尔尼搬到了苏里支。他和克鲁普斯卡亚住在鞋匠卡墨勒家的一间房子里。这间房间是很不舒服的，而且这所房子里住了很多人。克鲁普斯卡亚回忆说，卡墨勒的家庭是抱有国际观念的，有一次卡墨勒的妻子还表示：“士兵们应该掉转枪头来对向他们自己的政府。”“从此以后”，克鲁普斯卡亚说，“伊里奇对于任何搬家的话都不愿意听了。”他们住在这所房子里直到他们回俄国的时候为止。

列宁和克鲁普斯卡亚所住的房间是狭长而光线不足的。沿一边墙壁放两张床。沿另一边墙壁放着列宁工作的桌子。还有一只小炉子是供给暖气与做饭用的；克鲁普斯卡亚自己做饭。

一九一六年四月，由于列宁的提议，布尔塞维克在金泰尔召集了第二次国际会议。在这次会议上列宁又团集了比齐美瓦尔德会议时更多的拥护者。这样，列宁渐渐为第三国际的建立铺平了道路。

帝国主义战争已经造成了一个完全新的世界局势。它清楚地表现出，资本主义已经进入了一个新的阶段。必须把世界历史中的新阶段作一个分析，借以确定无产阶级政党的策略，并且指出无产阶级革命迅速发展的必然性。

一九一四年的秋天，列宁就已经对讨论帝国主义的书籍作了深入的研究。在一九一六年之初，他开始写他那本《帝国主义——资本主义的最高阶段》的书。为了这本著作，他参考了好几百种各国文字的书，做了笔记。他的准备工作与初稿一共有三本之多。每一本讲帝国主义问题的书或发表在欧洲报纸上稍为重要的讨论帝国主义的文章，他都没有疏忽过去。

在这本书里，列宁指出资本主义已经到了它的最后的、帝国主义的阶段。那将给无产阶级带来胜利的社会主义革命的时代已经到来。帝国主义是腐朽的、垂死的资本主义。在帝国主义国家中，集中的大规模的企业（托拉斯、辛迭加等等）起着主要的作用，这些企业完全统制并且垄断了个别的工业（例如，煤油、化学以及煤矿辛迭加等）。在这些国家里，金融资本（它是由于工业资本与银行资本的结合而出现的）是至高无上的。帝国主义国家主要地输出资本到落后的国家与殖民地去，用各种方法剥削它们。在世界经济中，工业家的组合勃然而兴，在它们之间瓜分了世界。整个地球都由各帝国主义国家间分割了。帝国主义战争的爆发就是由于它们想重新分割世界。

列宁指出，帝国主义者怎样在腐化工人阶级的上层分子以及在分裂工人阶级运动上得到了成功。他指出考茨基与他的同行怎样掩饰帝国主义的矛盾而为资产阶级的利益服务。

列宁这本书指出，“帝国主义把资本主义的矛盾发展到了最后的境界，到了最高的限度，超过了这限度，革命就开始了。”（斯大林）因此，由于这本理论书，列宁给了无产阶级一柄新的武器，证明在最近的将来社会革命爆发的必然与必需。

清楚地看出无产阶级革命的迫近，列宁更常常考虑到社会主义革命所应走的道路这问题。他认为，因为资本主义在各个国家发展的速率不同，发展不平衡与带跳跃性，社会主义在一个国家内得到胜利是十分可能的。

列宁写道：

> 社会主义先在少数或甚至在一个国家里得到胜利是可能的。那一国的胜利的无产阶级，没收了资本家的财产并且组织了它自己的社会主义生产以后，将与其他的资本主义世界**相对抗**，将其他国家的被压迫阶级吸引到自己方面来，在他们中间掀起革命反对资本家，而在必要时，甚至将以武力来反对剥削阶级与他们的国家。

这条定理成了列宁学说的中心点之一。列宁把这个思想加以发展，他指出，第一个无产阶级革命或许在一个帝国主义炼索中最弱的一环而革命运动又发展得特别有力量的国家里发生。所以，在帝国主义时代，社会主义的胜利是十分可能的（在一定的条件之下），甚至在一个比较落后的资本主义国家里。

列宁这个理论向俄国以及其他国家的无产大众指示出，他们的胜利是不远了，社会主义是快要实现了。它光辉地预言了全世界无产阶级斗争实际上所发展的那条道路；它预见了社会主义将来在俄国的胜利。

甚至在那时，在一九一五年时，孟塞维克的托洛茨基就已经反对列宁关于资本主义不平衡发展、在最弱的一环破坏帝国主义阵线的可能性以及在一个国家内社会主义革命胜利与建立社会主义的可能性的提纲。

后来，托洛茨基反对派、季诺维也夫派以及各种机会主义者进行了凶猛的斗争反对列宁这些提纲。斯大林不但发展了列宁关于在一国内建立社会主义的理论，不仅维护了这个理论反对各种各式的机会主义者，并且把这个理论胜利地实现了。

在一九一六年之初列宁写道："社会主义革命也许在最近的将来会爆发。"列宁替俄国描绘出了这样的将来局势：无产阶级将以最大的牺牲精神为共和国而斗争，它将把农民也拉到斗争中来，将为没收地主土地以及为彻底推翻沙皇制度而斗争。无产阶级将立即利用这个对沙皇制度的胜利以和欧洲无产阶级结成联盟而进行社会主义的革命。

在列宁根据了事实的审慎研究而作了这些预言之后

的一年多时，他的计划在俄国完全实现了。

详细分析了社会主义革命的性质以后，列宁指出，它不是一个单个的斗争而是斗争的整个时代——革命与革命战争的时代。社会主义革命将是无产阶级与一切被压迫民族的斗争。反对帝国主义、反对帝国主义列强的民族战争也将发生；这种战争将由被压迫国家进行来反对他们的帝国主义主人。这个斗争将削弱帝国主义。

这些为列宁所详细规定了的无产阶级在战争与革命时代的策略，以及这些他所阐发的理论纲要，都为某些伪左派（布哈林、皮达可夫）所反对。他们的立场本质上是托洛茨基派的立场。布哈林与皮达可夫否认民族自决权，不懂得民族解放运动在帝国主义与无产阶级革命时代的极端重要与不可避免。这些见解，如果付之实行，就等于说准备转变帝国主义战争为国内战争的无产阶级，要把它的同盟者——农民与被压迫民族排除出去。布哈林与皮达可夫反对“转变帝国主义战争为国内战争”和“使‘自己的’政府在帝国主义战争中失败”这两个列宁的口号。列宁用最大的力量打击这些机会主义的观点。

在国家问题上，布哈林也表示了半无政府主义的观点。他否定了在过渡时期中无产阶级专政的必要。而且，布哈林派企图树立起它自己一派的中心，并且和托洛茨基订立了协定。

在许多讲演与论文中，列宁把布哈林派的反马克思主义的错误作了详细的分析，形容他们的立场为“马克思主义的讽刺画。”

季诺维也夫对布哈林－皮达可夫派的虚伪行为是特征的[1]。

当列宁要求中央委员会执行一条完全独立的路线并主张它和皮达可夫与布哈林所出版的《共产主义者》断绝关系的时候，季诺维也夫（他在列宁要求之下签署了这张断绝关系的书）却瞒了列宁和机会主义者史略普尼科夫通信，好让他对列宁施以压力并且说服列宁要他让步。列宁把季诺维也夫这种两面派行动形容为“放弃了我们整个的政策”。

因为革命一胜利，无产阶级国家的问题就会提到议事日程上来，而且因为这问题在有些布尔塞维克之间引

[1] 原文如此。——编者著

起了动摇，列宁开始重新阅读所有马克思与恩格斯关于国家问题的著作，俾能制定布尔塞维克对于这问题的态度，他重新读了他们关于巴黎公社的著作，作了笔记与扎要。几个月之后，这些扎要形成了《国家与革命》这本书的基础，这本书把苏维埃国家所有采取的形式指示给了布尔塞维克们。

列宁期望着在最近的将来爆发革命斗争，他把党准备着进行新的革命。他注意着俄国无产阶级革命斗争的生长，并且给以具体的指示，应当怎样争取群众，怎样去揭发社会沙文主义者与中央派。

在国际运动中，列宁与布尔塞维克党仍然是少数。但是各国的革命力量已经开始团集在他们的周围了。

第一次俄国革命指示出，革命阶级的代表们，在开始是无足轻重的少数，却迅速地取得了千千万万人民的信任。为什么？“因为这个少数是真正代表了群众的利益的，因为它相信那即将来到的革命，因为它准备用最大的牺牲精神为革命效力。”

列宁知道，布尔塞维克的理论代表着群众的利益，因此必定会胜利的。

第二部

第十二章　在彼得格勒

一九一七年，俄国的无产阶级和农民被长期的战争拖得筋疲力尽。全国到处都是物价高涨和粮食恐慌。统治者在前线吃了一次又一次的败仗。军队里弥漫着不稳情绪。在大战进行的几年间，罢工运动一直在增长着。农民骚动着。整个的统治机构是日见分崩离析了。

这年二月，彼得格勒开始了一次罢工，同时有过好几次骚动的示威运动。

革命运动中的工人取得了兵士的参加，无产阶级和武装农民的战斗的联盟于是成立。政府和资产阶级企图压制这次初发的革命，但是终归无效。

革命运动很快地在首都和别的城市里开展起来。不到几天，沙皇政府就被推翻了。代之而起的是工人兵士代表苏维埃。但它的执行委员会却被一些妥协政党的代表——孟塞维克和社会革命党人所领导着。由于苏维埃中孟塞维克和社会革命党的领导者的助虐，资产阶级抢得了政权。临时政府成立了——是一个地主和资产阶级的政府。它企图窒息革命，维系君主专政和罗曼诺夫皇朝的统治，延续战争。孟塞维克和社会革命党人帮助临时政府维持并巩固资产阶级的政权。

列宁在瑞士听到革命爆发的消息，即刻发出指示，说明应该做些什么。“目前主要的任务是在于出版报纸并组织工人，组织一个革命的社会民主党。在任何条件之下，它决不能再是第二国际政党的那种面目，在任何条件之下，决不能再容纳考茨基！必需有**更革命**的纲领和策略”。在他一九一七年三月间所写的信里，列宁提出了许多口号：为建立共和国而斗争，为反对帝国主义而斗争，“为国际无产阶级革命以及为‘**工人代表苏维埃**’政权（不是立宪民主党市侩们的政权）而宣传……鼓动，斗争。”列宁反对一切和社会爱国主义者以及如托洛茨基之流的动摇分子们结合的企图。他说，最重要的，是去组织群众，去唤醒人民中的新阶层，“去准备为争取‘**工人代表苏维埃**’政权而斗争。只有这个政权

才能给面包、和平和自由。”现在是，“**武装监视**，在更扩大的基础上为一个**更高**的阶段而作**武装的准备**。”

在一九一七年二月间的资产阶级民主革命的初期，列宁精确地确立了布尔塞维克的立场。他号召人民不要信任临时政府，不要给它任何支持。他指出，这种政府是不能给人民以和平、面包或自由的。它在帮助帝国主义者并且要继续掠夺战争。

无产阶级的党，布尔塞维克党，是在斗争中起决定作用的主要力量。无产阶级的党必须保持独立性，不和其他政党订立协定，它必须为完全的胜利作最广泛的准备，在城市和乡村里，进行广大的组织工作。

一九一七年三月，列宁从苏里支写信给卢那却尔斯基，说到党所应采取的斗争的主要路线：

> 我们党的独立和个性，以及**不和其他政党作任何妥协**，这就是我所坚持的。不然就不能使无产阶级由**民主**革命进入**公社制度**。我不会替其他任何目的努力。

列宁从国外给《真理报》写信，用《远方来信》做题目，里面详细讨论着布尔塞维克的策略。在这些信里，他说：

> 俄国有三个阵营，三个政治势力。第一个——沙皇帝制，这是封建制度、地主、官僚政治、军阀阶级的支柱；第二个——由十月党人和立宪民主党人为首脑，而由小资产阶级在后面跟着的俄国资产阶级和地主；第三个——工人兵士代表苏维埃，他们的后面是无产阶级和贫农。

沙皇制度受到了致命的打击。沙皇政府被推翻了。政权落到资产阶级手里。但和资产阶级的临时政府同时存在的是一个新的，虽然还是脆弱的工人政府——工人代表苏维埃。但沙皇帝制并没有完全被摧毁；而且资产阶级还在通过临时政府企图维系帝制。

两重政权之所以能存在，因为无产阶级还不够强大，不能把政权握在自己手里；而资产阶级也还没有能力来破坏苏维埃而形成它自己的专政。

临时政府什么也不能给人民。工人的任务是在准备一个坚决的斗争，准备去打倒资产阶级。在这斗争中，俄国无产阶级会有一个同盟者，那就是千百万半无产阶级，小农大众；他们需要和平、面包、自由和土地。

列宁在一篇对俄国无产阶级的呼吁的文章里，这样写着：

> 工人们，在反抗沙皇制度的国内战争中，你们已经表现了无产阶级的英勇行为、人民大众的英勇行为的伟大了；为了准备争取革命第二阶段的胜利，你们必须表现出组织的伟大，无产阶级和人民大众组织的伟大。

在他的《远方来信》里面，列宁揭露临时政府是个拥护战争的政府。工人们不应该给它以任何支持；但一时要推翻它也还是不可能的。必须准备一个新的斗争；组织和武装是必要的。

列宁指出：当无产阶级已经推翻了资产阶级，并且进而组织它自己的国家时，这个国家必须是工人代表苏维埃的形式。无产阶级的国家必须摧毁和扫除旧的国家机构和它的军队、警察、官吏。无产阶级国家必须从武装的民众组织取得拥护。这样一个政府一定会被农民所拥护，因为它将给他们以土地，并且对最重要的物品的生产和分配加以统制。它将能够促成和平，因为它不以那些帝国主义政府，而是以各交战国的民众们为吁请的对象。这样，新政权将是向社会主义的一个大迈步。

远在回到俄国之前，列宁已经明确地草拟了无产阶级夺取政权的全部计划。他已经详尽地计拟了斗争的一切阶段，一切走向胜利的主要道路。他曾经用他天才的远见，计划了引导到十月革命的历程，那是日后党在他领导之下，光辉地完成了的。

布尔塞维克党中央委员会的委员和我们党的领袖们，都从牢狱放逐中回到彼得格勒了。斯大林，从西伯利亚回来，领导着中央委员会和《真理报》。

列宁一接到革命爆发的消息，就开始用一切方法想尽快回到俄国来。取道英国或法国是不可能了，因为那些政府不让革命者通过。他是否可以冒用瑞典人的护照呢？可是他不会瑞典语文。或许他可以假装聋子兼哑子吧？但这究竟太不便当了。他可以冒用别的护照吗？这也是同样困难，因为这样就很容易被捕。

于是就想到以交换拘留在俄国的德国俘虏为条件，取道德境回国的办法。

列宁看得非常清楚：取道德国回俄，必定要被一切无产阶级革命的敌人利用这一点来毁谤他以及整个布尔塞维克党。他早预料到日后资产阶级鸦涂者和**挑拨者**将拿他曾经乘坐在封闭的车厢中这件事情做口实而大施污蔑，他早预料到这种可能。但他觉得没有别的办法——他必须立刻回到俄国去领导劳苦大众的革命斗争，因此他决定取道德国。

得着瑞士社会主义者普拉敦的协助，接洽的结果，开始进行允许他经过德境回国的谈判。经过长时期的磋商后，请求果然被准许了。列宁就决定乘坐最近一班在两小时之内开行的火车出发。在这两小时之内，一切准备都已经办妥，书本和随身东西都捆扎起来了，从图书馆借来的书都归还了，房东太太的账也付清了，一切事情都料理停当。

列宁和他的同志在车子里，直赴德国。孟塞维克愤愤地叽咕着。他们骂这次行程的“疯狂”。当车离苏里支的时候，他们还曾经作了一些有敌意的示威。但相隔不久，孟塞维克们也采用了同样途径回到俄国。

列宁在他告别瑞士工人的信上这样写道：

> 把帝国主义战争变成国内战争，现在已经渐渐变为事实了。正在欧洲开端的无产阶级革命万岁！

列宁和他的同志道经瑞典。在瑞典边境上，列宁为俄国和瑞典的同志们所迎候。在往斯笃哥尔摩的车中，他和俄国的同志谈话直到深夜，询问他们俄国最近的消息，他指出：有在斯笃哥尔摩设立中央委员会国外局的必要，以准备“应付任何事变”。他不愿在斯笃哥尔摩作即使一小时的不必要的耽搁。向彼得格勒进发！

行程经过芬兰。他们必须在托尔涅窝坐冰橇，渡过结了冻的河，走过边境——现在他们已经到了边境这里有俄国的边防军……这些新来的旅人看到了最近的俄国报纸。在通过芬兰境的列车里，列宁兴高采烈地和一群兵士谈了一夜的话。他亲切而仔细地探问他们军中的生活，兵士们的情绪，他们和官长间的关系等等。

之后，这谈话就转为一个正式的集会，兵士们都跑到一间较为宽大的车厢。在那里，列宁作了一个简短的演说:《论土地、自由和结束战争》。(据其中一个兵士的回忆)

在拜罗—奥斯特劳夫车站上，列宁受到工人群众的欢迎，其中有些是从赛斯特劳律茨克赶来的。

其中一个工人这样说道:

> 正当列宁将下车的时候，我直着喉咙喊道:“把他抬在我们肩上!”，我抱紧了他的腿，他的身子失去平衡，就圈住我的颈项。别的许多同志都跑过来，我们也不顾他的反对，就把伊里奇举了起来，把他掮着走。围着的人让开路(那时月台上挤满了各式各样的人)。我们把伊里奇抬到站里放下;他站在那里，没有一个人做声……我们都为狂喜所征服了;围绕

了站着就像昏迷了一样。伊里奇立着朝四面望；工人们都围着他。我切记得这件事，就好像在今天发生似的——这不是梦境呀：这是乌拉地米尔·伊里奇，穿着一身灰色衣服，立在拜罗－奥斯脱劳夫火车站上。

这是难以解释的事。我见到伊里奇也同样深深地感动了呢！但是这不过一会儿的事，他很快的“复元”了，抓住我们，吻我们，一个，两个，三个……。我们同志中的一个用赛斯特劳律茨克工人的名义发表了一个欢迎演说。

列宁作了一个短短的答词。

列宁在拜罗－奥斯特劳夫站会到了斯大林和别的从彼得格勒来的布尔塞维克。

列车当晚抵达彼得格勒。芬兰车站、广场和邻近的街道充塞了千千万万的工人和兵士，集聚着欢迎他们敬爱的领袖。月台上排列着一队仪仗兵。工人和兵士们向列宁欢呼致敬；其中竟有许多人淌眼泪的。

工人们把列宁抬在肩上，从月台簇拥到站上的大休息室（以前是专供沙皇用的），他在这里第一次向彼得格勒的无产阶级致革命敬礼。

广场和街道到处飘拂着被千万支火炬和探照灯所照耀着的红旗。武装同志和克隆斯达特海军兵士站在路旁。铁甲车隆隆地走动着。

他们把乌拉地米尔·伊里奇安置在铁甲车上。他立得老高的，光着头，大衣向后掀，探照灯的光对着他。他举起手，作了一个简短的演说，结尾的一句话是：“全世界社会主义革命万岁！”铁甲车通过工人和兵士们狂热的欢迎行列，前往党中央委员会所在的地方。那里也聚了很多人欢迎列宁。他在露台上向他们演说。他的话引起风暴般的欢呼，列宁又一次处在无产阶级群众中了。

列宁和党的领导同志倾谈直到天明。他严厉地批判卡米涅夫和别的机会主义者，他们是采取了动摇态度的，他们是主张拥护临时政府，并且不相信无产阶级革命就快到来的。

第二天，列宁在一个布尔塞维克党的会议里演说，发表了他的著名的《四月提纲》，内容是：

不支持护国主义者。护国主义就是出卖社会主义。结束战争不能由强迫的和平；而必须颠覆资本主义。

现在是时候了，从革命的第一阶段（它把政权给了资产阶级）转入第二阶段，这第二阶段必须把政权交给无产阶级与贫农。

不支持临时政府。

工人代表苏维埃是革命政府唯一可能的形式。

布尔塞维克党还是苏维埃中的少数；它必须进行耐心的、坚忍的鼓动，解释机会主义者多数策略的错误，它必须争取群众，它必须抓住苏维埃。

我们必须有一个不是议会政治的共和国，而是工人、兵士、农民、农业劳动者代表的苏维埃共和国。军队、警察、官僚政治必须取消。必须考虑到“巴黎公社”的经验。

布尔塞维克的土地纲领，主张组织农村工人代表的苏维埃，没收一切土地，一切土地归于国有，创立在农村工人代表苏维埃管理下的广大土地上的模范农场。

银行必须在苏维埃的监督下，合并成一个国家银行。

必须创立一个新的、革命的国际。党必须定名为“共产党”——无产阶级政党的马克思主义的名称。

在他的报告的草案中，列宁论到工人的主要迫切任务，他这样写道：“我们必须技巧地、小心地清洗他们的意志，把无产阶级和贫农从‘二重政权’**进展到**工人代表苏维埃至高无上的政权，这就是马克思所了解的公社，这就是一八七一年的经验所了解的公社。”

把为夺取政权的斗争的任务这样干脆地、坦白地推荐到无产阶级面前，是需要极大的革命勇气和光辉的先见的。当时，那些所谓社会主义者、孟塞维克和社会革命党人在苏维埃中占大多数。整个出版界，除了布尔塞维克的报纸，都一致主张拥护临时政府，主张继续进行掠夺战争。一切政党，除了布尔塞维克党，都拼命反对一切革命的行动，如没收地主的财产，统治银行和生产等等。孟塞维克、社会革命党人和资产阶级组成了联合阵线，反对革命的工人和农民。兵士和农民中的大部分，甚至在有些地方的工人，都不大明了这形势；他们帮助了社会革命党人和孟塞维克。

当时有相当部分劳动群众反对布尔塞维克以及列宁

的纲领。但列宁是这样的一个领袖，他懂得：劳动群众虽然在这时是忠实的护国主义者，终久必定要回到布尔塞维克来的。他深知走向胜利的唯一途径的所在。

列宁的提纲在党内引起了极大的热烈反响。它们指出新的道路，制成了固定的行动纲领。工人们渴切地把握了列宁的口号。斯大林和全党一致坚决地拥护列宁的主张。只有少数右倾机会主义者（卡米涅夫、李可夫等）才主张和孟塞维克，以及护国派妥协，帮助临时政府，并激烈反对列宁。例如，卡米涅夫，在列宁发表了四月纲领的第二天，就写了一篇文章，说列宁的一般计划是不能接受的。他要求党去完成资产阶级革命，而不要去为它进入社会主义革命的转变奋斗。

关于这一点，列宁写道：

> “完成”资产阶级民主革命的问题是被歪曲地提出了。我们可以这样说，它是被一种抽象的、简单化了的、单色的看法所曲解了。那种看法是与客观的现实**不相符合**的。那些**在今天**只是问‘资产阶级民主革命完成了没有’而

不问别的什么的人，只是这样问的人，他们是没有可能认识那极端复杂的、至少也是‘双色’的形势的。这——这是就理论上说。在实际上，他们是颓萎地投降到**小资产阶级革命主义**方面去了。

并且，实在的，在事实上我们已经看到两方面：一方面是政权之转入资产阶级（一个“已经完成了的”，属于正常典型的资产阶级民主革命），以及和现有政府同时并存的代表着“工农的革命民主专政”的平行政府的存在。这个“也是政府”已经**自动地**把政权割让给资产阶级，并且已经自动地用链索把自己束缚在资产阶级身上了。

列宁指出卡米涅夫、李可夫和别的机会主义者看到的“只是工农革命的民主专政的**过去**，其实，**以事实来说**，它的**未来**早已开始，因为工资生活者和雇主间的利益和政策**事实上**早已分裂了，尤其是在‘护国主义’这个重要问题上，即对帝国主义战争的态度这样重要的问题上。”列宁严厉地攻击机会主义者，那班社会革命的敌人。

列宁用极大的精力去进行工作。他领导着中央委员会的活动；和来自各地的同志们谈话、或者有所指示，对工人演说，以及亲自接见工人、兵士、农民的代表团。他并且直接指导着《真理报》的工作。

那时《真理报》的编辑部有两间屋子。一间是秘书处，另外一间极狭小的是编辑室。列宁每天要在那里和一些最亲密的同志消磨好几小时的时间。在那里，列宁指导着党的工作。不时的举行着短的会议，讨论党的当前问题。列宁的诚恳的笑声时时可以听到。列宁是愉快而活跃的，他的精力和对胜利的信心影响着每一个人。

列宁在《真理报》的文章中，在报告和演说中坚忍地解释他的立场。他指示：这时候国内实际上有两个政权——帮助资产阶级的临时政府和由于其中大多数属于护国主义者，因而就帮助了临时政府的工人代表苏维埃。列宁说，工人代表苏维埃是新政权的胚胎，但是在目前，他们却已经把政权自动地献给了资产阶级和它的临时政府。他们已和临时政府妥协了。在这个过渡时期，布尔塞维克必须为全部政权转变到无产阶级、转变到工人代表苏维埃的事业打开道路。苏维埃将创造一个新形式的国家跟巴黎公社相似的国家。虽然我们还不能即刻“采用社会主义”，但我们可以采取实际的步骤，进向社会主义；譬如说，采用统制生产、合并银行等等的办法。

列宁以主要的力量去反对那些小资产阶级政党——社会革命党、孟塞维克；那些在当时是“帝国主义的最危险的社会帮凶”（斯大林的话），因为他们在帝国主义和劳动大众之间进行妥协政策。“……如果不使这些政党孤立起来，就不能使劳动大众和帝国主义之间发生决裂，如果没有这种决裂，苏维埃革命的胜利是不可能的。”

主要的策略口号已经提出了——必须在它们四周团结起我们的党。列宁催促召开全党会议。在四月末，彼得格勒组织的会议举行了，然后又举行全俄代表会议。

在用电报召集起来的全俄代表会议上，全国重要的布尔塞维克都到了。那些从长时期下工作、监禁、放逐和移民生活中解放出来的布尔塞维克，第一次齐集起来热烈地欢迎他们的领袖。他们看到党是强大而有力了。它有着无产阶级群众的拥护。列宁的报告和演说在会议中引起了热烈的反响。

在会议中，列宁受到机会主义者卡米涅夫、李可夫、诺金之流的反对。像孟塞维克一样，他们也说社会主义只能从其他更先进的国家移植到俄国来，而不能由俄国开始发动社会主义革命；他们否定了社会主义革命的胜利和社会主义在我们国家内的胜利。但党的绝大多数都赞同列宁，赞同他的意见。斯大林尤其有力地拥护列宁的纲领。斯大林是列宁的忠实、坚忍的帮助者，亲密的战友；在许多文章、演说中，他发挥并且维护列宁的口号，反对孟塞维克、社会革命党，以及投机分子卡米涅夫之流。

列宁的路线（列宁主张和“中派”完全决裂）在会议上被季诺维也夫所反对，他认为布尔塞维克必须重行参加齐美瓦尔德派的会议，虽然到会的都是公开拥护社会沙文主义者的路线的。季诺维也夫又极端反对和第二国际作坚决的分裂，他实际上就是反对即刻组织第三国际。

布尔塞维克，依照列宁的指示，每天在工人集会中，兵士、工人营里演说。党的主要活动就在工人阶级的区域里。列宁有好几次在群众大会上发表演说。直到今天，列宁格勒的工人还记得列宁当日的演说给人们那种惊人的印象。

一个普梯洛夫厂的工人追忆道：

> 突然，从人丛中，从四万人的群众中，他登上了讲台……我简直找不出什么字眼可以表达出他那种伟大的气概，那种他用来吸引住听众的奇特力量……他所讲的话抓住了他们的心，使他们燃烧着热情。害怕和顾忌消灭了。看起来，好像并不只是伊里奇一个人在演说，而是全场四万工人，坐着的、站着的，都在倾吐他们深藏在内心的意见。就好像工人所感觉到的一事一物，伊里奇都要替他们传达似的。一切每个人所想到、经验到的，但没有适当的词句和机会来向他的同志明白而清楚地吐露的——这一切都从伊里奇的演说中听到了，

而且也借此吐露了。

看起来好像群众都想扯直喉咙大声疾呼些什么似的……就在四月二十一这天，奈夫斯基的普梯洛夫厂的工人就这样大声叫出来了："打倒十个资产阶级的部长！打倒米留科夫，古奇科夫以及他们对达尼尔的要求！"

在这一期间，列宁也曾在一个海军码头对兵士、水手，工人的集会作过演说。其中到会的一个，这样描写道：

他的语句团结了人民并且指示他们以道路，告诉他们每个工人应该做些什么，怎么去做。

当他讲完的时候，我们许多人都有眼泪了……三千个未来的战士被列宁的语句武装起来了。列宁的思想燃着了那些工人、水手和兵士们的心……他们每个人都为列宁的热忱所激动，洋溢着战斗的情绪。

党，在列宁领导之下，准备着革命战斗。它继续坚忍的斗争以争取工人阶级和农民脱离资产阶级的直接帮凶——社会革命党和孟塞维克的影响。

资产阶级认定列宁是他们势不两立的敌人，于是就开始对他作激烈的攻击。各种意见的资产阶级报纸，社会革命党和孟塞维克的演说者一天到晚攻击列宁和布尔塞维克党。他们诽谤他，污蔑他。他们不隐藏他们对工人阶级领袖的仇恨。但这种攻击只有使工人格外接受布尔塞维主义，增加他们对无产阶级领袖的爱戴。

在工厂里，在工人集会上，在战壕里，到处展开着对于布尔塞维克口号的热烈讨论。工人、兵士和农民都逐渐认出，列宁是人民革命的真正领袖。布尔塞维主义的信仰者的数目不断地增加着。

第十三章　准备争取胜利

一九一七年五月，列宁草拟了写一本论四月会议的小册子的计划，他写道："向社会主义之途迈进。"在与小资产阶级的动摇性作斗争的无产阶级路线中，要像石头一样的坚强。用**说服政府**、"教育"去影响群众。准备进行颠覆，作一个"**比二月革命有力千倍**"的革命。

列宁用全副精力解释布尔塞维克的口号，并且替革命布置道路。他在许多集会、会议、大会上阐明布尔塞维克的学说。他每天在《真理报》上发表文章。他和成百个党员、工人、兵士以及农民谈话。

那时在工人、兵士、农民群众里是以下列三个主要的问题去鼓动他们的：战争问题、土地问题和国家机构问题。对于这些问题，列宁都给了明确而肯定的答复。战争必须用普遍的和平来结束，但是这种和平只有在一切政权完全转入苏维埃手里的时候才有可能；土地必须属于人民，土地必须即刻无代价地交给农民。国家必须依苏维埃的形式来组织。

在六月四日（俄历五月二十二日），列宁在第一次全俄农民代表会议上发表演说。对于这个可纪念的夜晚，到会代表中的一个曾经作下面的描述：

> 外面正在下雨。伊里奇穿戴着淋湿了的外套和鞋子从屋外进来，悄悄地在宽大的塔乌律达厅的一个角落里坐下。没有人注意到他进来。等一个讲演者发言结束的时候，我们高呼道："列宁在这里。假如代表们要请他讲话，他就会讲的。"我们的敌人（企图从中阻挠，但是全体农民都一致喊道："我们需要列宁讲话，我们要列宁讲话！"大家就请伊里奇讲话。伊里奇登上讲台开始说话了。他开始清楚而扼要地向农民们解释革命的任务。

他号召即刻夺取土地。他讲到农村工人和贫农成立独立组织的必要。他指出，在大规模土地上建立模范国家农场的必要。

农民代表们不顾孟塞维克和社会革命党人的反对，注意倾听布尔塞维克领袖的演说。

六月里，第一次全俄工人、兵士、农民代表苏维埃大会举行会议。布尔塞维克只占少数的地位。列宁在会议上作了两个报告。他严厉地批评帮助资产阶级的妥协派和护国主义者，他抨击护国主义者（孟塞维克和社会革命党人）延续掠夺战争，给帝国主义者以直接帮助。当孟塞维克总长采律台里说到俄国没有一个党准备夺取全部政权的时候，列宁就抢着说："我说这里有一个！没有一个政党可以拒绝这样做的，我们的党也并不拒绝；它准备在任何时机来夺取全部政权。"布尔塞维克鼓掌。他们的反对者在一旁讥笑。

可是孟塞维克、社会革命党人以及别的资产阶级的拥护者们未免笑得太快了！彼得格勒的工人、兵士的大部分正一天比一天倾向于布尔塞维克。布尔塞维克规定六月十日作为举行群众示威游行的日子，那时正在开会的，为孟塞维克和社会革命党人所把持的苏维埃大会知道：这个示威一定会显露出彼得格勒的工人是已经团集在列宁的口号周围的。于是，孟塞维克和社会革命党人决议禁止这次示威。

虽然这样，在群众压力之下，大会不得不规定六月十八日作示威游行的日子。六月十八那天的示威游行变成了追随着列宁的革命无产阶级力量的检阅。无数标语都写着布尔塞维克的口号："一切政权归苏维埃！""打倒十个资产阶级总长！""打倒战争！"工人、兵士、水手的群众表现出了他们追随列宁和布尔塞维克党的决心。资产阶级躲了起来，孟塞维克和社会革命党人吓得惊惶失措。

在无数由农村、工厂、战壕里寄来给列宁和《真理报》的信件里，其中拥护布尔塞维克的情绪一天比一天普遍起来。一群兵士写信给列宁道："……我们的耳边经常听到在鼓吹，说你是俄国人民的敌人，还有其他差不多的话。但是我们兵士们都不相信这些，我们是同情你的。"

在另外一封信里写着："列宁！我们的同志，我们的朋友：请记着，我们N团的弟兄们，万众一心，准备追随着你，无论到哪里；你的思想是农民和工人意志的天才表现。”

这时，临时政府为了镇压革命运动，为了履行它与帝国主义国家政府的协约起见，宣布进行前线总攻的准备。

克伦斯基是当时临时政府的头子。在激动的无产阶级示威游行压力之下，临时政府不得不和两个罪大恶极的资产阶级领袖——米留科夫、古奇科夫分手，他们是迫害劳动者，坚持延续战事最激烈的。

克伦斯基在伪造的革命词句的掩藏之下，奉行着同样的政策。他替资产阶级制就了一副合式的民主政治的假面具。克伦斯基煽动重新发动战争，并且在军队里恢复了死刑。孟塞维克和社会革命党拥护他。资产阶级报纸一致主张采取攻势。

俄国军队在临时政府命令之下所发动的攻击结果全部失败。这一次的失败更增加了群众的革命情绪。反革命的将军们恫吓说，要把首都投降给德国人。那些立宪民主党的总长们，见到革命运动的澎湃，就上书辞职，要求把革命的无产阶级永远扑灭，以求一劳永逸。

七月一日那天，一个机枪营的几个代表跑到布尔塞维克党中央委员会的所在地（那时那里正在举行一个城市会议），申述他们已经派了代表到整个军队里去号召暴动。布尔塞维克党认为暴动的时机还没有成熟，表示不赞成。

当天晚上，有两营兵士，喊着“一切政权归苏维埃”的口号，到布尔塞维克党的彼得格勒委员会所在地的克兴斯卡亚大厦面前游行。他们后面跟着工人们的代表。

七月十六——十七日（俄历三——四日），全城举行示威游行，有五十多万工人和兵士参加。海军队伍也从克隆斯达特开来。在奈夫斯基和萨多伐雅转角的地方，军官的队伍向游行队伍开枪。示威游行者蜂拥到塔乌律达宫，要求苏维埃中央执行委员会出来执掌政权。被孟塞维克和社会革命党把持着的中央执行委员会拒绝了这要求。

列宁，从芬兰被电召回来了的，这时在中央委员会。他把这运动的领导权握在手里。工人群众已经起来了，无产阶级的党必须站在他们前面，领导运动走上必要的道路。夺取政权的时候还没有来到。党提出和平示威的口号。

惊惶失措的资产阶级和反革命的将军们决意要摧毁布尔塞维克党。诽谤的报复开始了。第二天，发现了一张由阿立兴斯基和一个叫也尔摩兰科的海军少尉合署的一个叫《生活世界》的黄纸宣言，诬说列宁是在德国参谋本部指挥下的间谍。同样也诬赖了一切别的布尔塞维克。司法部长赶忙制造了各式各样的借口，以便有“权”来逮捕列宁。

同时，克伦斯基从前线调回了反革命的军队和士官生队伍。逮捕、袭击、迫害开始了。《真理报》的编辑部和印刷部被捣毁了。士官生就只找不着列宁，列宁在半点钟以前还在编辑部有事的。

第二天早上，斯维尔德洛夫——一个最优秀的布尔塞维克，党中央委员会书记，后来是中央执行委员会主席——到列宁那里，告诉他《真理报》报馆被捣毁的消息，并且坚持他必须立刻隐匿起来。他把自己的雨衣披在列宁肩上，于是他们悄悄地出走了。

当天晚上，希罗卡亚街的乌梁诺夫寓所被袭击了。大群武装的士官生和兵士到处搜索，搜查列宁，连箱子、笼子都用刺刀戳过。

特务机关的副头脑细心地阅读列宁的片纸只字，当看到兵士们从前线的来信，显露他们对列宁反临时政府的斗争表示拥护和感谢的时候，他显出了恶毒的脸色。

七月十九日（俄历六日），临时政府颁布了通缉和审讯列宁与其他布尔塞维克的命令。克兴斯卡亚大厦被特地从前线调回来的军队所强占了。许多工人被逮捕。

特务机关和士官生又一次搜索列宁的寓所，一直搜索到隔壁的空地和邻居的房屋。

这时列宁正隐匿在工人群中。斯大林坚决主张列宁不应该出面受审讯，他明白地看到，如果列宁出席法庭就一定死定了。临时政府和反革命士官生不过只是等着机会来杀害这位无产阶级领袖罢了。士官生一定等不及拖他到监狱里，在路上就会杀了他的。

中央委员会决定列宁不要出席法庭，并且必须离开彼得格勒。斯大林布置了列宁出走的准备。

阿力路也夫（他在那些日子藏匿着列宁的），计划了一条到火车站去的路线，以备乘车离开彼得格勒。列宁要了一册彼得格勒的地图，亲自审定计划的路线。他剃了下须，修饰了上髭，换了衣服。这样，他看起来很像一个芬兰的农民。

七月二十四日（十一日）的晚上，斯大林跑去看列宁。当晚，列宁和几个同志出发到车站。他们分两批，一对一对的走。

列宁平安地上了车。斯大林站在月台上，装做好像和列宁完全是陌生人。一会儿，车子开了。

列宁乘车到拉斯里夫；起初他住在一个老革命工人的草棚子里，后来又决定搬到沿湖的草地上去。

这是一大片森林和沼泽地区。附近没有村落，走起来有一大段路。去的人必须懂得选择道路，避过泥潭。其中有一程是必须坐船的。这种地方是工人们常常利用来藏匿他们的同志，或贮藏枪枝、炸药和违禁书籍的。他们把列宁带到湖的辽远的一边。他们在那里造了一间茅屋，铺上稻草，门口放了些镰刀、犁耙、斧头之类的农具，好叫人家觉得是一个芬兰的割草人住在里面似的。

在这里，列宁著述他的书《国家与革命》，写文章和小册子，并且给跑来看他的同志以指示。

秋天到了，天气渐渐冷起来，他用一个赛斯特劳律茨克工人的护照去到希尔新福尔。他化了装，刮干净胡须，戴起淡黄色的假发。

在赴车站的路上，列宁和护送他的人迷了路。当最后走到车站的时候，他们发现里面驻满了武装队伍。列宁仅仅有时间在沿堤的树林里躲过。

火车到了，列宁乘着黑暗，登上最后一节车，一直乘到乌得尔那亚。那里，他在一个已经约好了碰头的地方住了一夜，想在第二天重行赶路。列宁在屋子里和几个亲密的朋友一起，追述脱险时的紧张局面，和他们尽情地大笑。但同时他又很责备了那些替他准备行程的人布置不周到，缺乏警觉性，甚至连一张地图，一张时间表也没有准备好。

为了要从乌得尔那亚转到芬兰，列宁在一个火车头扮作一个火夫。斯大林在一九一二年通过国境也是这样。

列宁卷起了袖子，把木柴一铲又一铲送进火炉。在边境的交界点拜罗－奥斯特劳夫，列车停二十分钟，听候严密检查证件。司机雅拉伐为了避免检查，等车子一停，就把车头和车身分开，开到一旁的轨道上，装做是去加水的样子。当施行检查的时候，车头停在旁道上；等到第三遍铃正要响的时候，它开过来，配上车身，一溜烟就开走了。几分钟后，列宁已经到了芬兰境内，克伦斯基政府的警察已经不能对他怎样了。

列宁从隐匿的地方指挥党的工作，指挥当时正在举行的党第六次大会；这会的召开是中央委员会在六月间议决的。

由于反动势力和战争的影响而停顿了这些年头，现在必须要聚集布尔塞维克力量去攻击资本主义。

大会举行之前，先举行了一些地方的和省区的会议。不管对布尔塞维克所施的恐怖怎样，不管有多少布尔塞维克被逮捕或隐匿起来，中央委员会还是按期（七月末）召集了大会；到会的代表代表着十七万七千党员。在这次大会上，斯大林和斯维尔德洛夫严格地执行了列宁的路线。

斯大林是列宁的左右手，无论在党里，在会议上，都直接遵循着列宁的指示。他在大会上作了一个中央委员会的政治报告，并作了一个关于政治形势的报告。在七月事变到十月革命这个时期内，斯大林实际上主持着布尔塞维克党的中央机关报，它由于当时警察的迫害，曾用好几种名字出现:《工人和兵士》、《无产阶级》、《工人》。

在六次大会上，斯大林同志答复普列奥布拉仁斯基的“假如世界革命延迟了，那么我们就不可能在我们国家内建设社会主义”的托洛茨基派的言论时，这样说：“很有可能，正是俄国将成为开辟到社会主义去的道路的国家……。必须抛弃那种以为只有欧洲能给我们指示道路的陈腐见解。存在着有教条式的马克思主义和创造性的马克思主义。我是站在后一种马克思主义的立场上的。”在对一切工人阶级的敌人的斗争中，斯大林发挥了这个列宁主义的路线。

斯大林在大会上也揭露了布哈林所采取的机会主义的立场，布哈林以孟塞维克、托洛茨基的姿态，否定了无产阶级的友军，特别是贫农在社会革命中的作用。否定了预备队伍的重要性，布哈林因此就认为社会主义革命是没有可能的了。

大会估计了目前的形势，并且指出党必须使自身和群众都准备着夺取政权。大会指出，政权实际上操在反革命的资产阶级手里，无产阶级现在要想夺取过来，只有用武力。

六次大会动员了党作坚决的进攻。它指出，有积极准备武装暴动的必要。斯大林在大会上说："革命的和平时期，已经终结。不和平的时期，一个搏战和爆裂的时期已经开始。"

同时，反革命势力也在巩固自己。克伦斯基在参谋本部、立宪民主党人、反革命官吏手里，只不过是一个傀儡罢了。科尔尼洛夫将军正在积极准备发动一个复辟政变。和立宪民主党领袖们，以及莫斯科的实业家们几度会议以后，科尔尼洛夫得着临时政府的同意，命令了一个军团、哥萨克骑兵队和"野蛮师"开到彼得格勒。

反革命方面已经动员了。地主和资产阶级，沙皇将军和宪兵们以及国内的黑色百人团给科尔尼洛夫叛变以一切可能的协助。右派社会革命党人（沙文科夫）向科尔尼洛夫暗送秋波，给他积极的帮助。彼得格勒和莫斯科的资产阶级报纸已经在恭维科尔尼洛夫，说他将压制布尔塞维克，恢复秩序。

革命处在危急的阶段。反革命势力团结得很好，准备作一个致命的打击。

为了回答这一攻势，布尔塞维克强有力地动员了群众，组织了好些赤卫队。布尔塞维克的势力一天天显著了。

陆军和海军里面同情布尔塞维克的部队都准备维护革命。整个国家都为布尔塞维克打倒反革命的号召所激动。科尔尼洛夫的军队在革命煽动影响之下动摇了。

虽然有临时政府的对抗活动与社会革命党和孟塞维克的“旁观”态度，革命势力终于粉碎了科尔尼洛夫的叛变。科尔尼洛夫被逮捕起来，但不久就偷跑了，逃到南方，想在那里组织反革命势力。然而他没有成功，他的军队是分散着的。

科尔尼洛夫的叛变明白地晓示给广大群众：在揭露临时政府是在为沙皇将军们清除道路的这一点上，列宁是怎样的正确，布尔塞维克党是怎样的正确。这次叛变告诉每个人，立宪民主党和反革命将军们串通一气，他们极力想推翻苏维埃，恢复帝制。

列宁，在他隐匿的地方注视着事变的过程，经常地指挥着党，并且考虑无产阶级夺取政权应采取的一切步骤。他又从事于缜密分析：无产阶级胜利后，工人的国家应当怎样组织，以及无产阶级专政应取的形式。为了这个目的，他写了《国家与革命》（这书他在国外已经开始动笔）。在这本书里，列宁根据马克思和恩格斯的学说，指明无产阶级所需要的国家形式。他指出，无产阶级不能利用资产阶级的国家机关来完成无产阶级的任务。它必须摧毁资产阶级国家的机构。无产阶级，既然取得政权以后，将创立一个专政：就是这样一个不和任何人分着掌握，而是直接建筑在群众武装力量上的政权。无产阶级专政将帮助无产阶级去肃清剥削者的抵抗，并引导人民大众，首先是农民，来建设社会主义社会。

列宁指出：无产阶级专政是马克思学说的要点。

列宁检讨一八七一年巴黎公社的经验，说：无产阶级国家将是历史上第一次不是为着富人，而是为着全民的真正民主政治。只有无产阶级专政才能保证给劳动者以真正的自由。在无产阶级的国家里，治理国家的将是劳动者自己。只有在共产主义社会里，当阶级已告消灭的时候，国家的形态才能衰亡。在从资本主义过渡到共产主义的时期，必须有一个强大的无产阶级政权——

无产阶级专政。

列宁的《国家与革命》这本书是具有世界重要性的。列宁光辉地进一步发展了马克思和恩格斯关于国家和无产阶级专政的学说。列宁，揭穿了第二国际的领袖们所容许的对马克斯主义的曲解，指出了建设苏维埃国家应循的道路。

在无产阶级革命的前夜，列宁用了关于建立无产阶级苏维埃国家的战斗的理论武装了无产阶级。他在好几篇文章里通俗化了这个理论。他向全体劳动者解释，为什么全国必须在胜利的前夜组织起来。列宁的有科学根据的理论，永远被证实是无产阶级的斗争武器。

第十四章　掌握着伟大的无产阶级革命的轮舵

俄国国内的情形一天比一天混乱了。铁路货运已经停顿，许多城市蔓延着严重的粮食荒。失业人数在逐渐增加。临时政府是愈加公开地倾向反革命了。

前线又重行采用死刑法律。工人和农民呼吁改善待遇的要求，一件也没有办到。有些地方，农民在夺取土地了。临时政府派了队伍去镇压他们。不满的情绪在国内增长着。

在彼得格勒，在莫斯科，以及别的城市里的县议会和市议会的选举中，布尔塞维克有着很多他们的拥护者当选，并且在首都的某些区域里，他们还得到了绝对大多数的选票。彼得格勒和莫斯科的苏维埃选举中，布尔塞维克得到了大多数的选票。在许多别的城市里，布尔塞维克也增强了他们在苏维埃里的影响。彼得格勒、克萨斯达特、莫斯科，以及到处，赤卫军的队伍都已经组织好了。

列宁当时在芬兰。他没有法子直接参加中央委员会的工作。为了避免他的下落被人知道起见，很少有同志跑去看他。于是他不得不用文章、信札、短简来传达他的指示。

列宁在九月廿五——廿七日（即俄历十二——十四日）给中央委员会和彼得格勒、莫斯科委员会的一封论暴动的信里说道：

> 既然握住了两个首都的工人兵士苏维埃里的大多数，布尔塞维克能够而且必须把政权夺取过来……人民的大多数**是站在我们这边的**。

他建议党把在彼得格勒及莫斯科发动武装暴动的问题提到议事日程上来。“……我们将**绝对地，无疑问地，**取得胜利”，他说。

在另一封九月廿六——廿七日（俄历十三——十四

日）写给中央委员会的信里，列宁说明了胜利的暴动所应具备的条件，并且指出：一切先决条件是已经具备了。

列宁主张党的一切领导力量必须集中在工厂和军队里，他说："生命的脉息就在这里；保卫革命的力量就在这里。"他草拟了一个关于暴动的详细计划。参加暴动的队伍的参谋本部必须立刻组织起来，力量必须加以分配，可靠的队伍必须安置在最重要的战略据点，彼得格勒必须加以占领，参谋本部和政府的人物必须加以逮捕，武装的工人必须动员起来，电报局和电话局必须加以占领，等等。

卡米涅夫在中央委员会的一次会议上极力反对列宁的主张，蓄意要想破坏这一个对资产阶级所下的攻击，但是中央委员会的大多数都拥护列宁。由于斯大林的提议，列宁写的信被分发到各组织去展开讨论。列宁的口号在群众中传播着。

在他的许多文章和信件中，列宁始终坚持认为暴动的时机已经到来，决不能再迟延了。新的革命的前夜就在眼前，农民运动在发展着，工人群众的大部分已经站到布尔塞维克这边来了。

列宁严厉地抨击托洛茨基之否认有组织一次武装起义之必要的见解，抨击托洛茨基之主张布尔塞维克应该静待苏维埃大会。这可以说，“……不是十足的白痴，便是**不折不扣的背叛行为**”，列宁说，“等待……这就是说，要在这即使几星期，甚至几天就可以决定**一切**的日子里，失去好几星期的大好光阴。这简直是痰迷心窍地**放弃**夺取政权这回事，因为如果一等到十一月一、二号，事情就不可能了（无论就政治上、技术上来讲，都是这样，因为对于一个那样愚蠢的‘规定’好了的暴动，哥萨克军队是会动员起来对付它的）。”

列宁说，假如在彼得格勒，莫斯科以及波罗的海舰队同时来一个骤然的攻击，那么胜利是可以保证的。工人、兵士、农民是和我们在一起的。我们有着武装的工人和兵士在我们这边。孟塞维克和社会革命党人则是完全没有组织的。

在这些日子里，列宁写了一本小册子:《布尔塞维克能保持国家政权吗？》他在书里指出，无产阶级国家的力量将是建筑在这一事实上的，就是，它将吸收千千万万的人民都来参与治理国家的工作。“这个引人入胜的方法就在于要使劳苦大众和穷人在治理国家的日常工作中，都有一份。”

无产阶级的国家将为工人和贫农所拥护。苏维埃政权的纲领将保证给予一切劳苦大众以同情和援助。

列宁写道：

> 当每一个劳动者，每一个失业工人，每一个厨子，每一个破产的农民都看到——不是从报纸上看到，而是用他自己的眼睛看到——无产阶级政府不是在向有钱的人谄媚，而是在帮助穷人；看到这个政府并不害怕采取革命手段；看到：它从寄生者那里夺取盈余的生产物，分给没饭吃的人们；看到：它以实力帮助无家可归的人搬进富人的大厦去住；看到：它强迫富人出钱买牛奶，但不给他们喝一滴，直等到**全体**穷人家的孩子都有了上好的滋养；看到：土地是在转到劳动者手里了，工厂、银行是在移归工人管理了；看到：那种即时而严厉的处罚是奉送给那些企图藏匿财富的富翁们

了；——当穷人们看到，并且体验到这些的时候，那么，便再没有一种资产阶级和富农的力量，再没有一种操纵几千万万钱财的国际金融资本的力量足以击败人民的革命。相反地，人民的革命会征服全世界的，因为在每一个国家，社会革命都快成熟了。

列宁在他藏匿的地方指挥着彼得格勒组织的会议。

在这时候，临时政府为了苟延它在崩溃途中的地位起见，召集了一个包括各党各派，各组织代表的会议——这就是所谓预备国会。在这次会议里，临时政府为了要取得它们对它活动的支持起见，给了资产阶级及小资产阶级的政党和组织以优先权。预备国会在人民中制造淆乱听闻的幻想，说是什么事都好用和平方法来解决啦，临时政府在人民中还是有群众的啦，等等。

卡米涅夫和季诺维也夫是主张布尔塞维克参加演出这幕滑稽剧的热心倡导人；他们和以前一样，想尽方法去帮助资产阶级政党和临时政府。由于列宁的坚持，斯大林的极力拥护，布尔塞维克退出了预备国会。他们给整个工人阶级指出：唯一的出路只有为夺取政权作斗争。

预备国会是“资产阶级企图引导国家由苏维埃的道路走上资产阶级议会政治的一种阴谋”（斯大林的话），参加了这个国会，便足以把那些向“一切政权归苏维埃”这口号迈进的革命群众引上歧路。

在十月十六——廿日（俄历三——七日）的信里，列宁又向中央委员会、莫斯科委员会和彼得格勒委员会建议他们必须立即进行暴动。他说：“……迟延确实是罪恶”，在同一封信里，又再三叮嘱：“布尔塞维克绝不能等待苏维埃会议；**他们必须立刻进行夺取政权**。”“等待就是罪恶。”“胜利是可以保证的，并且十之八九可以是不流血的。等待，是对革命的罪恶。”

在他给党组织的下一封信里，列宁根据马克思论暴动的著作，阐明了暴动艺术的原则。

列宁把暴动的法则引用于俄国的局势。他主张三支主力——工人、海军和陆军——配合起来，首先占领电报局、电话局、火车站和桥梁。那些最坚决的分子（突击军队、青年工人和最优秀的水手）亦须分成小部队，去占领最重要的据点。最优秀的队伍必须派遣去占领敌人的中心位置，“即至一枪一卒也不让敌人逃走”，这句话该是他们的警惕语。

列宁这样结束了他的信说：“俄国革命和世界革命的成功，单靠这两三天的战争了”。同一天，列宁又写了一封信给正在出席北区苏维埃区代表大会的布尔塞维克。他重复着说，迟延暴动就是罪恶；再不容许等待了。“克隆斯达特、维堡、勒瓦尔等地的舰队能够而且必须驶向彼得格勒；他们必须击败科尔尼洛夫的军队，在两个首都同时掀起鼓动，向民众进行煽动以号召建立一个可以立刻将土地交给农民、可以立刻主张和平的政府，并且必须推翻克伦斯基政府，真正地确立上面所说的那样一个政府。”

“确实，因循简直是自趋灭亡。”

列宁认为不能把握住暴动的适当时机，这就等于毁灭了一切。他以强旺的精力，铁一般的决断，热诚的信念，团结了党准备作一个有决定意义的战斗，并且坚决地鼓励立刻进行武装起义。

这个时候，前线在进行着活跃的布尔塞维克的宣传。布尔塞维克不顾政府的一切迫害，还是始终在军队里争取新的拥护者。人民是厌战了，兵士不愿打下去了。他们向往地倾听布尔塞维克关于结束战争、夺取土地、夺取政权的口号。

临时政府觉察到了它下层基础的动摇。它听命于资产阶级和沙皇将军们的意志，又赶忙重演一次的科尔尼洛夫叛变。它想把“可靠的”军队（哥萨克兵）调到彼得格勒，而把那些“被布尔塞维主义沾染了的”部队调开彼得格勒，派上前线。它又组织了反革命的妇女部队，各种增援部队和军事部队，表面上说送他们上前线，实际上是用来对付布尔塞维克的。反革命方面在无产阶级有时间进攻之前，就加紧袭击无产阶级。

在这时候，很可以看得出，布尔塞维克跟社会革命党争取农民群众的斗争，是已经有了成果的。

克伦斯基和临时政府之支持帝国主义战争，社会革命党和孟塞维克之拒绝没收土地，死刑法律之在前线重行使用，临时政府里的社会革命党的两面政策，科尔尼洛夫的叛变——一切这些在在促使广大农民群众日趋于革命化，并且使他们接受了布尔塞维克的口号。

斯大林说过：

> 克伦斯基时代是给农业劳动群众的一个伟大的教训，因为他们得以亲眼看到：只要社会革命党和孟塞维克当了权，我们国家就永远不能从战争中解脱；亲眼看到：不论是土地也好，自由也好，他们农民都是没有份的；亲眼看到：孟塞维克和社会革命党和立宪民主党所不同的，只在于他们善用糖衣的饰词和空头支票罢了，实际上却依然奉行着那种帝国主义的、立宪民主党的政策；亲眼看到：唯一可以引导国家走向正确道路的，只是苏维埃政权。

为了要和武装起义的领导取得更密切的联系起见，列宁在中央委员会同意之下，从当时的居住地维堡移到了彼得格勒。

在他到达彼得格勒的那一天，列宁邀请了斯大林到一个工人老党员的屋子来看他。他和他的忠实追随者和帮手亲热地握手。他询问党里面的情形和工人的情绪，讨论发动武装起义和夺取政权的办法。

列宁移居到维堡区一所大屋子里，维堡区完全是一工人住居的区域。他的地址是严守秘密的。列宁不得不特别留神，因为克伦斯基的警察和特务机关一直在上上下下地搜索列宁。列宁在他的秘密的住所非常紧张地工作，发出给党组织、给个别同志的指示。他从不离开他的屋子，不然他就会引起警察的注意。

这期间，只有极少数的党负责工作同志来见过他。其中最常来的访客是斯大林。

在长时期的不得已的缺席之后，十月廿三日（俄历十日）那天，列宁出席了一次中央委员会的会议。他的到会，引起全场的欢跃，大家都从座位上跳了起来，围着他，欢呼着迎接他。他的胡须还是修光了的，并且还戴着假发，所以很难看出他是列宁。

列宁作了一个关于武装起义的演说，指出目下作技术上的准备是必要的。中央委员会赞成列宁。只有季诺维也夫和卡米涅夫才发言反对起义。中央委员会通过决议，内容是，武装起义已经提到日程上了，主张一切组织的实际活动，必须服从这一口号。

十月廿九日（俄历十六日），中央委员会和党的负责人举行了一个扩大会议。在会议席上，列宁作了一个激昂的演说，主张立刻进行暴动。“形势很明显”，列宁说，“或者是科尔尼洛夫的专政，或是无产阶级和贫农的专政。”农民是会追随无产阶级的。季诺维也夫和卡米涅夫又反对列宁，说是布尔塞维克必须安分守己，不可冒险；说是因为没有适合于暴动的武力和组织等等。

斯大林坚决拥护列宁，正确地指出卡米涅夫和季诺维也夫所提出的话将帮助反革命势力发展组织。卡米涅夫和季诺维也夫被极大多数所压倒了；中央委员会通过决议，号召为武装起义作一次最英勇、最缜密的筹划。

中央委员会组织了一个以斯大林同志为首的革命军事中心，去主持暴动。

卡米涅夫和季诺维也夫在中央委员会里受打击后，就背叛地在资产阶级报纸上发表文字，反对中央委员会的决定。他们将党关于暴动的计划出卖给资产阶级。列宁痛骂这是无可比拟的背叛行为，“难以形容的无耻。”他写道：在资产阶级报纸上公然写文章反对中央委员会的决定，这是叛逆行为、破坏行为。“这样将是我的罪过”，列宁写道：“假如我为了我和他们过去的密切关系的缘故而不去责罚这些旧日的同志。我当场宣布：我不再认他们做同志了，并且我要在中央委员会和大会上，以全力争取把他们开除党籍。”

列宁在另一封信上要求即刻开除季诺维也夫和卡米涅夫的党籍，他说：“从我们自己队伍里扫除一些没有骨气的知识分子，集合起革命者的行列，与重大的困难作斗争，和革命的工人搀手前进，这是使党恢复健康的唯一途径。”

托洛茨基，日后常喜欢自夸其在十月革命中的领导作用，其实当时他参加暴动，骨子里是很勉强的，好像一心以为是走向毁灭一样的勉强，这是因为他没有胜利的信念的缘故。他以为必须等待召开立宪会议，在这以前，俄国建立社会主义的条件是不成熟的，而且一下子也不会成熟；他以为没有西方的胜利的革命，俄国无产阶级的事业是注定要失败的。

这种卑怯的态度使托洛茨基倾向于和工贼季诺维也夫、卡米涅夫同流合污；列宁在当时就鄙弃了这一切破坏和背叛社会主义革命的分子。

十一月六日（俄历十月廿四日），列宁写信给中央委员们，主张立即发动暴动："我们必须以任何代价，就在今晚，今夜，逮捕政府，首先解除士官生之流的武装（打败他们，假如他们抵抗的话）。"

> 我们决不应该等待了！否则我们便会失去一切！……事情必须在今晚或今夜顺利完成。
>
> 临时政府已经动摇了。必须以任何代价去毁灭它！
>
> 迟延行动将铸成大错。

在这些革命危机的日子里，充分表现了列宁作为群众领袖的天才，他坚毅地、英勇地指挥着战斗，明确地看到革命道路将引向那里去。

斯大林叙述这时期的情形说：

> 在这个环境里进行暴动等于作孤注一掷。但列宁不怕冒这种危险，因为他知道，因为他用先见的眼光看到，暴动是不可避免的了。在

俄国的暴动将结束这次帝国主义战争，在俄国的暴动将变帝国主义战争为国内战争，这次暴动将产生苏维埃共和国，苏维埃共和国将成为全世界革命运动的堡垒。

十一月六日（俄历十月廿四日），列宁决定到斯莫尔尼宫。起先他想邀请斯大林过来，但当知道要通知斯大林很困难，并且知道他在午夜前不能赶来的时候，列宁就说："那么，让我们到斯莫尔尼宫去罢。"

列宁略略化了装，换了衣服，脸上绑了绷带，戴了一顶破帽子。

在往斯莫尔尼宫的路上，列宁曾不得不越过好几处步哨岗位，并且侥幸逃过了一群士官生的巡逻队。因为他没有适当的出入证或证件，进斯莫尔尼宫的时候也曾遇到了困难。在斯莫尔尼宫里，列宁立刻会到了斯大林。别的同志也都找来了。

那一天临时政府曾下了一道命令，逮捕布尔塞维克革命军事委员会委员去受审讯。它调了士官生队到冬宫。它在准备作进攻。

但是中央委员会，依据列宁的指示，却早已号召了无产阶级进行暴动。十一月六日（俄历十月廿四日）晚上，赤卫军部队依照列宁的计划，开始占领火车站、电报局、电话局以及一些别的据点。

十一月七日（俄历十月廿五日）早晨，列宁写了第一篇宣言《告俄国公民书》，这是以革命军事委员会的名义发表的，里面说：临时政府已经瓦解了，人民所争取的事业已经有了保证。

当天下午，列宁在一个彼得格勒工人代表苏维埃的特别会议上演说。他为暴风雨般的欢呼所接迎。那时城市里战争还正在进行。临时政府所在地的冬宫还没有被攻下，但城里的大部分军事据点已经握到无产阶级手里。列宁在一个简短而激动的演说中说：革命已经完成了，这个革命将建立苏维埃政府，建立无产阶级专政。“今天，俄国历史上新的一页开始了”，他说，他们必须着手去建立一个社会主义国家。

苏维埃的决议包括了列宁演说的简略摘要，它规划出新政府最迫切的任务：没收土地，工人管理生产等等。

正当无产阶级革命的这些日子，第二次全俄苏维埃大会在彼得格勒举行。布尔塞维克坚决争取立即召开大会，因为这是集合布尔塞维克的方法之一，这时候布尔塞维克在全俄的苏维埃中，已经占了大多数。孟塞维克和社会革命党则用尽一切方法想阻挠大会的召开。

大会到有来自全国各处的代表，总数六百五十人，其中四百人是布尔塞维克。依照列宁的指示，布尔塞维克的代表到了彼得格勒后，立刻到各县、各工厂、各作坊去积极参与暴动。列宁极力要使主要工作——夺取政权——立即实现。党为了这目的，动员了一切力量。

苏维埃大会在十一月七日（俄历十月廿五日）大约晚上十一点钟的光景开幕，这正是彼得格勒的斗争进入最后阶段，炮轰冬宫的时候。孟塞维克，犹太工人同盟分子，右派社会革命党人，看到他们已经是无足轻重的少数，于是便退出大会。

布尔塞维克之外唯一留在大会里的是左派社会革命党人，他们反映着农民中比较革命的部分的意见。

当天深夜，攻下冬宫，逮捕了临时政府的消息传到了大会。兵士的代表跑来报告说，克伦斯基调遣来镇压彼得格勒的军队，已经投归革命方面。

革命是胜利了。

一九一七年十一月七日（俄历十月廿五日）夜里，列宁通宵紧张工作，指挥战斗，听取城市各区的报告，发布指示。他规划了要在第二天实行的紧急处置。他起草了关于土地的法令。第二天，列宁几乎全力贯注在关于防御彼得格勒的问题。

反革命是不甘心不战而屈的。士官生队、哥萨克兵和个别的部队曾企图给无产阶级的革命以打击。

列宁编制了无产阶级政府第一批法令的最后草案。

八日（俄历十月廿六日）晚上九点钟，那次具有历史意义的苏维埃大会晚间会议开始举行。大会以不断的欢呼迎迓无产阶级革命的领袖。列宁讲的第一句话说到的，就是和平问题。

他主张发出建议呼吁同盟国方面人民和政府，立即举行和议，谈判“正义的民主的和平”，不要割地，也不要赔款。这建议也主张各战线立即休战。它宣称：苏维埃政府将公布沙皇政府以及临时政府和西欧帝国主义国家缔结的秘密条约。这建议获得大会的一致拥护。

现在，土地问题必须加以解决了。地主的土地非没收不可。明白表示出工人政府是帮助农民的，这是必要的。无产阶级和贫农的同盟，必须给以良好的经济基础。

列宁列举了下列的任务：土地必须立即转给农民，地主的所有权必须取消。列宁颁布了土地法令，包括从二百四十个地方农民法令中编制起来的模范法令。

土地法令永远剥夺了地主对土地的权利。土地将置在乡村土地委员会和县农民代表苏维埃的管理之下。

农民法令宣告土地私有制永远取消。土地不能买卖。一切土地已经成为全体人民的财产，完全供全体劳动者使用。有着进步耕作方法的土地将在国家管理下，转变为模范农场。

当列宁在大会上听得有人说，这个法令是社会革命党人草拟的（其实这完全是列宁草拟的，只有一个附件，即根据真实的农民的陈述的“训令”，才是采自一个社会革命党的文件），他回答说：“是谁草拟的，这有什么关系呢？我们是一个民主的政府，就不能不理会下层民众的意见，但是虽然如此，我们还是可能不同意它的……经验是最好的导师，它将揭示出谁是正确的。且让农民们从这一面去解决问题吧，我们却是从另外一面去解决……我们必须追随经验；我们必须给群众的创造天才以充分自由……问题在于必须使农民确实地知道，农村中已经没有什么地主，必须由农民自己来处理一切问题，必须由他们自己来安排他们自己的生活。”

列宁的预言已经完全被证实了。社会革命党的“均等”政策，就是企图不在社会主义的基础上，而在小规模的、个别的耕作基础上去建立集体农业的这种趋势，已经成了空洞的公式。实际施行的土地纲领是布尔塞维克所要实行的那一种。土地成为了国家的财产，因之集体农场制度也在我们国家内趋于稳固了。

土地法令在大鼓掌声中通过了。一个从特范尔省来的农民致欢迎词，把列宁赞扬做“贫农的最忠实的保护人。”这演说引起了大家的喝彩。

在大会举行之前的那一天，列宁关于主持了组织新政府的讨论，列宁向左派社会革命党建议，请他们参加政府。这是因为左派社会革命党有着几个农民苏维埃的拥护；因为他们承认了苏维埃政权，虽然还是不彻底的；并且因为他们在某些问题上是同意布尔塞维克的。列宁认为把他们包括在政府里是很重要的，这样可以在更有组织的情形下影响他们，领导他们。但左派社会革命党动摇了，拒绝了。大会批准了新政府——以列宁为首的人民委员会。

斯大林被任为民族人民委员长。此外，列宁把执行布尔塞维克的民族政策的重任放在他身上。有时列宁因为有事不能出席人民委员会的时候，斯大林就代替他的位置。

临到早上，第二次全俄苏维埃大会结束了。它已经完成了列宁所提出的任务。

武装斗争还在进行着。克伦斯基召集了彼得格勒附近的军队，占领了加脱钦那。必须加紧一切力量保卫无产阶级的政权。列宁必须要亲自去领导苏维埃赤卫军的组织，以及领导与克伦斯基军队的斗争。我们军队的形势确是很危急的。列宁和斯大林跑到军区总司令部，召集了负责军事指挥的同志，听取关于军事形势的详细报告。包得伏也斯基回忆当时的情形说：

我心里想，这次召见究竟是什么意思呢，是因为对我们缺乏信心，还是什么别的缘故呢，对于这问题，列宁坦白而坚定地回答说：

“我们不是对你们没有信心，而只是因为工农的政府想知道它的军事当局在怎样进行工作。”

就在那时，我第一次体验到，我们已经有了一个专政，我们已有了一个强大的、坚定的工人政府了。

列宁询问了详细的情报，并且审阅地图。他问为什么这里那里没有设防，为什么这些军队计划着要移动。

列宁召集了工厂的代表到他斯莫尔尼宫的办公室去，告诉他们，在保卫工作中，每一个工厂能做些什么事情；他给了关于动员和给养的指示，他把每个人都分配到保卫工作中。列宁召集了波罗的海舰队，缜密地规定了哪些船只可以用来保卫彼得格勒，它们必须停泊在什么地方。他要人家在地图上指给他看，沿岸的哪些地方是在船上发炮可以打到的。他发出关于海军应有的活动的指令。他主张必须召集更多的克隆斯达特海军。

列宁亲自巡视彼得格勒的那些已经组织了对抗克伦斯基军队的队伍的工厂。他亲自到普梯洛夫工厂去视察装甲车究竟准备得怎样了。

一个普梯洛夫工厂的工人回忆说：

是夜里。他乘车进工厂，没有通行证，于是被赤卫军阻止在旷场上。赤卫军在黑暗中认不出他是列宁。这“行迹可疑的人”就被送交工厂委员会。但是当列宁走进屋子的时候，在场的人都觉得惶恐起来。

“很好呢。在这时候，警觉性对我们是绝对必要的”，为了解除这窘境，列宁这样说。

立刻他就工作起来。“装甲车的事情进行得怎样了，多久可以出货呢？”

他嫌我们的工作太慢了。他催促我们，要我们用一切力量，在预定的时间以前几小时完成工作。

几天之内，彼得格勒附近克伦斯基的军队被打败了。

由于善于应用一切力量，列宁取得了无产阶级革命的胜利。

在世界历史上，一个新时代已经展开了。

第十五章　苏维埃政权的初期

无产阶级已经胜利了。无产阶级的专政已经建立起来了。

人民委员会的第一次会议是在斯莫尔尼宫一间小屋子里围着一个灯光微弱的桌子举行的；椅子上放了许多大衣和帽子。

在苏维埃政府的头些日子里，除了颁布了主要的法令——关于土地的、关于和平的、关于苏维埃政府的组织的——，还颁布了列宁草拟的关于工人统制生产的法令，关于一切原料、粮食的储藏、购买、出售的法令。推选出来的工人和雇员的代表们受了权去监督他们企业中的一切事情，不让这些企业有停工或关厂的情形发生。就这样，工人阶级往走向掌执生产的道路，跨了第一步。

列宁继续领导着对那些拥护已经颠覆了的临时政府的分子进行武装斗争。十一月十一日那些在冬宫被占领之后，由口头担保而释放了的士官生队发生叛变。在莫斯科，战争还继续在进行。

在这个困难的时候，一小部分的投机分子（卡米涅夫、季诺维也夫、李可夫和脑金）继续攻击列宁。他们要求，不只是列宁所提议的左派社会革命党人，就是别的政党的代表——右派社会革命党人、孟塞维克、人民社会党人——也得参加政府。一句话，他们要想把这个千辛万苦得来的胜利出卖给资产阶级的代理人。他们说，我们不能支持长期战争，我们不能保持政权。孟塞维克和社会革命党人甚至还老着脸推荐启尔诺夫或阿夫克臣梯也夫做人民委员会的主席。在由铁路工人联合会执行委员会召集的一个大会中，卡米涅夫和李可夫也赞成这种论调。列宁指出，卡米涅夫和他的党羽是“一群机会主义者，他们再三发生社会主义不可能在俄国成功的绝端非马克思主义的谬论，他们完全背叛了布尔塞维主义和无产阶级斗争的基本立场。”这一群人正以他们的罪恶的投机行为在破坏无产阶级专政的巩固。

中央委员会通过了一个列宁所提出的决定，斥责反对派的卑鄙的市侩行为以及出卖苏维埃口号的叛逆行为。右派机会主义者竟在全俄中央执行委员会上投票反对中央委员会的决定。中央委员会命令他们服从，并且发出警告，要开除他们的党籍，投机分子（其中有卡米涅夫、季诺维也夫和李可夫）宣称他们脱离中央委员会；有几个连人民委员会的职务也辞掉了。他们宣称：他们不能替中央委员会的“错误政策”担当罪名。他们主张和各党立即成立妥协。这实际上是抛弃了无产阶级专政而投降了资产阶级。

在最危急的时候提出辞职这一件事，是对苏维埃政府的一个有叛逆意味的伤害。但是他们的逃跑并没有使列宁，使中央委员会，或是使无产阶级，发生一分钟的犹疑。

那些动摇的知识分子、机会主义者和反对无产阶级专政的人是孤立的一群，他们在党里得不到支持。斗争继续在获得胜利。在全国各处，政权都在转入布尔塞维克领导下的苏维埃的手里。

在一个特别为报告这次逃跑的事而作的告全体党员

书中，列宁写道：某些党员“在资产阶级压迫的面前畏缩起来，从我们队伍中溜走了。资产阶级和它们的支持者正在为这件事情欢天喜地，在恶意地狂呼，在纷纷议论这次的分裂，并且在预言着布尔塞维克政府的失败。”

列宁提出一件事，这就是在暴动以前，卡米涅夫和季诺维也夫曾经企图破坏无产阶级的暴动，在那时起，他们就已经做了逃兵、工贼。现在，他们是又一次和资产阶级一起，反对无产阶级政权了。

他指出，这些逃兵并不能动摇群众的团结。“在彼得格勒、莫斯科和别处的工人、兵士群众间，**没有一点儿迟疑**。

“因之，让劳动者还是坚定而坚决的吧！”

列宁说，卡米涅夫和季诺维也夫的叛变不是偶然的。像大家所知道的（并且将来还是这样），他们一向是反对党的布尔塞维克路线，反对列宁、斯大林的关于一国建设社会主义可能性的理论的，而且流为暗杀团的教唆者和组织者，充当了法西斯的特务人员、间谍和别动队，在反革命的泥潭中结束了他们的两面派事业。

为巩固苏维埃政权而作的斗争继续着。克伦斯基的军队被击败了。苏维埃政权在俄国的大部分土地上建立起来了。经过一些犹豫以后，左派社会革命党人参加了政府——人民委员会。

左派社会革命党人继续在动摇。今天赞成苏维埃政权，明天他们又倒向孟塞维克那一边。列宁一直想影响左派社会革命党人里面一些比较革命的分子，希望通过他们，争取那部分追随着左派社会革命党的农民到布尔塞维主义这方面来。

布尔塞维克中央委员会和左派革命党人之间举行了多次联席会议。在许多问题上作了冗长的磋商。

官吏们以及一部分知识分子拒绝承认苏维埃政权，用尽一切方法实行怠工。无产阶级的党开始着手建设它自己的、新的苏维埃的机构。广大群众之拥护苏维埃政权这一事实给了苏维埃政府以无可比拟的力量。列宁在一篇告全国人民书上写道：

> 要晓得，现在**是你们亲自**在治理国家。没有人会来帮助你们的，除非你们团结起来，把国家的**一切事情**都握到**你们自己**手里才行。你

们的苏维埃是目前国家政权的机关，握有解决一切问题的全权的机关。在你们的苏维埃周围团结起来吧。

斯莫尔尼宫是政府的所在地。党和苏维埃的领导机关都在里面。这是无产阶级专政的武装营垒。大炮安置在广场上，机关枪架在阶台上。日日夜夜，经常有一股潮流似的人群——兵士、赤卫军、男女劳动者、农民代表——在阶台上、走廊里来来往往。战斗是由斯莫尔尼宫内领导的。参加革命的部队是在这里编制和武装起来的。首都的粮食供给是在这里筹划的。无产阶级国家也就是在斯莫尔尼宫里建立起来的。

人民委员会主席——列宁的会客室是一间宽敞的外间，用两张高背沙发椅隔成了两部分。小书桌的旁边坐着一位秘书，询问每个访客的来意；附近放了一些朴质的椅子和一张桌子。再进去一间，里面放着几张桌子、一具衣架、这房子隔壁，便是列宁的书房了。工人、农民、政府的人员进进出出也没有什么特别的手续。这块地方充满着熙熙攘攘的活动。

“列宁是这一切活动的中心和引导力”，克鲁普斯卡亚写道。“工作不只是紧张的工作，这是一种吸取他全部精力、绞尽他脑汁的工作、他必须克服无可比拟的困难，进行激烈的斗争，往往是和工作中的亲密同志进行斗争。深夜回到我们在斯莫尔尼宫里的卧室的时候，伊里奇常是睡不着觉，这种情形并不稀罕。他总是起来，打电话给什么人，发一些紧急的命令，然后，最后，当他渐渐入睡的时候，在睡梦中还讲着关于工作的话。”

在斯莫尔尼宫里的工作，不只白天做，通夜也做。在起初的时期，什么事都在斯莫尔尼宫举行——党的会议、人民委员会的例会、人民委员会的工作。从这里发出去许多电报和命令。人民从各处像潮水一般拥到斯莫尔尼宫来。人民委员会里面的职员是怎样的一些人呢？开始的时候是四个毫无经验的人，尽是工作不休息，我们吩咐什么，才做什么。谁也没有想起来要替他们分派与确定工作范围，而他们就那么混淆不清，什么都要管。他们聚精会神地工作，却是什么也把握不住。因此伊里奇就不得不做许多事务上的事，如摇电话等等。

党的面前有着许多艰巨的工作。

国家必须可能地赶快脱离战争。总司令杜赫宁将军被命令立刻去进行磋商停战。可是参谋本部不答应。列宁和斯大林直接与杜赫宁将军通电话，并且用政府的名义撤销他的职务。克尔兰科代替了他的职位。列宁越过了军官向兵士们呼吁立刻进行停战的会议。“和平事业握在你们手里呢，”他写道。

十一月二十七日，德国同意停战，于是一个苏维埃代表团派到最前线去进行和议。反革命的参谋本部失败了，休战是宣告成立了。

和议开始，中途彼此发生决裂，又重新举行，这样的情形有过几次。

同时，孟塞维克、社会革命党人、资产阶级的党、反革命将军和官吏们、牟利者和怠工者们激烈反对苏维埃政府。列宁指示革命委员会，要采取激烈的手段，消灭牟利和怠工的情形。临到十二月底，政府下令组织了一个以德任兴斯基为领袖的全俄铲除反革命及怠工非常委员会。立宪民主党被宣布为人民的敌人。

必须采取各种办法，迅速消灭一切沙皇政权的残余，一切资产阶级和地主的帮手。必须指示全国，怎样去铲除旧秩序，建立新秩序。

列宁草拟了好些有历史意义的法令。有一个宣言是由列宁和斯大林合署的，宣布一切俄国民族一律平等，以及他们的自由的自决权，其中包括退盟，或建立独立国家的自决权。

列宁的民族政策就是这样着手执行的。把人民分成身份的制度取消了，把人民分做阶层的制度是废止了，等级的称呼和占有阶级的头衔、特权都一并取消了。成立了一个最高经济委员会主持国民经济；这委员会后来就蜕化为最高国民经济委员会。城市的财产（土地、房屋）的私有权取消了。疾病津贴和失业保险的制度被采用了。银行收归国有了。关于人民结婚的法令颁布了。

由于斯大林的亲密合作，列宁起草了《劳动与被剥削人民权利宣言》。这宣言说：苏维埃俄罗斯是建立在自由民族的联合的基础上，而为各民族苏维埃共和国的联盟。共和国的基本目的是“消灭任何人对人的剥削，完全废止社会内阶级的划分，残酷无情地扑灭剥削者的抗拒，建立社会主义社会的组织，完成社会主义在一切国家内的胜利。”

宣言又称；“武装起劳动群众，组织社会主义的工农红军，完全解除有产阶级的武装……决不容有任何剥削者存在在政府和机关里面。政权应该彻的地、整个地属于劳动群众……。”

这样，列宁用适于劳动群众所懂得的文字，阐明了社会主义的原则。

内战的枪声还在响着；和平还没有取得，虽然仗是不打了，军队还在前线；但列宁已经在用全力思考社会主义建设的问题。因为新的社会主义经济制度必须建立起来；协助无产阶级去建设新的国家经济的新道路，新方法必须设计起来。为了这，就必须首先激发起群众自己的主动能力和创造能力。列宁就起草了关于经济战线上的第一个斗争计划的草案。

他写了一篇论组织社会主义竞赛的文章。

社会主义不消灭竞赛；恰恰相反，它是有史以来第一次造成了这种机会，在一个真正**广泛的**，真正**群众的**范围里运用竞赛，把大多数的人确确实实地引进了劳动领域，在这个领域里，他们可以表现他们的能力，发挥他们的天才，这些能力与天才是在人民中间尚未汲取过的源泉，而资本主义却摧残、压迫、并且虐杀了这成千成万的能者与天才。

现在，社会主义国家在当权了，我们的任务是去组织竞赛。

列宁指出说，他们现在必须开始为他们自己去工作了，无产阶级和一切劳动者将能在企业、群众竞赛和革命创造性各方面，表现出英雄的姿态了。

人民中有着无限的这种组织天才。“它只是被抑制着罢了。必须给它有表现的机会。只有它，**并且只仅仅有它**，在群众的拥护之下，才可以保卫俄国，保卫社会主义的事业。”

列宁还是跟平时一样，同工人群众保持亲密的接触。必须把新的人勇敢地引导去参加工作。列宁经常在聚会上、群众大会上演说。列宁夫人克鲁普斯卡亚追述一次他在除夕所作的演说：

> 我们在晚上十一点半钟到会。米海叶洛夫斯基大学的宽大的“白”厅现在是一所马术训练学校。伊里奇走上讲台上的时候，受到工人们热烈的欢迎。台下的空气，鼓动了他的热情。所以他虽然说的是极浅近的话，没有用什么动听的和惊叹的语句，但是他所说的话都是新近在他脑中盘旋的事情；他说出为什么工人们必须通过苏维埃的形式，依照新的途径去组织他们的全部生活。他也指出，那些到前线工作的同志为什么必须在兵士群中进行工作。说完了，大家报以真挚的欢呼。当时跑上来四个工人，执住他座位的四只脚，连人带椅子举了起来，抬着他走。

工人和农民的代表团，各省来的党工作人员，兵士和水手代表都到斯莫尔尼宫来谒见列宁。他细心地询问他们，给他们指示，并且把苏维埃的法令解释给他们听。

工人们现在常常追忆许多次像这样和无产阶级领袖在一起的聚会。

普梯洛夫工厂的同志讲到当时列宁向他们提出了两个问题：“你们能供给多少枝枪？”，因为那时候内战快到来了。第二个问题是：“你们那里的情形怎样？工人们抢东西，偷东西吗？工人阶级目前必须执行这两个任务：合理的组织生产和实行无产阶级的劳动纪律。你们了解了吗，同志们？”

“当时有一个代表回答说：‘有过个别的偷窃的事情发生的。’”

列宁就责备他说：

“记着，同志们，尽一切力量使这种情形停止。”

一个冶金厂的工人回忆列宁是怎样在深夜在斯莫尔尼宫里接见他们的代表团的：

“当我们跨进接待室的时候，乌拉地米尔·伊里奇还没有来。我们正脱帽子，看到他进来了。他迎着我们，给椅子我们坐。我说：‘我们自己会坐的，乌拉地米尔·伊里奇'，但他还是端给我一张椅子，说'请坐，请坐。'我们坐下了，就开始报告工厂里发生的一件疏忽的事件。他止住我们说：'你们当中谁是车间领班会议的主席？'我站了起来。'好的，就请你告诉我，拉谢启尼科夫，你们工厂里工人群众的情形怎样？你在他们当中有威信吗？工人都信服你吗？'我回答说我们工厂里是靠得住的。我们向他讲了十几分钟的话。"

列宁是经常和工人群众保持密切的联系，并且仔细研究他们的情绪的。

列宁在斯莫尔尼宫里的住所是一所隔成两间的房子。到他的办公厅去，可以乘电梯。女仆伏龙超娃曾经这样讲起在斯莫尔尼宫的那些日子：

"我有一个生病的小女孩，她是用拐杖走路的。她的腿因为害骨节结核，所以敷着石膏。

"'你叫什么名字，小把戏，你的腿怎么的？'乌拉地米尔·伊里奇一边问着，一边把手交给我，望着小孩，安慰她……。

"我一天要见到列宁好几次。他走我旁边过的时候，没有一次不是要向小孩说几句亲热的话，有时拍拍她，有时从口袋里摸出几块糖果或饼干给她，说：‘这是我留起来给你的。吃吧，妲雅！这是目前我们所有顶好的东西了，但是有一天人家却会嘲笑这份礼物的，那样的一天也快到了呢。’

“列宁常和她玩耍，他常常让小女孩站在电梯旁边，叫他听传声筒里的声音。

“‘妲雅，站在这里听吧’，列宁说着就跑上三层楼。

“然后他总是朝下面喊几声，妲雅也对着筒子叫，并且向他招呼……。

“我记起另外一回事了。那时我总是预备十五个人食用的面包，每人可以分得八分之一磅。有一次弄错了，我领到二十五份。我发觉了，心里就想：正好。我们实在需要呢。我想到乌拉地米尔·伊里奇，他一天到晚工作，但是很少吃东西。于是我替他送上了茶，以及比平日要丰富的面包，然后站在房里不走。我想他一定会称赞我的。伊里奇注意到面包，隔着纸看了一下，就对我说：

“伏龙超娃同志，你为什么弄了这样多的面包来？只让有八分之一磅呀，你在哪里弄来的？”

他望了我这么一眼，使得我不得不把它端出去。我就告诉了他，是发面包的女孩子发错的。

“没有关系的，”我说，“他们架子上堆满了面包呢。吃吧。”

“伏龙超娃同志，你以为他们就只顾虑到我们以及你所关心的一些人吗？”列宁说。他切下了份外的面包。“把它还了，以后不要再这样了。”

一九一八年一月十四日（俄历一日），发生了第一次危害列宁生命的事件。这天，列宁正在米海叶洛夫斯基骑马训练学校向一个正要开赴前线的队伍演说。在回去的路上，他的车子被一群反革命的恐怖分子所袭击。坐在列宁身旁的泼拉丁推开列宁的头，避免了枪弹。

枪响后，司机就加足马力开走，当时同车的 M.I. 乌里亚诺娃写道，车子转了弯，列宁站起来，打开车门，问道：“你们都好吧？”“他们真的是向我们开枪吗？”列宁问。“他们确是向我们打的”，司机回答说，“那时我以为你们都完了呢。你们真危险呀。假如他们打中了一个车胎，我们可逃不走了。再说，在雾里是不能开快车的。刚才真冒了大险呢。”在彼得格勒的大雾里，四周都是一片白茫茫的。

到了斯莫尔尼宫，我们检查车子，发现了车子顶上有许多地方被子弹打坏了，有几颗子弹恰好穿过玻璃窗。我们又发现泼拉丁的手在流血。当他把列宁的头推向一边去的时候，一颗子弹擦过他，伤了手指。

一九一七年十二月，列宁草拟了关于立宪会议的政策。布尔塞维克党是早就主张召开立宪会议的。这主张载在布尔塞维克的旧政纲之内，但远在一九〇三年，在第二次党代表大会上，列宁，甚至普列汉诺夫都拥护这个主张，就是，一个革命的无产阶级政府必须解散立宪会议，假如立宪会议确是反革命的话。列宁在一九一七年四月就曾经指出过，苏维埃共和国比起有着立宪会议的资产阶级共和国来，是一种民主政治的更高的形态。

立宪会议的选举是在这样的时间举行的，大多数人民都没有认清十月革命的情形和意义。同时，阶级力量的对比也起了极大的变化。有些参加选举的政党，如立宪民主党，已经开始作反对苏维埃政权的武装斗争。

这是大家都知道的，资产阶级的帮手——社会革命党人、孟塞维克等——在立宪会议中占着大多数。社会革命党和孟塞维克，他们从前在十月革命的时候曾经勾结了另外一些反革命政党组织了非法政府——所谓“挽救祖国与革命委员会”——现在也并不能掩饰他们的企谋，他们想把立宪会议变作一切阴谋颠覆无产阶级专政的反对分子的根据地。依列宁的说法，立宪会议反映着“革命的昨天”，并且已经变成了工农运动前途的障碍。

列宁主张召开立宪会议，但给他们一个哀的美敦书，着令他们承认苏维埃政府和十月革命的全部法令。假如它拒绝照办，会议就得解散。

为了要消除群众对立宪会议的幻想，必须让他们亲身经验到：立宪会议是反革命的，是不忠实于人民对土地、和平的要求及苏维埃政权的。右派分子（卡米涅夫、李可夫、鲁亚柴诺夫等）反对列宁的主张。正和以前一样，他们还是想觅取与反革命的孟塞维克以及“社会革命”党成立妥协的途径。

立宪会议在一月十八日（俄历五日）召开了，由斯维尔德洛夫主持开幕，宣读列宁的《劳动和被压迫人民权利宣言》。社会革命党人由于他们占多数的缘故，选举了启尔诺夫当主席。

见到立宪会议拒绝讨论这宣言，布尔塞维克党就提议休会。在休会期间，布尔塞维克的分子就举行了一个党团会议。在集议上，列宁主张要在立宪会议上宣读他所草拟的一个宣言，揭发会议中的大多数是反革命的，他们已经背叛了工农大众；因此布尔塞维克党团必须退出。

读过这宣言之后，布尔塞维克就退出了立宪会议。当晚，卫士们要求那些还留在会议里的孟塞维克和社会革命党人离开会场。

这样，就结束了“塔乌律达宫里那所光辉的屋子的那些生硬、疲惫、无聊的日子。塔乌律达宫里的那些日子之与当时斯莫尔尼宫之相去天壤，正如典雅的但是毫无生气的资产阶级议会制度之和单纯的苏维埃国家机构相去天壤一样，后者虽然还不够健全，还没有良好地发生作用，但却是生气勃勃的，富于生命力的。”

第二天，全俄中央执行委员会通过了列宁所提出的决议；解散立宪会议。就这样不光荣地结束了这“死尸和无生命的木乃伊”的会议，启尔诺夫称赞做“全俄各民族最重要的结合”的会议。

反革命分子想在立宪会议周围团结力量的企图是失败了。但以后的几年中，反革命分子还不肯丢掉“立宪会议”的字眼，以便号召反对苏维埃的队伍。

政权夺取过来还只有十个星期，但是在国内已发生了许多惊人的变化。列宁夸赞布尔塞维克英勇奋斗的日子说：布尔塞维克在十个星期里所做的，比临时政府在八个月里所做的胜过千倍。“我们肃清了一切帝制残余，这从来没有人这样做过。我们不让封建秩序这座古老的大厦有一片砖石存在，我们使资产阶级民主革命进行到彻底，这也是从来没有人这样做过的。”

在几个星期之内，我们已经取消了地主的土地私有权、阶层区分，和男女间的不平等。我们已经把宗教和国家分离开，消除了民族间的压迫，造成了休战，开始进行了和议。

同时，在这些日子里，我们已经建立了工人管理生产，银行归于国有，并且摧毁了旧的国家机构。

列宁在论到这一时期时说：

> 我们解决了正在过程中的资产阶级民主革命，我们把它当作为主要的、真正的无产阶级革命的社会主义事业的“副产物”而解决了。

俄国无产阶级十月革命的胜利富有世界的意义。它是人类历史上一个新时代的开端。人类正开始从剥削的世界，从资本主义，走向新的、社会主义的世界。

先前的一些革命只不过变更了剥削的形式；他们把政权从先前站在国家头顶上的人们的手里，转到另一些剥削阶级的手里。十月革命在历史上第一次把政权交给被剥削阶级——无产阶级——这样，它消灭了国内一切剥削制度和一切剥削者。

十月革命第一次使劳动在他们斗争的组织和方法

上，在他们的文化、生活和观念上，起了基本的变化。

无产阶级第一次取得政权后，揭开了一个新的时代，无产阶级革命的时代。

十月革命给了帝国主义在殖民地和别的被压迫国家里的统治权以一个打击。“与无产阶级**联盟**，在无产阶级领导之下的世界各**被压迫国家**内的**殖民地**革命”（斯大林的话）的时代已经开始了。

十月革命给了资本主义以致命的打击，威胁到了它的存在。

无产阶级的胜利是在列宁主义——即帝国主义与无产阶级革命时代的马克思主义的旗帜之下完成了的。

胜利的无产阶级十月革命指示出列宁主义战胜了社会民主党的思想。马克思和列宁关于无产阶级专政的思想成为了一个活生生的现实。可能在一国建设社会主义的理论已经是个现实。列宁主义占优势的时代已经开始了。

第十六章　为和平而斗争

一九一八年一月中旬。事情很明显，不论苏维埃政府是怎样三番两次地建议，然而英法还是坚持拒绝举行和议谈判。为了结束战争，复员军队，必须赶快和德国讲和。在德国，主战派还占着优势，它企图彻底摧毁俄国。德国政府派强横的帝制派军阀霍夫曼将军担任和议代表团的主席。

列宁从由前线发来的详细情报上看出来，军队是颓败了，再不能打下去了；兵士们一心只想回家。工人和农民都厌弃长期的战争，国民经济已经完全崩溃了。

在中央委员会里，列宁坚决主张立刻单独和德国议和，愈快愈好。但是，在党里，在中央委员会里，“左派共产主义者”布哈林反对派（布哈林、拉狄克、奥新斯基等）组织起来了，不顾一切地反对和平，主张继续进行战争。反对派对于一国建设社会主义的可能是没有信心的。托洛茨基以他特具的“外交”方术，装做是站在“自己的”立场，而实际上是支持布哈林派的。一切这些布尔塞维主义的敌人承袭着托洛茨基的论点，认为假如国际革命的援助不能按时到来，苏维埃共和国将不可避免地遇到悲惨的结局。

在“左派共产主义者”主持下的党的莫斯科区局甚至主张和平谈判必须使其决裂，与帝国主义国家间的一切外交关系必须使其断绝。

列宁坚决反对革命战争的口号，他认为在现存的环境下，这是一个空洞而危险的、是足以破坏革命的词句。他指出，俄国的农民是拥护工人阶级的，但是，在当时还不能进行革命战争。古老的沙皇军队是颓败了，再不能打仗了。新的军队还没有建立起来。欧洲工人的革命运动会取得胜利的，但是在胜利取得之前，还得好几个月的时间。因此，目前只有一条出路，这就是尽快地取得可能的和平，解散沙皇军队，恢复国民经济，以及建立新的、属于工人农民的、社会主义的军队。假如能够有几个月的休息，这就可能改造国家。“并且这样的改造工作，由于同时替工农红军建立了坚强的经济基础的缘故，将使社会主义在俄国和全世界都成为不可摧毁。”

列宁解释：俄国社会主义革命胜利的巩固，同时也保证了全世界工人运动的未来的成功。苏维埃政府的国际政策必须估计到在本国之内维持无产阶级专政的重要性。

在一月二十一日（俄历一月八日）举行的党负责工作人员会议上（这会议主要的包括了出席第三次苏维埃大会的代表），列宁阐明了他的关于立刻实现和平的提纲，详尽地指出，为了巩固社会主义的胜利和世界革命运动的未来的成功，有尽快争取和平的必要。大部分人反对列宁，而主张立刻发动革命的战争。

一月二十四日（俄历一月十一日），中央委员会举行会议。列宁坚决主张立刻实现和平。他说：“毫无问题，目前我们所不得已而去迁就的那个和平是屈辱的，但是如果战祸重起，那么我们的政府就要推翻，而由另外一个政府去讲和了。”斯大林坚决地拥护列宁。这时候，中央委员会的大多数赞成托洛茨基的立场：战争必须结束，但毋须取得和平，军队必须复员。

在布尔塞维克中央委员会和左派社会革命党中央委员会的联席会议上也作了同样的决议。这些意见都送达给我们在布列斯特的和议代表团。

一九一八年一月末，第三次全国苏维埃大会召开。召开这次大会的目的在于巩固苏维埃，指示地方组织如何去发动斗争。在这次大会上，列宁作了一个关于人民委员会的工作的报告——这是人民委员会向苏维埃大会所作的第一个报告。

他指出，在苏维埃政府存在的两个月又十五天中间，做了不少的工作，它比起第一个工人政府，即一八七一年的巴黎公社的存在，已经多了五天。最主要的就是无产阶级专政已经建立起来了，“它把工人阶级、农民的大多数，一切劳苦的和被剥削的阶级组织成一个单一的、不可分的力量，和地主资产阶级作斗争。”

听了斯大林的报告《关于联邦苏维埃共和国与民族问题》之后，大会通过很多决议，那些决议都充分贯彻着列宁主义的民族政策的精髓。在苏维埃政府存在的头几个月里，列宁和斯大林已经做了很多工作，给一切反对压迫者的各族劳动人民的强大联盟作下了基础。这个政策，由于它消除了过去存在于以俄罗斯为独尊的沙皇制度与各被压迫民族之间的误会，帮助了巩固在乌克兰，在外高加索，在中亚细亚的苏维埃政权，并且团结了劳苦大众去跟民族主义的资产阶级作斗争。

第三次大会给了政府以关于和议的更广泛的权力。

二月，与德国的和议谈判，又重新在布列斯特举行了。

列宁在答复布列斯特－立多夫斯克和议代表团的询问信上写道："在未答复你们的问题之前，我将先和斯大林商量。"之后不久，列宁通知代表团说："斯大林刚到，我将和他讨论这问题，我们即将给你们一个共同的答复。"接着，答复来了，是列宁和斯大林合署的，宣称他们仍然坚持以前的意见——立即缔结和约。

二月十日（俄历一月二十八日），苏维埃的和议代表团向德国宣称：苏维埃俄罗斯愿意结束战争，但是不愿意签订和约。

正如列宁预料到的，托洛茨基的策略果然坏了大事。他们帮助了德帝国主义。几天以后，德国军事当局宣告停战期已过，二月十八日，新的进攻开始了。

在接到停战期结束的通知后，列宁立刻在中央委员会上主张必须立即邀请德国作新的和议谈判，斯大林和斯维尔德洛夫拥护他的主张，但是大多数（托洛茨基、布哈林、乌律茨基等）则表示反对。

二月十八日（俄历二月五日）早晨，列宁在中央委员会的一个会议上重新提出他的主张——不能再迟延一刻了，必须立即提出和议。列宁依旧是站在少数的地位。就在这些日子里，德军猛烈进攻的消息不断传来。由于他们的优势兵力，很快地占领了一城又一城。当晚，中央委员会又举行了第二次会议。列宁和斯大林坚决主张必须立刻向德国议和。

> 我们不能把战争当儿戏……列宁说，现在德国是要什么就拿什么。事情已经到了这种**绝境**，假如我们还是奉行这种中间政策的话，革命的失败是不可避免的了。

在这次会议上，斯大林说：

我们必须制止这种混乱，我不同意托洛茨基……我们现在必须估计一切，并且声明，我们是主张重新举行和平谈判的。

在二月二十三日举行的中央委员会的会议上，列宁的主张被大多数所采纳了。发出电报打给德国，建议立刻成立和议。德国在答复中提出了新的条件，比以前所提出的苛刻得多，并且还限定四十八小时内答复。他们要求苏维埃政府割让芬兰和立弗尼亚，并且苏维埃政府与乌克兰的资产阶级政府以及芬兰的资产阶级政府议和。

中央委员召集了一个特别会议。其中一个到会的人后来写道："伊里奇急冲冲地跑来出席这有决定意义的中央委员会会议。他就像一头关在笼子里的雄狮。他气汹汹地在屋子里踱去踱来，脸上显出坚决的气概，全身筋肉却紧张着。'我一刻不能等待，一刻再不能等待了。这问题已经周折得够了，一刻再不能等待了。'他说'一刻再不能等待了'，是用一种坚决、诚恳，而同时又充满着愤怒的齿音吐出的——这是伊里奇在'发狠'时的一种特征。然后伊里奇下了他的哀的美敦书。”

列宁说：德国的条件，无论多么苛刻，必须立刻接受。不应该有什么犹豫，任何别的决定就等于宣布苏维埃政权的死刑。他说，假如那种制造革命词句的政策（就是发出空洞的宣言，空谈那种实际无力发动的革命战争）还继续下去的话，他将退出政府和中央委员会。他将向党诉说，党是会拥护他的。他将为他的路线而斗争。

在中央委员会会议上，斯大林坚决地拥护列宁，他说：“……我们必须即刻签订这些条件。如果认为我们并不能得到休息的时间，而只是一直要接受哀的美敦书，那就是认为西方绝对不会有革命运动。我们以为德国并不是万能的。”

由于大多数的投票赞成，中央委员会接受了全部德国的条件。布哈林派企图破坏这决定，并扰乱党的队伍，乌律茨基代表布哈林、皮达科夫等宣称他们要辞去党和苏维埃里的职务，托洛茨基也在同时递了辞呈。

但是列宁依然屹立不动，像狂涛中的大岩石一样。他们的辞呈吓不住他。他还是坚持实行立即议和的政策。

苏维埃代表团到布列斯特－立多夫斯克去进行和

议；三月三日，布列斯特和约签订了。

后来，当代表团准备把布列斯特和约的正本给他看的时候，他狠狠地拒绝了，并且说：“我永远不愿看到它；也不愿意遵守它，假如还有一线方法可以避免的话。”

在苏维埃执政的头几个月里，无产阶级政权的总部在斯莫尔尼宫。党的中央委员会、人民委员会、全俄中央委员会、党和政府的机关报的编辑部等等都在那里。列宁和一些别的负责工作人员也住在那里。

斯莫尔尼宫的生活是一串日夜不间断的活动。在这里，列宁指挥着全国的无产阶级斗争。千万根线索都集中在列宁身上。人民经常要求他的帮助、支持、意见和指导。这里是一个芬兰同志叙述斯莫尔尼宫的情形以及他和列宁的一次会见：

> 密布着哨岗的斯莫尔尼宫外边燃着火炬，铁甲车完全准备好地停在门口和广场上。斯莫尔尼宫是忙碌而热闹，火焰发出薰烟，吱吱咯咯地在响，一股蓝烟笼罩了彼得格勒。
>
> 我们被全身背戴着步枪、手枪、手榴弹的

武装海军兵士所阻止……经过一小时的查验，我们顺利地通过了三道门禁，我们身旁走过了无数由头到脚都武装了的同志。

在一条长廊上走了二百步的光景，我们到了列宁的办公室门前。

任何一间房的门上都没有名牌……

房里安置着六张老式的写字台：有三个人睡在台上；一望而知，他们是好久没有睡觉的。列宁坐在一把圈椅里；他一样的也像是在打着瞌睡。

虽然时间已经晚了，虽然他是那么累，列宁还是注意地听取代表团所报告的，并且指示他们怎样接着做下去（他们在讨论怎样去缴那些待命复员的哥萨克军队的械，那些军队在芬兰的军纪很坏）。

我们满怀着兴奋离开了他的屋子，岗卫们望着我们微笑。他们看到我们在未见列宁的时候，样子沮丧而疲惫，十分钟后我们却快乐而活跃地出来，准备去正视世界了。

为了要解决一些异常重大的问题（关于和战问题，关于党纲等问题），并建立起已经被“左派共产主义者”的党派斗争所戕贼了的党内所必要的团结，中央委员会，在列宁的建议下，召开了非常会议——党第七次大会。它的会期在三月初旬，到会的代表代表了三十万党员。

大会面前摆着这样一个极端严重的问题：如何把这无产阶级专政的国家从帝国主义战争中挽救出来。列宁在他向大会所作的报告上，尖锐而明晰地指出无产阶级政党应取的策略。他说：西方的革命难于开始，但是易于继续，而在俄国，开始容易，但继续下去就比较困难。农民和全体劳动人民都知道何以我们不得不签订这样一个受压迫的、受侮辱的和约。我们没有军队，兵士们都不愿打了，而围绕着我们的，是全副武装的帝国主义强盗。军队是我们国家的病疮，愈早解散愈好。列宁说：和平将给我们以休息。“我们将利用这个休息的时期，来号召人民团结、奋斗，来向俄国的工农说：‘建立自觉的纪律，严格的纪律，不然你们就只有死在德国的铁蹄下。’”

列宁说，工人农民是会了解和平的全部必要性的。“每个严正的农民和工人都会认为我是对的，因为他们了解，和平是团集力量的方法。”

对德国的战争将引起俄国资产阶级的动乱，将使一切工农在这些日子里所争取到的都化为乌有。我们必须懂得怎样退却，我们必须善于支配时间，我们必须利用这休息来巩固实力。

列宁的政策被以布哈林、皮达可夫、拉狄克等为首的“左派共产主义者”所反对。他们的言论表示他们在追随托洛茨基之后，否认无产阶级和贫农联盟的重要性以及社会主义在俄国胜利的可能性。托洛茨基派和布哈林派被资产阶级放在手掌里玩弄。大会拥护列宁，反对布哈林派和托洛茨基。

大会中第二个重要问题是党纲的修改。

有些人或许要奇怪，为什么在这个时候，当政治形势这样严重的关头，当苏维埃政府的存在都很危急的时候，党还要关心到它自己的党纲问题。但是全部布尔塞维主义的历史过程中最特异的特征之一，就是在于重视理论。对于列宁和他的党，理论是一个最重要的斗争武器。

由于列宁的提议，四月会议已经注意到党纲中一些需要修改的地方，并且已经责成中央委员会在两个月内起草一个新草案。

在一九一七年的夏天和秋天，党内展开了关于党纲的生动的讨论，出版了很多很多关于这问题的小册子，在党的杂志上也发表了一些文章。

在准备武装起义的那些忙碌的日子里（一九一七年十月十八日），中央委员会曾指派一个委员会去修改党纲。在第七次大会上，党纲的问题又重新提出了。

无产阶级专政的建立和社会主义建设的开端，要求旧的党纲作激烈的变更，旧的党纲是为争取无产阶级专政的时期而制定的。

列宁在他在大会上所作的《关于修改党纲和我们的工作》的报告中，详述他的党纲草案，在这草案中，指出了苏维埃政权的特质和无产阶级专政的当前任务。大会通过了一个决议，其中包括对起草党纲的委员会（列宁、斯大林是其中的委员）提供的一些意见，责成把党纲在下次大会上批准通过。

党的旧名称，“社会民主党”，不但是不合式了，而且是已经被那些投降资产阶级的第二国际的反动领袖们的卑鄙的叛逆行为所染污了。

布尔塞维克党必须在名称上表示出它和第二国际完全决裂。党已经开始了进向社会主义的转变的任务，目前正在朝创造共产主义社会的大道迈进，因之“共产党”这个名称是更恰切些，更其具有科学上的正确性。

在大会期间，“左派共产主义者”（布哈林、拉狄克、奥新斯基、乌律茨克、越飞等）在议事日程的要点上，尖锐地反对列宁。布哈林对和平问题作了一个反对的报告。会后，“左派共产主义者”宣称他们将不参加中央委员会。布哈林等人被大会选到中央委员会，却拒绝去工作。大会巩固了党。“左派共产主义者”依然是孤立的一群，在党里没有地位。

在这个时候，“左派共产主义者”实际上已经建立了他们自己的派别组织中心和他们自己的机关报。他们俨然另成一党。直到大会举行的时候，在许多大规模的党委员会里（在莫斯科、彼得格勒和乌拉尔），他们占着大多数。布哈林和左派社会革命党人勾结，商议发动政变，逮捕列宁，建立新政府，以叛徒、谋杀者、破坏者、间谍的皮达可夫为首（皮达可夫后来在一九三七年被枪决了）。

党大会举行后，苏维埃政府迁到莫斯科。在那时候，德军有侵入彼得格勒的危险。让政府设立在国家的中心（这是指莫斯科而言——译者）这是很必要的，这样，将更有利于它去指挥革命斗争和保卫工作。

列宁把他的住所设在克里姆林宫，在旧日是法庭的那所屋子里。人民委员会和全俄中央执行委员会也在宫里。这里，在那三楼上，列宁度过了他随后的日子。在他寓所的隔壁是他的办公室和人民委员会举行会议的大厅。

列宁的寓所包括五间小房间，他自己的房间宽广十六方公尺，有一扇窗子；里面有一张小书桌、一张铁床、两把圈椅。在一九一八年，那时走廊上装着一架电报机，从列宁的屋子到他的办公室和人民委员会，成天成夜有电讯往来，谈话则通过专线交谈，各战场传来消息，这里把命令送达出去。

办公室隔壁是克里姆林宫的电话总机所在，有着专线通到各人民委员会，通到列宁的亲信助手的屋子，通到彼得格勒和一些别的城市。

一个苏维埃非常大会在莫斯科召集了，为的要批准和约。在列宁作了报告以后，大会批准了这已经和德国签订了的和约。

列宁在大会上说，我们所接受的和平是屈辱的和平，但是它给我们国家以恢复经济和建设的机会。他说："我们并不是一个弱小的、落后的民族，我们是这样一个民族，不是由于什么特殊的功绩或是什么历史上的注定，而是由于一些历史的环境的特殊结合，才使我们自己能够承担起那种高举国际社会主义革命的旗帜的光荣。"他又说，"我们是这样一个有能力建立苏维埃政权的民族，这样的民族是永不会毁灭的。"

与德国之间的议和是成立了，而且被批准了。苏维埃共和国得着了短期的休息。必须利用这期间来加强国防经济，奠定社会主义建设的基础。胜利的无产阶级开始着手经济建设，这在人类历史上是第一次。列宁一身承担着极繁重的职务；他主持着中央委员会和人民委员会的日常事务，亲自检查关于实际问题决议的执行，就是极微细极琐屑的地方也不放松。同时，他还起草了一个建立社会主义的计划，规定了随后几年中党的总路线。列宁给了党以一个社会主义建设的大规模的纲领。他特别写了一本小册子《苏维埃政府的迫切任务》。并在全俄中央委员会上（一九一八年四月）作了一个长篇报告，把这个纲领提纲挈领地说了一个大概。主要的问题，他说，是组织。在资产阶级革命中，劳动大众的主要任务是在于摧毁与消灭封建制度和专制政治。在无产阶级革命中，主要的任务在于建设，在于创造的活动。“主要的困难在经济方面，就是，对物品的生产和分配采用严格而普遍的会计制度和统制方法，提高劳动生产率，**在实践中**使生产**社会化**。我们，布尔塞维克党已**说服**了俄国。我们已经把俄国从商人手里**拿过来**交给穷人，从剥削者手里拿来交给劳动者。现在我们必须来管理俄国。”

为了要管理，就必须懂得怎样去组织。这是一个极端困难的工作，因为这就是几千万人民生活的经济基础的组织。“最主要的就是实行严格的和全国范围内的会计制度以及对物品的生产和分配加以统制。”现在，资产阶级是打倒了，布尔塞维克把这一口号提到劳动大众面前:“精确而谨慎地计算金钱，加以经济化的管理，不要懒惰，不要盗窃，要注意工作中的严格纪律。”

我们已经从资产阶级手里夺来了工厂和作场。我们现在必须来组织生产。为了要这样做，我们就必须利用资产阶级专家们。我们将给他们很好的待遇，让他们替我们工作。“假如得不着专家们在学识、技术和经验这些方面的指导，那么转变到社会主义将是不可能的，因为社会主义要求阶级意识所推动的、群众性的努力，去达到比资本主义更高的劳动生产率，而这是要在资本主义所已经成就了的基础上去进行的。”

如果工人阶级能达到比在资本主义下更高的生产率，那么，社会主义的成就就可以永存不朽。“……这样，就必然产生了这样一个基本任务，这就是，建立一个优于资本主义的社会制度，这就是，提高劳动生产率，因此（并且为了这目的）也就得着了更好的劳动组织。”

列宁又指出一种提高生产率的先决条件。第一个先决条件是发展大规模工业；增加燃料、铜铁以及机器制造业和化学工业的生产。第二个先决条件是改进劳动纪律以及迅速紧张地工作。适当地组织工作。这就需要采用按件工资制，让工资依劳动生产率和竞赛的组织而定。“苏维埃政府要纳民于轨的工作是——学习工作。”

工厂和公社之间的竞赛将有助于提高劳动生产率，并且从群众中提拔出有才干的组织者；这里有很多有组织才干的人，只缺少把他选拔出来，加以适当运用。列宁也指出采用一人管理制的重要性。

只有无产阶级专政才能引导国家到社会主义。只有它才能压服和消灭剥削者，才能领导国内战争，团结工人阶级，领导农民。

列宁指出，小有产者的脑子里只有一个念头，这就是：各人自扫门前雪，鬼才在后面跟着跑。这些小有产者是倾向于资产阶级和反革命的。有一部分农民动摇在无产阶级和小有产者之间。我们必须克服这小资产阶级的素质，不然它就要毁灭了我们。“苏维埃政府在与反革命所作的斗争中，在很多场合表现得不够坚决。这不是铁，而是软糕罢了，你们当然不能把社会主义建筑在软糕上。我们对敌人——富农和资产阶级以及我们自己阵营中的动摇分子，对于这些人必须无情。

> 唯一可以领导劳动者和被压迫群众的，是这样的阶级：绝不动摇地沿着它的道路前进，即使在最困难、最严重、最危险的关头也不失掉勇气，不感到失望。一时的“歇斯的里亚”对我们是无用的。我们所需要的是无产阶级的铁的队伍的坚毅的行进。

列宁就是这样惨淡经营地进行伟大的经济建设计划的。

“左派共产主义者”还是发着议论，反对列宁的计划。他们（布哈林等）以在俄国不能建设社会主义的理论为分歧点。他们反对党用于改进劳动纪律、用于在工业中采取国家管理以及用于利用资产阶级专家的努力。他们反对一切列宁的经济建设计划的原则。

这是极明显的，在我们党里代表着小资产阶级倾向的“左派共产主义者”正企图驱使党走向灭亡的道路。在和议问题上与列宁和党所作的斗争，已经使芬兰、拉脱维亚、爱沙尼亚落到以德国为后台的资产阶级政府手里去了。

苏维埃政府的敌人已开始认“左派共产主义者”为他们对布尔塞维主义作斗争的盟友了。左派社会革命党人甚至想勾结布哈林参加逮捕列宁的阴谋，组织左派社会革命党和“左派共产主义者”的政府。

在一些文件和讲演中，列宁给“左派共产主义者”以打击，以致使他们很快地失去支持。“左派共产主义者”不得不解散了他们的组织。

党追随着列宁。它采用了列宁所规划出来的社会主义建设的纲领，后来又将它付诸实行。

但是军事干涉阻挠了建设工作。一切力量都动员了去保卫国家了。沙皇的、反革命的将军们，失去土地的地主们，产业被充公了的资产阶级等等，都疯狂地向苏维埃共和国袭击。

第十七章　国内战争

在紧接着十月革命后的几个月里，苏维埃政权在俄国中部及其工业中心如莫斯科、彼得格勒，坚固地确立了自己的地位。这些区域里的无产阶级是无产阶级专政跟反革命作斗争的主要组织力量。

地主、厂主、富农、沙皇将军和官吏不承认工人阶级的胜利。在十月革命起初的一些战争中受到挫败之后，他们开始聚集并巩固反革命的武力，主要的是在边远的区域，产业无产阶级势力弱小，富农势力强大的那些区域（如顿河区城、古斑区域、乌克兰）。

直到一九一八年二月中旬，苏维埃政府在全国取得了胜利，到处组织了无产阶级专政的机关。反革命势力显得是被打倒了，实在，反革命势力一定早已被打倒了，假如没有许多资产阶级国家的帮助的话。

帝国主义国家不甘愿让俄国无产阶级战胜地主和资产阶级。他们认为这将燃起革命的烈火，它的火焰很容易延烧到欧洲其他国家。此外，英国和法国还在俄国工业中投资了几十万金卢布，他们是不甘愿轻于抛掉的。

苏维埃政府，曾经遵照列宁的命令，几次三番向“协约国”建议和平。但是帝国主义国家不承认苏维埃政府；他们竭力援助俄国的一切反动势力，并准备了进攻苏维埃共和国的计划。在一九一七年，英国和法国已经成立了共同进攻俄国、共同瓜分俄国的协定。一九一八年，那些资产阶级政府向苏维埃共和国开火进攻了。

这时，正在和苏维埃政府谈判和议的德国政府占领了芬兰和波罗的海沿岸各国，并且企图夺取乌克兰，以求从那里攫得他们所急需的食粮和原料。

为应付这些战争危机，列宁着手建立一个新的、社会主义的军队。

党曾经在十月间依靠赤卫军的武装部队而获得胜利。赤卫军曾经英勇地和资产阶级及其在国内的走卒们进行战斗；但是要调到前线去打仗是完全不合式的，因为他们组织不健全，武装也窳劣。

古旧的沙皇军队是颓败了，早就丧失了战斗能力。只有分散在各处的少数军队，由于其中有着较多的无产阶级成分，并有着较深的阶级意识，只有这种少数部队，才能对革命的斗争有用处，如波罗的海海军、拉脱维亚步兵。旧部队中的大部分，以列宁的话来说，是“苏维埃国家机器的弱点”。倒是愈早解散愈好。

苏维埃联邦必须建立它自己的新的社会主义军队——这就是列宁提出的口号。这军队必须从新的干部中建立起来，要有新的纪律、新的指挥员。

当他驳斥“左派共产主义者”主张立刻对德国发动革命战争的时候；列宁曾再三指出，除非苏维埃联邦废弃了旧的沙皇军队，组织了新的社会主义的军队，否则，讲革命战争，只是空口说白话罢了。

一九一八年一月中，列宁提出了关于组织工农红军的法令，这法令在一月二十八日公布。这军队将是一个集合“阶级意识最强，劳动阶级中最有组织的分子”的志愿军。红军的最高监督属于人民委员会，而直接管理则归军事人民委员会。

党所作征集红军的呼吁立即得着反响，在两个半月之内，红军已经有了大约十万人的志愿军。

但是在这时，这样还是不够的。内战还在急速蔓延，反革命势力还在急速增长。

罗马尼亚强占了比萨拉比亚。德国和奥国的军队，得着派得路拉和孟塞维克的随从者以及乌克兰社会主义革命党人的支持，占领了乌克兰和克里米亚的大部分。一九一八年四月四日，日本军队在海参崴登陆。五月廿五日，伏尔加河上和西伯利亚铁路沿线的捷克军队（大约一共四万人）发生了暴动。

资产阶级政府直接帮助并且领导这些军事行动去进攻苏维埃共和国。他们供给那些向苏维埃共和国进攻的白匪将军们以金钱、军火和军需。白匪得着这帮助，很快地滋生起来。白匪占领了古斑、顿河区域、乌克兰的一部分和奥伦堡。

在这个危急的时候，列宁专心致力于组织一个强大的红军。他看出，把志愿军转变成正规军的时机已经到了。在省和县里都设立了军事人民委员会的部门。五月和六月间，在列宁的指示下，颁布了第一个征募红军的法令，征募那些不剥削别人劳动的工人和农民。列宁细心地选择哪些地区应该开始实行征募，并且规定了征募的程序。

这样，红军就在列宁领导之下开始从志愿军转变到常备军的征兵。只有这样组成的军队，才有力对抗反革命势力。红军开始迅速成长了。

为了加强纪律，中央委员会在列宁建议之下，决议取消了选举指挥人员的制度。

指挥员的问题发生了极大的困难，因为无产阶级的军队必须有它自己的指挥员。

由于列宁的建议，第一批训练指挥员的学校成立了。这些后来发展成为一个整个系统的军事训练学校。大多数连军事训练都没有受过的工人以及从前在沙皇军队里占着最低地位的革命的农民，此刻都成了红军指挥人员的核心。

不管“左派共产主义者”的反对，列宁主张把旧的军事专家吸取到红军中来工作。他认为利用旧日军队的丰富经验是怎样的必要。我们的年青指挥员就从这些老专家那里受到了初次的军事训练。

列宁建议并且采用了政治委员的制度。除了指挥员而外（指挥员通常是一个非党员的专家，旧日的军官），每一个军事单位都设有一个政治委员，负责政治领导，监督并控制指挥员的工作。这新设的政治委员的位置是由党员充任的。

红军必须是一个为无产阶级革命的事业而奋斗的、富于阶级意识的军队。政治委员的责任在于在军队中主持政治工作，保证红军兵士的自觉阶级意识的表现，把党的决议传达给群众并视察执行的情形，协助指挥员提高军队的效率。同时，政治委员还有机会向专家们学习军事学识，随后，往往他们自己就成为出色的革命指挥员。

党设立了一个最高军事委员会，主持红军的一切军事行动。

就这样，布尔塞维克党中央委员会，在列宁领导之下，替今天的强大而无敌的红军奠定了基础。斯大林和伏罗希洛夫在这工作上积极地协助了列宁。

对反革命势力的斗争，因为严重的粮食恐慌而趋于繁难。富农正在向苏维埃政府发动激烈的攻击，煽动中农不向国家缴纳谷物。一九一八年春天，莫斯科和彼得格勒工人每天的面包口粮已经减少到四分之一磅了，后来又减到八分之一磅了。列宁每天注意粮食运到莫斯科、彼得格勒以及别的工业中心去的情形，并且亲自主持着有关给养的事务。

对饥荒作斗争，列宁说，是个政治任务。贫农必须团结起来反对富农，必须对富农作无情而坚决的斗争。“到处都是那些贪婪的、傲慢的、无耻的富农和地主、资本家，他们勾结一气，普遍地压迫工人，压迫穷人，……富农是苏维埃政府的凶猛的敌人。或者是让富农来屠杀大量的工人，或者是由工人们去无情地扑灭那些反对劳动者政府的少数吃人的富农的暴动……”

> 富农是最残暴、最无情、最野蛮的削剥者……这些吸血者在战争中人民所忍受的苦难上发财了。他们从谷物和别的产物的价格上舐刮了成千成万的卢布。这些蜘蛛精喂肥了自己，却牺牲了因战事破产了的农民和饥饿的工人。这些家伙吸尽了劳苦大众的血液，一天比一天发福，而城市里和工厂里的工人却饿着肚子。

为谷物的斗争，首先是反对富农的斗争。“这个斗争看起来好像是为求面包的斗争，实际上这是为社会主义的斗争。”

列宁指示，为了要执行苏维埃政府的“不劳动者不得食”的口号，必须首先禁止一切谷物的私相买卖，规定以一定价格强迫征集谷物的办法；发动坚决斗争，防止谷物、粮食的投机操纵；采用劳动者之间适当的谷物分配。他号召工人组织“粮食队”到乡间去领导乡村贫民对富农作斗争，为国家收集剩余的粮食，组织劳动者的谷物给养。

列宁建议在乡间建立“贫农委员会”。有了这些委员会的支持，党是可以击败富农，取得谷物的。列宁的这一建议，具体地成了一个法令。同时，遵照列宁的意见，全国各处都实行了其他一些关于组织给养的法令。

响应着列宁的号召，几百个“粮食队”组织起来了，到乡下去为了谷物对富农作斗争。中央委员会也派了最优秀的党员参加。列宁经常在集会上演说，向工人解释苏维埃政府的政策，号召他们去斗争。

列宁的激愤的、动人的号召唤起了工人群众。

阿摩工厂（英文本编者注：现在改为斯大林汽车工厂）的一个工人追述列宁的一次演说道："他讲了大约一小时半的时间，热情、清楚、确切而且扼要。我想起来好像是在今天一样——他讲得这样动人，以致我一听到那些煽动的词句，我就立刻下决心要直奔斗争了。我们吃不饱，穿不好，但是我们倾听着他的每一句话，充满着奋发的热情和阶级意识。为什么会这样的呢？伊里奇已经以他超人的工作替我们立下了榜样。他曾经和极大的困难搏斗，他曾经立下了榜样——列宁和工人阶级合力克服了困难，改革了现存的制度。"

在富农暴动、反革命攻击、以及粮食恐慌的时期里，左派社会革命党继续着它的反布尔塞维克的斗争。它企图破坏布列斯特和议，并阴谋颠覆苏维埃政权。左派社会革命党人公开地反对列宁的粮食政策，反对在乡间组织贫农委员会。富农们认社会革命党人做他们的代言者。

一九一八年七月初，党召开第五次苏维埃大会，为的是要批准根据列宁的提议而采用的关于粮食政策和组织正规红军的办法，并且批准宪法。

在大会上，左派社会革命党人作了激烈而歇斯的里的演说攻击布尔塞维克党，特别是列宁。他们几次三番阻挠列宁的发言。

正在大会举行的期间，左派社会革命党人发动了一个反苏维埃政府的暴动。

为了期望挑拨和德国之间发生战争，他们暗杀了驻莫斯科的德国大使米尔巴哈。他们的暗杀举动是给那些集聚在莫斯科的左派革命党的武装部队一个信号，使他们去占领克里姆林宫，逮捕列宁，解散政府；然后，一等他们的“政变”成为事实以后，就接受苏维埃大会的认可和拥护。

紧接着米尔巴哈的被暗杀，左派社会革命党人果然逮捕了莫斯科的苏维埃工席德任兴斯基和斯密多维奇。他们占领了电报局，用电报发出了一些通电。

列宁随即用电话通知全莫斯科的各区，动员党员，街上安置了巡逻，并下令即刻逮捕五次大会上的全体左派社会革命党党团。他动员全国的党员参加斗争。

无论是在人民或军队中，暴动都没有得着响应。党，在列宁领导之下，在一天之内就扑灭了这次叛乱。为首的被捕的被捕，逃亡的逃亡了。

在东战线指挥着抵抗捷克军队的左派革命党人摩拉夫约夫，也企图发动一个暴动，但随即被灭扑。

虽然这样，敌对的势力还是在继续危害工人的共和国。其中最厉害的一个反革命分子，社会革命党人沙温可夫，得着国外资产阶级政府的金钱帮助，阴谋在莫斯科和其他廿三个城市发动叛乱。白匪把雅罗斯拉夫尔占据了两星期。无论在哪一处，沙温可夫组织的暴动总没有实现，或是很快的就被镇压下去。

克拉斯诺夫将军在顿河区域收编了军队，准备向莫斯科进攻。乌克兰的大部分被德军和反革命军队所占据了。

有几个星期，苏维埃俄罗斯是被敌对的反革命势力所包围着的。

列宁亲自指挥保卫国家的工作，拟具军事指挥的计划，对前线发出指示。列宁变成了共和国各部队的事实上的总司令。虽然他向来没有受过什么军事训练，但此刻他却表现了作为一个军事战略家和组织者的辉煌的天才。

列宁的最亲密的战友是斯大林，他经常被党派到国内战争中最重要的地区。

一九一八年三月，斯大林在察里津（现在的斯大林格勒），他从列宁那里接着下列的电报：

……说到粮食问题，我只能说此刻在彼得格勒或莫斯科，什么都没有得分配。情形非常恶劣，不知你有没有什么特别的方法，因为我们除了你别无来源。在雅罗斯拉夫尔的白匪叛变已经扑灭。辛比尔斯克则被白匪或捷克军队所陷。候着你的回示。

斯大林回答说：

北高加索有大宗谷物，但交通被切断，无法北运。

在路线未修复前，粮食是没法运来的。已经派了远征队到萨玛拉和沙拉托夫省，但在几天之内我们没法给你们送粮食，我们希望十天之内，修复路线。想法维持一下；把鱼和肉拿来分配，这些我们可以大批运给你们。几星期后，情形便会好些。

新的工农征兵法实行了。红军在数量上，实力上都在不断地增加，但苏维埃国家是需要更强大的队伍。

同时，白匪在全国到处极端猖狂，发动叛乱，阴谋加害苏维埃政府领袖们的生命。

白卫队在协约国支持之下，组织了“保卫祖国与自由联盟”，这联盟的目的在于组织反苏维埃的斗争。

英国间谍洛克哈特曾经企图煽动一队拉脱维亚步兵去逮捕人民委员会，暗杀列宁。

在莫斯科，那里住了大约有四万个沙皇军官，一九一八年夏天和秋天，其间有了好些秘密组织，企图推翻苏维埃政权。

启卡[1]在诺弗哥罗德、考斯特罗马、卢阿尚以及其他地方破获了白匪的密谋。

六月，社会革命党人在彼得格勒暗杀了著名的布尔塞维克伏洛大尔斯基。党动员了全体工人阶级对反革命势力作斗争。

---

[1] 专为对付反革命势力的一种侦察机关，现为“契卡”。——译者注

像往常一样，党把它的斗争和活动寄托在广大的群众身上。党员经常在工人、红军、农民的集会上演说。一九一八年春天，由于列宁的建议，规定中央委员会委员和党的负责工作人员要经常出席莫斯科的集会作演说（每星期五）。列宁加以考查，使没有一个负责的党工作人规避这个向工人群众说话的任务。他仔细地审查工人集会上所表现的情绪，并深深注意工人向演说者所提出的问题以及工人所作的建议。他亲自出席这种集会，有时甚至一天出席两三次。

八月卅日那天（那天，乌律茨基在彼得格勒被暗杀），列宁原是约好在以前的密启尔森工厂演说的。当莫斯科委员会接着乌律次基被暗杀的消息的时候，列宁已经到工厂去了。许多党的同志决定劝列宁不要去演说了，因为工人阶级的敌人现在又采用了恐怖的策略，但是警告发得嫌迟了，列宁已经离开克里姆林宫而正在会上作激昂的演说了。资产阶级派遣来的社会革命党人卡勃兰暗中伺着列宁，想在列宁出来的时候暗杀他。他的手枪子弹刻着纹路，里面填满了一种厉害的毒药。

当列宁正走出工厂的时候，一个假扮做水兵的人

（也是恐怖分子集团里的人），伸开膀子，把群众拦住，在门口，又故意装着跌了一跤，阻挠了正向外面走的工人。所以列宁走进空场时，几乎只剩下一个人。几个女人跑过来和他谈论着关于粮食给养的问题，列宁一只脚站着，一只脚踏在汽车踏板上，答复她们的问题。

窥伺着好久的卡勃兰现在向他身上直射了好几枪。列宁倒了，伤得很重。

另外一个手放在袋里的人想走近车子。司机吉尔大声喝道：“不准走过来，不然我就开枪！”那人逃跑了。

列宁被搀扶着上车。他显出死一样的惨白，半坐半躺着欹在一边。但他不呻吟也不做声。

在车子里，列宁的外套和短衣脱去了。他的袖子上涂满了血渍。左右的人想停车找一个医生先把伤扎了，但是列宁不肯，他说：“我不要在别处停留，我要直到克里姆林宫。”路上，他们用在车子找到的一根什么带子绑在他的伤口上面，用以止血。

当车子到了克里姆林宫里他的住所的进口的时候，列宁困难地从车子里出来，几个同来的工人扶着他。他穿着衬衣。工人们要把他抬进去，但是他坚决不肯。他生怕如果是抬进去，克鲁普斯卡亚和他的妹妹玛丽亚他们是会吃大惊吓的。他两边扶着人，走上三楼。

莫斯科最好的外科医生都请到了。列宁的伤势很严重。两颗子弹射进身体，流了很多的血。

这是焦急的一夜。列宁惨白地躺着，微弱地呻吟着。但是当有什么朋友进来的时候，他总是带着笑容。他不愿他们为他担忧。

医生和几个中央委员会的委员在屋子里守候了一夜。

第二天早上，列宁似乎好了些，但是他的伤势还是很严重，因为血液有中毒的危险。有的几天，伤势的前途怎么样总是没有把握。

八月三十日晚，党发表了第一次关于列宁被刺的公报。这个由斯维尔德洛夫签署的公报上这样写着：

> 工人阶级应当更进一步巩固它的实力，并对一切革命的敌人采取无情的群众恐怖行动来回答对于领袖生命的谋害。

党和整个国家都焦虑地注视着他们受伤的领袖的情况。医生警告说，情形也许会是不幸的。全国各处成天成夜向莫斯科探询列宁的伤势。

列宁开始恢复起来了。他接到成千成万封从全国每个角落寄来的工人农民的慰问信。

苏维埃政权以大规模的红色恐怖来回报白色恐怖，这是扑灭反革命势力，摧毁他们进攻劳动者的共和国的手段。以德任兴斯基为首领的启卡的英勇斗争帮助了无产阶级驱逐了它的敌人，破获并粉碎了许多反苏维埃的阴谋和叛乱。

遵照医生的嘱咐，列宁在一个时期内放弃了全部直接的工作，但是他还是继续积极地领导着国家。就在这个时期，他写了他那本抨击社会主义的叛徒考茨基的小册子，揭露了这公开投降到资产阶级阵营中去的妥协者的背叛行为。在这本小册子里，列宁详细地解释了苏维埃政权的本质，并证明了无产阶级专政对社会主义的胜利是必要的。

九月十七日，列宁还没有完全复原，但是已经出席全俄中央执行委员会的大会，并且在人民委员会担任主席。

列宁重行直接掌管红军的组织和它的军事行动。

红军收复了喀山和辛比尔斯克。收复辛比尔斯克的军队打电报给列宁说："亲爱的伊里奇，我们重履你的故乡辛比尔斯克，是回答你的许多伤痕之一，我们将夺取萨玛拉以回答你的另外一处伤痕。"

几星期内，萨玛拉夺回来了。东线的攻势继续着。斯大林和伏罗希洛夫正在指挥着察里津的保卫工作。这里，在他们领导之下，第一支红色骑兵队伍和布将尼骑兵军团成立了，这些队伍日后成为红骑第一军。

三百万坚强的红军，这是列宁提出的口号。他看出，革命战争是异常迫切了，他正在准备着革命的战斗部队。

列宁在一九一八年十一月七日的革命周年纪念会所作的演说中，总结了苏维埃共和国第一个年头的经验。在这一年中，苏维埃政府已经从工人监督工业进入了工人管理工业，已经从农民要求地主的一般的斗争进入了组织贫农反对富农的斗争。赤卫军散漫的队伍已为强大的红军取而代之了。

正在列宁发表演说的第二天，莫斯科接到电报，说是革命已经在德国开始了，说苏维埃政府已经在汉堡成立了，说巴伐利亚已经宣布为共和国了，并说奥大利也发生了革命运动。

德帝国主义已经崩溃了。列宁在争取布列斯特和约时所预料的，现在已经成为事实了。十一月十三日（俄历十月三十一日），全俄中央执行委员会通过法令，废除布列斯特和约。德国已经宣布为共和国了。红军占领了勒瓦尔和明斯克。爱沙尼亚、立陶宛、拉脱维亚和白俄罗斯都宣布为苏维埃共和国了。

但是世界帝国主义是不能坐视无产阶级革命的胜利的。英国在阿尔杭格尔和西伯利亚增防。美国也派了队伍到海参崴。日本依旧向西伯利亚派遣更多的军队。协约国调了军舰到黑海。协约国联军在敖得萨登陆了。

一九一八年末，英、法、美在加强反布尔塞维克斗争这一点上，取得了谅解。他们决定以金钱、军火去援助邓尼金。他们决定承认盘踞在西伯利亚的高尔察克的政府。

斯大林，原来是由列宁派到察里津去主持南方一切有关粮食给养问题的，他在那里组织了一支正规军，与反革命势力作激烈的斗争得到了胜利。伏罗希洛夫在顿巴斯组织了无产阶级的军队，突破重围到察里津，和斯大林一起，胜利地粉碎了白匪夺取该城的企谋。因之，顿河区域的反革命势力想和伏尔加的高尔察克联合的计划是被击破了。

一九一九年一月，列宁被匪徒所绑架。因为在一九一八年的冬天，莫斯科发现了很多的绑案，哨兵便常常拦住车子，检查乘客。一月间某一个晚上，当列宁和他的妹妹乘车沿着琐罗尔涅基大道开行的时候，他们听到哨兵的声音和“停车！”的叫喝声。司机以为这是常有的检验证明文件的事情，便停了车。在那些日子，民军是不穿制服的，而车里的人也不能立刻看出喝令停车的是些什么人。车子被一群武装的人包围起来，他们叫每个人都走出来，不顾列宁所拿出来的护照，他们用手枪对着列宁的额上，搜索他的口袋。列宁不做一声。

当他的妹妹玛丽亚说：“给证明文件我们看”时，匪徒中间有一个讥诮着说：“罪犯是不需要搜查证明书的。”

他们还是用手枪监视列宁和他们的同伴鼓着汽车开

走了。整个的事变发生非常迅速，过路的人连发生了什么事都不知道。[1]

当天晚上，这辆车子在城市的另一头发现了，毁坏了倒在雪地里。旁边躺着一个红军和一个民军的尸首。

匪徒后来被捕获并且枪决了。

[1] 结果这一次列宁并没有被绑架去。——译者注

第十八章　在敌人包围中

俄国无产阶级的英勇斗争，十月革命的胜利和工人国家的建立激励了全世界的劳动大众。

一九一八年秋天，德国和奥国的工人举行起义，组织了他们的第一个工人兵士苏维埃。奥国分裂成为几个独立国家（捷克斯拉夫、匈牙利和奥大利）。

在俄国革命的影响之下，第一批共产党在西欧成立了。

共产主义者的团体，在不久以前，数目还是很少的，现在经过了革命斗争的过程，在实力上和数量上都有了迅速的增进，并且成为举足轻重的政党了。共产党在德国（在德国是“斯巴达同盟”）、奥大利、匈牙利、波兰、拉脱维亚、芬兰等国都组织起来了。因此，第三国际，即共产国际，在它没有正式成立以前，已经存在，并且发生了作用。这完全证实了列宁在一九一七年揭发季诺维也夫时所指出的话的正确，他说过：一个新的国际，即共产国际，事实上已经存在。

第二国际的领袖们和军阀们勾结一气，用一切可能的方法来反对革命的无产阶级，把大炮、机关枪运来屠杀他们。社会沙文主义者现在亲自在瞄射革命群众了。在爱培尔特和脑斯凯的纵容之下，德国的警察杀害了卡尔·李卜克内西和露沙·卢森堡[1]。第二国际是公开地跑去帮助资产阶级了。

这是一种特色，这就是，在共产党员领导之下的无产阶级革命运动，到处都采用着“俄国的”程序，从苏维埃着手起。德国、奥国、芬兰等国都是这样的。

阶级斗争在欧洲的兴起，号召了共产主义者的队伍有密切团结的迫切需要。必须根据初期的经验去决定资产阶级国家内的无产阶级政党的策略。

列宁积极筹备召开各国共产党的大会。他关切地询问一切到俄国来的同志，特别是外国的同志，询问他们关于革命斗争的进展和各国共产党的组织。他指出哪些

[1] 两人都是当时德国的革命领袖。——译者注

政党应该吸取到大会中来，应该推选一些什么样子的代表。他为大会准备了决议。

一九一九年一月，列宁写了一封信给欧洲和美洲的工人，他在信上说：无产阶级的共产党已经在很多国家里组织起来了，第三国际，即共产国际，将在革命斗争的烈焰中诞生，而实际上是已经成为事实了。

列宁为筹备这次大会做了极多的工作。他的工作被一件事实所烦扰着，这就是，苏维埃共和国与其他各国之间的交通被战线所隔绝，要从国外跑进俄国是极端困难的。

得着一些国外的党的代表的合作，列宁立下了新的国际的组织基础，并且向国外的党号召召开大会。斯大林积极地参加着大会的筹备工作。

经历了极大的困难，出席大会的代表们终于到了莫斯科。三月二日，列宁在克里姆林宫的一间小厅里主持了共产国际的第一次大会。出席的代表一共有五十一位。德国、奥国、美国、法国、匈牙利、瑞典、巴尔干联邦、挪威、波兰、芬兰、中国、朝鲜、波斯、土耳其等国的共产党和共产主义者集团都派有代表出席。俄罗斯共产党的代表团以及乌克兰、拉脱维亚、立陶宛、白俄罗斯及阿美尼亚的共产党的代表当然是在会里占着活跃的地位。

大会推选了以列宁为首的包括三个人的主席团。他们在每次大会上轮流做主席，主持大会的活动。

大会的一些主要决议是由列宁草拟，而在他的报告中加以具体化的。大会的主题是列宁关于无产阶级专政——马克思、列宁主义的基本要点的演说。新的国际，即第三国际的目的是为了在全世界建立无产阶级专政而斗争。无产阶级在苏维埃制度下发现了他们的专政——马克思、恩格斯、列宁学说的基础——的实际形式。只有通过这种专政，被压迫阶级才能打倒它的敌人。国家的苏维埃组织是与无产阶级的领导作用相符合的。苏维埃政府是被压迫阶级的群众组织。

第一次大会宣告了第三国际（即共产国际）的成立。大会闭幕的晚上，全俄中央执行委员会、莫斯科苏维埃和一些别的组织在大戏院里举行了一个联席会议。列宁在他的演说中说：苏维埃已经获得了全世界工人的同情了。这就是说，“国际共产主义革命的胜利已经有了保证”

了。第三国际的成立是列宁和他的策略的伟大成功。

在帝国主义战争开始的时候，列宁看起来是孤立的。那些“机伶的”，“实利的”社会沙文主义的领袖们说列宁是梦想家，背后没有实力。少数革命家如露沙·卢森堡和卡尔·李卜克内西、法朗茨·茂林等拥护列宁，但是就连他们，也还是有保留的。极大多数“公认的”社会主义领袖跟随着社会沙文主义者跑了，或者自己也变成了沙文主义者了。现在相隔不过四年，列宁却已领导着苏维埃共和国，而他的背后已经有着将近二十个活跃于欧美大陆的党和组织了！他的思想正一天天在争取着无产阶级群众。

第三国际的重要意义，列宁在后几个月这样写道，是在于它开始实现了马克思的口号，即无产阶级专政的口号。

世界历史上的一个新时代已经开始了。人类正在抛弃奴隶制度的最终形式：资本主义的或工资的奴隶制度。人类一方面正从奴隶制度下解脱出来，一方面正破天荒地向着真正的自由迈进。

第三国际（即共产国际）是依照列宁在一九一七年所写的话而组织的，他说："它**无论如何决不能**再是第二国际的那种面目了。"第三国际表现出来，并发展成为了战斗的无产阶级军队的参谋本部。

列宁不倦地为党和职工会以及其他工人阶级组织之间的密切联系而斗争。他努力吸收人民中的广大群众来参加党、苏维埃、职工会的工作。他特别主张吸收妇女来参加活动。

列宁草拟很多的政府法令，以废除一切男女间不平等的限制。但是列宁经常指出说，通过法律保障妇女平等权，这不过是初步。妇女必须吸收到生产工作中去，而公共服务（如公共餐室、保育院、洗衣作等工作）必须加以大大地扩展，使妇女能够从家庭事务中解放出来。这些家庭事务是"最没有生产性、最野蛮、最辛苦的工作。"这些工作，对于妇女的发展是一点帮助也没有的。

只有国民经济的社会主义制度，只有苏维埃制度，才能使妇女在经济上获得解放。列宁说，苏维埃制度使妇女有可能广泛而积极地参加政治工作，使妇女有可能以她们的组织才能和其他各种才能去帮助解放劳苦大众的总事业。在一次非党员的女工会议上，列宁说过："这个由苏维埃政府来着手做的工作，只能在不只有千百个女工，而是在全俄国有着几千百万的女工都参加这工作的时候，这个工作才有可能发展起来。到了这时候，我们深信，社会主义建设的工作将要很巩固地建立起来了。"

列宁主张大量地吸收妇女到国家工作中去。在计划改组检查制度的时候，列宁写信给斯大林说，必须"……吸收一切劳动者，男的，**特别是女的**去参加工农的检查工作。"

他主张选举更多的女工到苏维埃里来，并且写了一篇关于这意见的特别文告。他对于许多妇女部的集会，女工的集会以及国际妇女节，表示了亲切的嘉许。

一九一九年初，列宁领导下的中央委员会筹备召开八次党大会，这是规定在三月的下半月举行的。

苏维埃国家内部和国外的情形的迅速发展，使党遭遇到很多新问题，必须立刻加以讨论、解决，不能迟延。中农必须争取到苏维埃政权这方面来。关于进一步加强红军的许多问题必须得到解决。新的党纲必须予以通过，党和苏维埃组织之间的相互关系必须更明确地规定起来，此外还有一些其他的迫切问题也亟待解决。

像以前一样，大会上的主要报告（关于中央委员会的工作的报告、关于党纲的报告，关于乡村工作的报告）还是由列宁负责做的。

大会的第一天和全俄中央委员会主席斯维尔德洛夫的葬礼同时举行。在追悼斯维尔德洛夫同志的演说中，列宁指出：斯维尔德洛夫是一个特有的能干的组织者，并且特别强调这种组织的才干是怎样地贡献给了革命的这一事实，因为斯维尔德洛夫“从来没有一刻和群众脱离过”。

经过一年半巩固和发展无产阶级专政的艰苦斗争而召开的这次大会，显示出了全党都坚定地团结在列宁的周围。当列宁在演讲台上出现的时候，台下风暴般地鼓起掌来，高喊着：“伊里奇万岁！”

在这次大会上的一切演说中，列宁都着重指出，工人阶级和中农之间联盟的必要。

远在一九一八年秋天，列宁已经指出了，必须很技巧地对付中农，他们是可能而且必须争取到革命这方面来的。列宁在大会上说：对付富农，无论是过去也好，现在也好，将来也好，都只有用公开的国内战争的方式；但是对付中农，那么不论过去、现在与将来，我们都得和他们成立一个**集团**、联盟、协调。自然，中农是动摇的，中农“部分的是有产者，部分的是劳动者。”我们必须帮助他们，我们必须争取他们到我们这方面来。“……**我们不容许对中农采取任何暴力。**”“**压迫会坏了整个的事业**。长期的教育工作才是需要的。我们必须用具体的例子证明给农民看，（全世界的农民都是讲求实利的人，都是实利主义者，不单在我们国家里是这样），证明公社制度是可能中最好的东西。”

我们必须争取中农的信仰。我们必须在经济上帮助中农。列宁说出了这样有先见之明的话：“假如明天我们可以拿出十万具上等的曳引机，供给他们燃料，供给他们司机——大家很知道，在现在这是一个幻想——那时候，中农就会说：‘我拥护公社制度’（这就是说拥护共产主义）。”

在讨论党纲时，列宁曾经与布哈林、皮达可夫的反布尔塞维克的观点作斗争，他们反对列宁对帝国主义的估计，并且否认国内有不同的经济体系的存在。列宁与那些“左派共产主义者”作斗争，他们在那里又一次发挥他们对民族问题的陈腐见解，宣称他们只承认劳动者的自决权，不承认民族有自决权。

列宁指出，必须估计到从中世纪的阶段到资产阶级民主的阶段，又从资产阶级民主的阶段到无产阶级专政的阶段的这一过程中，民族已经进步到了什么地步。民族自决权是有助于进向工人阶级的自决的。大会采纳了列宁的建议。

大会上的一个严重问题是在经济上，特别是在军事上利用资产阶级专家的问题。“左派共产主义者”狠命地反对这政策。列宁再三坚持：“如果我们不能利用资本主义文明的遗产，社会主义就不能建设起来。”

列宁说：我们必须吸收资产阶级专家来参加行政工作，参加军队，参加工业，让他们替我们工作，不然我们就不能建设起国民经济。我们必须把专家安置在同志般的环境里面，我们必须监督他们，但是同时必须把他们争取到我们这方面来。最优秀的知识分子和专家都会走到我们这边来的。

列宁和斯大林在大会上与托洛茨基派对军事问题的“左派”反对论调作坚决的斗争，并且在结束游击方法、建立真正有训练的红军这问题上说服了大会。

“左派共产主义者”反对在军队里执行严格的纪律，因此就放纵农民中存在着的缺乏组织的情形。列宁指出：没有铁的纪律就不能转变游击队为正规军而建立真正有力的军队。

在大会上，“左派共产主义者”，后来变为“民主集中主义”派的分子——萨普朗诺夫、奥新斯基、伊格拿托夫等——反对列宁的立场，但是绝大多数的到会代表站在列宁和中央委员会这方面。八次大会在巩固无产阶级专政的斗争中，给了党以新的力量。

大会举行以后，党特别重视红军和乡村的工作。

列宁花费了全部精力在加强红军的工作上。他亲自担任了在不久以前成立的国防委员会的主席。国防委员会是他在那里直接主持一切军务的参谋本部。

一九一九年春间，前线的斗争重新开始了。协约国因为军队里酝酿着革命而不能再继续进攻了，但是他们用尽一切方法帮助高尔察克、邓尼金和尤登尼奇去反对苏维埃共和国。

英法帝国主义政府拟定了一个向苏维埃共和国猛烈进犯的计划。在东战线，高尔察克三路进兵，邓尼金从南方来犯，尤登尼奇则威胁着彼得格勒。

遵照着列宁的主张，党决定派遣主力去对付高尔察克。四月里，宣布了特别动员令以加强东战线的实力。列宁写了一封信给工人，并在许多集会上号召增援东战线。

五月，他打电报给东战线的革命军事委员会说："假如我们不在冬天以前打下乌拉尔，我认为革命是非失败不可了。"

一切力量都动员了保卫东战线。列宁打电话给革命军事委员会说："这里有从披尔姆附近传来的党的报告，说到军中不好的情形以及酗酒的事情。我想派斯大林来……"事实果然，在一个短时期之内，斯大林就使红军中起了一个有决定意义的转变，并且恢复了它的部队的战斗力。

依照高尔察克的计划，尤登尼奇将军想以进攻彼得格勒来分散对东战线的注意力。共和国又处在极端危急的地位了。红丘（彼得格勒大门口的一座炮垒）的守备队掀起了反苏维埃政府的叛乱，又在陆军总部里发现了反革命的阴谋；军事专家把全部作战计划出卖给敌人。敌人直迫彼得格勒了。中央委员会，由于列宁的提议，又一次把斯大林派到彼得格勒去组织对付新敌人的斗争。

三星期之内，斯大林光辉地组织了保卫工作；他攻下了叛军的炮垒，强迫敌人匆匆退却，丢下了俘虏、枪炮和机关枪。彼得格勒是保住了。

斯大林打电报给列宁说："跟着'红丘'之后'灰马'[1]也攻下了。两座炮台上的大炮安然无恙……海军专家都认为从海面夺取'红丘'是推翻一切海军科学的。我只好替这种所谓科学悲哀。'红丘'之所以很快地被攻下，是由于我和一般非军人对于战争的大刀阔斧的干预，直至废止了海陆军的规范而执行了我自己的做法。

[1]"灰马"也是彼得格勒门前的一座炮垒。——英文版编者注

我认为有义务宣称：将来我还是要继续这样做，虽然我对科学是非常尊重的。”

彼得格勒方面敌人的崩溃同时也使我们对高尔察克的进犯得到方便。红军阻止了高尔察克的进犯，并且发动攻击，夺取了乌拉尔。我们在高尔察克的后方的秘密组织发动了游击战。

国际帝国主义所主使的对苏维埃共和国的进犯是被击退了。

列宁一点也没有被这些胜利所迷住。他知道帝国主义的进攻不久还要卷土重来的，整个的胜利还没有取得。他号召党加强警觉性，准备着抵抗新的袭击。新的战争不久一定要开火的。事实上，以丘吉尔为首的英国死硬派和法帝国主义者正准备在一九一九年秋天发动一个反对工人共和国的新进攻——这就是出名的“十四国战役”。匈牙利的苏维埃政府被摧残了，成立了只有几个月；巴伐利亚的苏维埃政府也被推翻了。欧洲的革命运动受到了挫折。协约国的新企谋是使邓尼金从南方，波兰从西方，尤登尼奇向彼得格勒联合进攻。主要的一路是邓尼金，协约国给了他们最大的帮助。

一九一九年夏天，邓尼金攻陷了哈尔科夫、爱克透律诺甫斯拉夫和敖得萨，又更向北进，占领了伏龙涅什和唐波夫省的一部分。

十月十三日（俄历九月三十日），邓尼金打下奥勒尔，先锋侵入了土拉省。这时候莫斯科离前线只有一百五十俄里了。同时，尤登尼奇占领了雅堡、格齐那、克拉斯诺也·赛罗。白匪距离无产阶级的北方都城彼得格勒只有二十俄里了。

无产阶级的共和国从来没有像这时候被敌军围困得那么急的。在莫斯科和彼得格勒，资产阶级叛党正在酝酿着暴动，并且已经在选举新政府，想夺取苏维埃政权。情形是危险极了。一切反革命分子都抬头了；白匪在莫斯科进行煽动；到处是谣言，说什么彼得格勒失陷了，邓尼金已经迫近赛尔普荷夫了等等。

列宁聚集了一切力量保卫国家。他号召工人和红军兵士，并且动员了共产党员上前线。在他的领导之下，党和苏维埃政府把它们的一切力量都用在保卫工作上。

列宁和中央委员会所表现的伟大能力，终于收到了效果。群众们都起来保卫十月革命的成就。

就在这危难的日子里，列宁主张：为了吸引工人阶级中最先进的分子到党里来，中央委员会必须发起一个特别的“党周”。列宁指出：在这种危急的时候动员到前线作殊死战的时候，在这种时候加入党的工人，一定会是优秀的特出的布尔塞维克。列宁并没有错。许多优秀的工人就在这个危急的时候热烈地响应了党的号召。一九一九年的“党周”中，好几万工人加入了党，补充了红军战士的队伍。

当无产阶级已经取得了它最伟大的胜利，党的力量已经发展到无可比拟的时候，列宁提出了把那批偷偷摸摸混进党里来的分子驱逐出党去的问题。他指出，党里面还不可避免地黏附着一些冒险家和投机家，所以党必须时时清洗它的队伍，以便吸收工人阶级中最优秀的分子。他指出，必须使工人在党里占优势，以维持健全社会成分的重要性。

列宁特别着重指出，必须要求新党员“有义务承认党在十月革命所认为正确的一切策略。”

在这些斗争的危急日子里，列宁还经常地亲自过问第三国际的事情。他在西欧（荷兰）组织了一个共产国际局，主要的任务是召集第二次大会。

共产国际局的委员、荷兰共产党员路特袭后来这样追述道：

> 一九一九年十月十四日，是我动身的日子，我在清晨三时被约到列宁那里，去作最后一次的会晤。
>
> 这些日子奥勒尔正受到邓尼金的威胁。在我们谈话的时候，列宁还和前线用专线通消息，他不时被请去听电话。那天夜里，情形极端严重，列宁告诉我说，假如土拉失守，他们就不能保住莫斯科了。他对我说："假如你在路上听到土拉失守的消息，你可以告诉我们的外国同志，就说我们也许会逼得向乌拉尔移动了。"

列宁给了路特袭一些对共产国际工作的详细指示，谨慎地询问他将怎样通过边境，以及是否已经采取了必要的预防。他交给他许多致外国同志的信，号召他们进行革命斗争并且要对胜利抱有信心。

路特袭又说，列宁“虽然处在这样严重的环境里面，依然精神抖擞，并且还开了好几次玩笑呢。”

他精神抖擞，因为坚信苏维埃制度是不能征服的。

由于列宁和中央委员会所表现的超人精神，由于全党上下的战斗能力，内战各战线上必要的转机不久就获得了。尤登尼奇从彼得格勒被赶走了。为了组织和加强我们的进攻力量，为了使敌人完全崩溃，列宁派了斯大林到南战线。

斯大林在前线碰到了一个极严重的局势。前线在实行这么一个进攻计划：追过顿河，直达诺伏罗西斯克。斯大林严厉地批判这一个迫使我们军队通过和我们敌对的哥萨克区域而远离无产阶级的中心的托洛茨基的计划。

他提出计划，主张以主力通过哈尔科夫和顿巴斯盆地去攻击罗斯多夫。他指出，这个进军所经过的地方都是同情苏维埃政权的，因此苏维埃就可以取得铁路网的控制权，所得煤矿，而把邓尼金的军队拦腰切断。

列宁在中央委员会上赞成斯大林的主张。中央委员会，由于列宁的提议，撤销了托洛茨基的南战线指挥的职务。列宁亲自发命令给新的参谋部，给了新的指示。斯大林光辉地完成了这预定的计划。邓尼金被赶出奥勒尔，开始退却了。

红军夺回了库尔斯克、哈尔科夫、波尔塔伐、基也夫、巴哈木特（阿太摩夫斯克）和爱克透律诺甫斯拉夫。邓尼金远远地溜回南方去了。白匪军队在乌克兰绝迹了。列宁向工农庆贺他们对白匪的胜利。

由于列宁的提议，斯大林荣膺了红旗勋章，这勋章是不久以前才创设的。

向东的推进也有着同样的成功。十一月间，鄂木斯克被克复了，随后又夺回了诺甫尼古拉也夫斯克。十二月间，高尔察克被我们的军队抓住了。西伯利亚肃清了白匪的踪迹。

这年年底，红军配合着白匪后方的工农游击队的帮助，事实上在各战线都取得了胜利。同时，立陶宛、拉脱维亚、爱沙尼亚政府信服了苏维埃政府的实力，开始作和平谈判。

一九一九年十二月，第七次苏维埃大会开会。大会必须解决关于粮食供给、燃料、战争形势等等的问题。国家正在前线打胜仗，然而它的经济破坏了。列宁在大会上的演说，主要的都是关于经济复兴的问题。

他强调指出有采取个人负责、单人管理制度的必要，“这样就可以免除官样文章的弊病，这样就不能逃避责任了。”他在几星期后举行的全俄国民经济会议上，又一次说到有采用单人管理制的必要。

当前线的有决定意义的胜利愈显然的时候，列宁的思路愈是转到经济建设的问题上去了。

在这些苦斗的年间，在以列宁为首的中央委员会领导下的工人阶级不只是英勇地击退了敌人，并且还在这种最可怕的破坏当中，着手去恢复国民经济。

一九一九年春天，由于铁路工人的动议，第一次的共产主义“礼拜六”在莫斯科组织起来了。在这些“礼拜六”中，工人为了帮助国家，利用工余的时间，不要工资，自动地参加工作。

列宁立刻就把握住了这一试验的全部重要性。他把握住了工人们所提出的这一动议，解释这一“伟大的开始”的重大意义，并且主张把“礼拜六”扩大到党的全部工作中去。列宁曾经这样描写“礼拜六”：在“礼拜六”里，无产阶级表现了并且实现了比资本主义更高的劳动社会组织形式。这是主要的意义。这是力量的源泉。这是共产主义的不可避免的胜利、完全的胜利的保证。

他指出：共产主义的劳动组织是建筑在劳动者自己的、自发的、阶级意识的纪律上的。

从共产主义“礼拜六”上，列宁看到了共产主义的实际开始。

> 到了那个时候，当**下层工人**开始表现出了自我牺牲的关切，去克服一切在增加劳动生产率上，在获得**每一普特的谷物、煤、铁等物产**上所有的困难（这些东西并不是有利于工人自身，或是他们的亲戚朋友，而是造福于他们的‘疏远的’亲戚朋友的，就是说，造福于全体社会，造福于那先是结合成单个社会主义国家，然后结合成为苏维埃联邦的几千百万的人民大众的），到了那个时候，共产主义就是开始了。

为了要加强“礼拜六”的全部重要性，列宁参加了五一节的“礼拜六”，和克里姆林军事学校的学生一块清扫克里姆林宫广场（一九二〇年）。其中有一个学生追述道：

> 我们看到一个短小的人，穿着工服，站在我们右边，靠近校旗。这就是列宁。乐队奏起国际歌。
>
> 忽然，信号一发，炮声响了。我们和列宁一齐开始工作。我们在一起打扫克里姆林宫广场上的废物。伊里奇把木头放在肩上，亲自把它弄上车子，并且还搬运石块。

第十九章　对波兰的战争·弗兰格尔的败溃

列宁光辉地指挥了保卫国家的大业。不久还在一连串的敌人包围中的苏维埃共和国，此刻正在迅速地扩展它的疆域。红军攻下了察里津和罗斯多夫。在西伯利亚，高尔察克的军队六万多人被我们的军队俘获了。

苏维埃政权在西伯利亚全部重新建立起来了。

红军在南方的进展进行得很顺利。我们此刻守住敖得萨、斯塔夫罗坡尔、阿佐夫和诺伏罗西斯克。邓尼金溜出国了。白匪在北方（阿尔格克尔、摩尔曼斯克）已经完全被肃清了。在这时期，和爱沙尼亚也议了和。把欧洲和本国隔绝起来的封锁是突破了。在指挥保卫战争的时候，列宁同时还主持着国家的经济建设。他又主持着中央委员会政治局的工作。人民委员会每星期开会三次，总是列宁做主席的。此外，列宁兼理着国防委员会的事务。

像平时一样，列宁进行着紧张的实际活动，但并没有丢下理论上的工作。他一遍又一遍地研读马克思和恩格斯的著作；他经常阅读一些最重要的政治、经济、社会主义的书籍，有空便浏览重要的外国报纸和定期刊物。他写了许多具有极大的理论重要性的文章和小册子，那些著述，构成了马克思主义进一步发展的基础。

紧张的工作之外，他还不断地在工人集会上，在莫斯科苏维埃上，在会议席上，发表演说。

在这些艰苦的岁月里，无产阶级以及一切劳苦大众从来没有一刻忘记，在国家的首脑部里，有着一个伟大的领袖，他非常干练地把他们从一个胜利引导到另一个新胜利。他们深知，这个领袖是为被压迫阶级的利益而生存的，和劳苦大众有着不可分离的密切关系。

千千万万的工人和红军兵士见到了，听到了列宁讲话。这里是一桩典型的事情。会场的主席让列宁登台，台下立刻发出了暴风雨般的掌声，轰雷般的叫唤着："伊里奇万岁！乌拉！"全体听众站了起来不断地鼓掌。

列宁，以他急速的步子，走上讲台，头向前伸，这是他头部的特点。他把表和笔记向讲台上一放，照他的习惯，两手摸头，好像是在整理头发似的。当他用他深沉的语调，说出第一个字眼“同志们”的时候，全屋子完全肃静起来。列宁总不站在讲台的地位讲话，却总是马上走到台边的右侧，靠近听众。开始的时候，他很少做动作，只不时把大拇指插到背心里去。但是再讲下去，他用两只手做动作的时候就越来越多了。这些并不是一般“演说家”所背熟了的姿势，而是一个指挥官指点出敌人，发出战斗号召，充满了高度的力的运动。

列宁的演说是简单的，并没有什么漂亮、流利的词藻。他总是直接抓到要点。他的演说是建筑在一个固定的计划上的，以它的力量、感情、诚意，以及对无产阶级力量的坚强信念把握住听众。

他的演说中绝对没有夸大的话，或演剧式的姿态，也没有那种预先准备好了，计算着可以引起反响的词句。全体听众都会渐渐觉得，站在他们面前的，是一个真正无产阶级的领袖，他尖锐地、清楚地、直接地提出一切问题，他曾仔细地、深刻地估量过每一个建议。

他的演说每次都给听众以一些新鲜的东西。这些东西，列宁总是加以解释、补充，不惜用不同的字眼、新鲜的议论，一次又一次重复他的意见。他不断地解释、说明、劝导、说服。无产阶级在它的领袖周围团结得更加密切了。

红军的光辉胜利在一九二〇年春天时已经实际肃清了各战线。一年之间，党的实力已经增加了一倍，现在它有了六十万党员了。

党遇到了许多严重的经济问题。被战争所摧毁了的工业必须立刻恢复起来。运输已经全部破坏了。三百五十万的军队不能复员，主要的是因为运输的无组织状态。

在刚从白匪军队铁蹄下抢救出来的全国大部分地方，整个党的、国家的、经济的机构都必须从根再建起来。

在这些情况之下，中央委员会和列宁筹备召开第九次党大会。大会在一九二〇年四月举行，讨论经济建设的办法。列宁在大会开幕时向中央委员会的报告中说：工人阶级为抵御反革命势力，保卫国家而作的无比的牺性，将保证社会主义在全世界的胜利。工人阶级的阶级意识和坚决性，它的自我牺牲的决心和它的铁的纪律，已经挽救了苏维埃共和国。无产阶级专政摧毁了地主和资本家的财产之后，已经把工人大众团结在它的周围，并且已经能很有把握地去利用资产阶级专家们了。

在大会之前和在大会上，列宁总是在解释他的改造国家经济的计划。他说，我们必须拟定一个单纯的经济计划，首先，我们必须发展某些主要的工业部门——运输、机器制造——建造最重要的电力站。整个的经济行政管理必须建筑在保证工作、保证必要纪律的单一管理制上。没有铁的纪律，就不能够恢复工业。必须利用红军到经济建设的工作中来。当争取生产中的严格纪律的时候，我们必须在同时广泛地发展劳动竞赛，使工作在“突击”的形式之下进行。职工会，在党的领导下，必须成为一个共产主义的学校，他们必须在组织生产中发生积极作用，鼓励群众去担负国家当前的新任务。列宁严厉地着重指出这事实，这就是：职工会实际上是很不光荣地被官僚主义所染污了。

“民主集中主义”集团（奥新斯基、萨普朗诺夫等）

大举进攻列宁的意见，那些人口口声声地说是拥护广泛的“民主”，然而这个集团的领袖们之毫无民主可言，原是闻名全党的。他们不过是想逃脱党、中央委员会、特别是列宁所加的严格约束罢了。这个反党集团之得到“反对‘管理者’”的徽号，不是没有原因的。这一个完全脱离了群众的小资产阶级“民主集中”集团，曾经被列宁讥讽为“压倒了一切狂吠者的狂吠的集团”。

列宁也为李可夫和汤姆斯基所反对，他们，像反党的“民主集中主义”集团一样，说假如不用合作管理制，我们的经济是不可能建设起来的。

列宁击破了这些集团的谬论，指出：合作管理制总是流为讲空话和不负责任，结果它大量耗费了能力，而不能赶上集中的工业的管理所必需的速率和准确性。

大会的极大多数和列宁站在一起。他的恢复经济的计划通过了。

看到摆在国家管理部面前的新任务，列宁主张把这个机关改为工农检查院，这一机关里，必须大量吸收工人，特别是妇女去积极参加这件工作。依照列宁的指示，斯大林组织了工农检查院并且当了它的领导人。

列宁说到关于斯大林在一九二二年十一次党大会上所受的任命道："这是一件很艰巨的任务。但是为了使检查工作做得好，我们必须在领导地位有着一个有权威的人，不然我们将会陷入可卑的阴谋的泥潭里去。"

已经广泛地进行了的关于恢复国家经济的工作，遇到了苏维埃敌人们不可抑制的怒火。

帝国主义者继续着他们向苏维埃的进攻。一九二〇年春天，英国外相寇松爵士照会苏维埃政府，要求停止对一九二〇年四月以来一直指挥着白匪作乱的弗兰格尔的敌对行为。他以派遣英国舰队到俄国沿岸来开衅为恫吓。同时，英国政府又坚持白色波兰不应和苏维埃政府订立任何和议，他又唆使着波兰反对我们。

四月二十六日（俄历十三日），波兰军队侵入了乌克兰。在一个短时期之内，他们夺去了息托米尔、拜尔的启夫、摩叶莱夫和基也夫。斯大林曾在这时正确地指出，波兰向工农共和国的进攻，实际上是协约国所发动的进攻。假如没有协约国帮助的话，波兰是不可能来侵犯我们的。

战争已经在西战线开始了，列宁立刻动员了一切力量保卫国家。“假如事情已经到了战争状态”，列宁说，“一切必须服从战争的利益，整个的国内生活必须服从战争的进行。关于这方面是一点延迟也不容许的。”

他说：“战争就是战争，无论在后方也好，在什么安全的地方也好，谁都不能逃避他的责任。”

成千成万的共产党员动员起来了。布将尼的骑兵队像疾风一样地奉令从顿河转到西战线作战。党的最优秀的力量都参加了反抗敌人的斗争。斯大林受委任指挥西南战线。由于斯大林的坚持和善于领导的缘故，情形很快地有了转机。波兰军队进犯后一个月略多些，就从乌克兰被赶跑了。红军开始向波兰前线进行总攻。

当从事指挥保卫国家的时候，列宁同时还直接指挥着共产国际的工作。一九二〇年春天，他的著名的书《左派幼稚病》出版了。在这本书里，列宁详细地分析了布尔塞维主义的历史，并且指出，布尔塞维克的战略、策略与俄国的经验怎样可以被国外的共产党所运用。他给无产阶级专政和共产党在其中的作用以及它与工人阶级的联系下了定义，指出工人政党怎样去领导无产阶级和一切劳苦大众，使他们和它长在一起。他分析了西欧共产主义者的“左”的错误，例如，忽视职工会和别的一些工人阶级的组织。

这本书总结了俄国的布尔塞维主义在它存在的许多年间的经验，并且揭示了：这些经验应该怎样引用到欧洲的共产党的工作里面去。

同一年春天，列宁筹备召开共产国际第二次大会。第一次大会以后的这些年间，共产主义运动在各国很快地传布开来。苏维埃俄国的许多成功和红军的英勇胜利，更添加了全世界劳动大众对共产主义和它的领袖列宁的同情。由于工人所施的压力，以及为了取得帮助，第二国际的许多领袖都想加入共产党。国外的共产党都还是很年轻的；欧洲共产主义运动的发展是伴随着“左”的和右的错误的。必须确立一个坚定的政策。为了保持它的革命特性，不让投机分子混进队伍，加入共产国际的条例必须更精确地规定出来。

共产国际的第二次大会（一九二〇年七月）明白地表现了全世界共产主义运动的发展。出席大会的一共二百十八个代表，代表着三十七个国家。列宁作了关于国际形势和共产国际的主要任务的报告，关于民族问题和殖民地问题的报告。他积极参加了讨论。他草拟了准许政党加入共产国际的二十一条规则。他准备了关于土地纲领的论文。在许多论文、文章和小册子里面，列宁指出了大会应循的道路。列宁所做的大量工作，帮助了国外的共产主义者和布尔塞维克党员去明确地把握无产阶级斗争中的一切主要问题。

共产国际第二次大会的开幕礼是在十月革命胜利所在地彼得格勒的乌律茨克宫，当着工人阶级先锋队的代表的面前举行的，这些代表，他们在争取无产阶级专政的斗争中，已经表现过无比的英勇。随后的一些会议都是在莫斯科举行的。

列宁在第一次会上作了一个长篇报告。听众报以暴风雨般的欢呼。兄弟党都尊崇他为世界无产阶级的领袖，无产阶级专政的领袖，他已经把达到胜利的唯一真实的道路，指示给全世界的被剥削者。他们尊崇他为第一个无产阶级国家的领袖，这个国家曾经击败了敌人的一切侵犯，并且晓示了：红军足以英勇地、胜利地与最凶悍的资产阶级军队对抗。他们尊崇他为无产阶级政党的领袖，这个党已经取得了农民的拥护，已经把在沙皇和资产阶级压迫下的各民族在它的周围团结了起来。

列宁在大会上的第一个演说中总结了全世界各国的形势。整个世界划分成为被压迫的国家和施压迫的国家两部分。在全世界十七万五千万人口当中，有十二万五千万人是被压迫的殖民地的人民——呻吟在帝国主义铁蹄下的国家的人民。有二万五千万的人在这样的国度里：想法子逃脱战争，但在经济上已经成为美国的附庸；另外的二万五千万人则住在那种国度，那里，资本家上流社会正在分享世界大战胜利的利润。只有俄国已经消灭了资本主义，并且已经建立起了无产阶级专政的组织形式，这就是，苏维埃。

列宁指出，无产阶级的先锋队应该怎样去争取工人阶级的大多数到它这边来；吸收贫农，然后吸收中农到它队伍中来。他指出，无产阶级的党必须是一切被压迫民族和殖民地奴隶的保护者。

为了巩固共产国际，列宁力争，只有和孟塞维克、妥协分子、中央派作坚决的决裂的那些政党，才得加入共产国际。他主张这些党必须在党内建立起铁的纪律，必须公开地称做“共产党”，必须能够将合法和不合法的行动联合一起，必须进行反抗他们自己的资产阶级和他们自己的帝国主义者，必须对共产国际和它的执行委员会履行严格的纪律。

由于列宁的提议，大会通过了一个关于共产党的任务和作用的详细决议。在讨论怎样把布尔塞维克党的经验转移给弟兄党的时候，列宁作了一个长篇的演说。大会通过了一个关于加入共产国际的条件的特别决议——这就是著名的《二十一条》。

在共产国际的这次大会上，像在一九〇三年的第二次党大会上一样，列宁也采用了方法防止投机分子混进各国共产党的队伍里面去的可能，并且还建立了一个强大的、战斗的、有纪律的组织。

有一次开会，列宁在他的演说的第一部是用德国话讲的（那时他正讲到德国的问题），第二部是用法国话讲的（这部分是专为法国的党而讲的）。

在会与会之间的空暇，列宁常和代表们用他们的本国语言谈话——有时讲不出了，他就请教别的同志，不是像受窘那样低声低气地问，而是很响亮清楚地问的。他一向是和气、谦恭、不喜欢做作的。

他给外国的同志讲述布尔塞维克的地下工作、秘密方法的经验、非法文件的运递组织等等。他注意研究每一个代表，提拔出世界工人阶级运动的未来领袖，纠正他们的错误，指示他们以正确的道路。

共产国际的二次大会显示了：苏维埃国家拥有着全世界劳动人民的亲切同情。大会显示了：共产主义已经成为一个伟大而真实的世界运动了。

无产阶级的党经过由许多联系的带子组成的整个制度而和群众联系着——这些是职工会、共产主义青年团和一些别的组织。列宁亲自指导着党和这些无产阶级的群众组织。

由于列宁的提议，组织了共产主义青年团，它的目的在于领导无产阶级青年，用共产主义的精神来训练他们。当讨论这组织的名称的时候，列宁向青年代表团说："名称不关重要。"重要的事情是——共产主义的工作。列宁亲切地关心共产主义青年团的工作，他给他们以建议、指示帮助他们，从来不嫌麻烦。

由于他经常热心从工人阶级中提拔新力量，列宁主张必须吸收更多更多的青年到无产阶级的斗争中的一切部门，去担任负责的工作。

一九二〇年秋天，在共产主义青年团三次大会上，列宁作了他著名的演说《青年团的任务》，在这演说中，他指出了共产主义青年团在社会主义建设中应做的工作，且规划了未来的几十年中工人阶级青年的主要任务。他号召青年“学习，再学习”，去把握并且批判地吸收一切人类积累了的知识。他指出，“青年人必须用共产主义的精神，即无产阶级的阶级斗争的精神来教育他们自己。阶级斗争还在进行着，不过是采取了另外一种形式罢了。”青年要学习共产主义，只有把学习、训练、教育的每一步都跟无产阶级和劳苦大众与对旧的削剥社会的不断斗争联系起来。列宁号召青年在为社会主义制度的斗争前卫上，充当活跃的战士。

一九二〇年夏天，红军和波兰军队中间发生了激烈的冲突。列宁动员了全国以战胜波兰。红军向波兰的挺进进行得很顺利。

八月中旬左右，红军前卫已经到了华沙的门口。英国要求红军停止前进，并且又一次以派英国舰队作威胁，但是英国工人组织了“行动委员会”，反对英国干涉俄波战争。奥国、德国和瑞典的工人也抗议反对这种干涉。在许多港口，工人们拒绝装运由协约国家运到波兰去的军火。

红军向华沙推进得太急了，以致没有时间去准备给养，去巩固既得的阵地。以法国将军做指挥的波兰军队重新集合起来，向我们战线压迫过来。波兰军队从英国，特别是法国，取得了子弹、武装、汽车等极大的帮助。红军开始由华沙撤退。虽然这样，波兰军队因为受过红军的创伤，此刻也不能再继续打下去了。

乘红军驻在波兰战线的时机，弗兰格尔突出了克里米亚，威胁乌克兰。弗兰格尔现在成了一个极严重的危险。布将尼的骑兵队立刻从波兰前线调到南方作战。

看到了红军已经筋疲力竭，国家已经再不能担负长期战争的这些事实，列宁在中央委员会上提议立刻和波兰议和，甚至在不太有利的条件下议和，而必须集中一切力量肃清弗兰格尔的军队，愈快愈好。这个计划通过了。波兰马上就同意了停战。苏维埃政府和波兰成立了一个初步的和平条约。

中央委员会，在列宁提议之下，派斯大林去指导南战线。M.F. 伏龙兹被派为司令。苦战之后，弗兰格尔被迫退到了克里米半岛。

十一月初，庇律科普方面发生了激战，伏龙兹在那里指挥。白匪在海峡上建立了坚强的炮垒，用一队小艇从海上获取接济。但这阻止不了红军。庇律科普在一个英勇的袭击下被攻陷了。弗兰格尔解散了军队，自己逃了。红军占领了克里米亚。十一月十六日（俄历三日），伏龙兹通知人民委员会主席列宁说："克尔奇今天被我们的骑兵打下了，南战线已告结束。"

战事已经在红军的前线停止。苏维埃共和国已经胜利了。

党，在列宁领导之下，利用了进攻我们的各帝国主义国家之间的矛盾。我们的邻国爱沙尼亚、拉脱维亚和芬兰都渐渐明白：他们拥护着的白党将军们一旦得胜了，决不会承认他们的独立，而苏维埃政府倒是实实在在地保证了他们的独立。

苏维埃共和国的工人和农民都从经验上懂得了：沙皇将军们得胜，就是地主和资产阶级的回归，就是要让富农阶级的势力加强。于是，他们追随了列宁和苏维埃政府。

党，在列宁领导之下，开始从事组织国民经济，建设社会主义。

第二十章　新经济政策

弗兰格尔战线的崩溃结束了内战，使党和国家都能集中全力于经济任务。

列宁曾经在一九一八年草拟了一个广泛而详尽的社会主义建设的计划（即《苏维埃政府的迫切任务》）。但是国外干涉战争和国内战争使这个计划没有能够实行。

当国内战争的时候，保卫国家高于一切。在战争压迫之下，党不得已采用了军事共产主义政策。为了给养军队和工人使他们能够捍卫国家、进行工业生产，不得不从农民那里征集多余的粮食。被战争所湮埋了的、毁坏了的工业不能供给农民以他们所需要的东西。在这艰苦的几年中，农民们吃得是比工人丰富，但是没有粮食可以做买卖。因此，他们就没有心思去发展他们的耕种，或改进他们土地的耕作技术了。

蔓延及于苏维埃共和国大部分土地的国内战争也严重地影响了农业，特别是在最肥沃的地区，那些地方是双方得失过好几次的。

旱灾和一九二〇年的歉收使这形势格外严重起来。

一切这些境遇合并起来，造成了一九二〇年冬天农业的严重形势。

大部分农民都拥护苏维埃政权，它曾经给了他们土地，把他们从地主手中解放出来。但是现在白匪已经完全溃败了，他们便要求经济上的帮助；他们要求城市供给他们布匹、鞋子、针、犁耙和其他的制造品。他们要求他们的生活水准要有一定的改善。这几年的帝国主义干涉战和国内战争把他们弄得筋疲力尽了。

可是，工业并不能满足这些要求，连年的战祸使它衰败到破产的地步。工业生产还及不上战前生产量的四分之一。几百所工厂都处在半毁的情况中，工作陷于停顿。大多数工厂、作场的设备都破旧不堪，只能当废铜烂铁用。由于一些企业关闭的结果，一部分无产阶级变得脱离阶级，放弃了他们的职业，跑到乡间去了。工人阶级中最优秀的力量还在前线上。几个最重要的工业区（顿河、乌拉尔、巴库）都还刚入于苏维埃统治之下，而它们从前是在白党手里受尽了折磨的。

资产阶级国家所施的经济封锁更使国家的经济情形进一步趋于严重，使它没有机会向国外买进需要的机器和货物。

铁路运输是全部毁坏了。几百座铁桥被炸毁了，几千公里的路轨成为废料，大部分的车头和车身都使唤不灵了。

在战场上吃了败仗的敌人，现在企图用组织匪党和富农暴动的手段来颠覆苏维埃政权。为了混淆视线起见，他们从国外派了许多武装匪党潜入到苏维埃共和国领土来。

列宁清清楚楚地看出了国家的危急形势。党的政策必须立刻来个大转变。必须让农民有一种愿意改进耕作的推动力，并且，作为改进农业的基础，大规模生产的工业必须恢复起来，必须把机器和货物供给农村，这样就加强了无产阶级和农民之间的经济联系。

这一个在政策上的转变，这一个与以前的军事共产主义政策有绝大距离的转变，只有在党里面绝对团结的情形之下才可以实现。

列宁遇到了极端困难的政治任务，他用他传统的勇敢、坚决和忍耐促其实现。

在一个很短的时期之内，他使党的政策起了一个极大的转变，揭露并且孤立了一切反党集团，加强了党与群众之间的联系，工人和农民之间的联盟。

在这过渡到新经济政策（NEP）的转变中，列宁在作为党与无产阶级的领袖的天才上，表现了极度的光辉。

列宁主张在国家电气化的基础上来恢复工业。早在一九二〇年，列宁就命令克尔日尚诺夫斯基和一些先进的科学家去草拟国家电气化的全国性计划。他写道："这个计划必须立即拟好，要附有图表，要易于了解，使群众可以为它的清楚而生动（并且完全以**科学化**为基础）的远景所引动，然后动手去干；这样，过十年二十年我们就可以使整个俄国，无论在工业方面、农业方面，都**电气化**起来。"

特设的委员会（国家电气化委员会）慎审地拟就了国家电气化的计划。斯大林写信给列宁说："这是一部杰作，十分**简单**，但是正如它的名字的真实意义一样，是一部名副其实的**全国性**的经济计划。这是在我们这个时代里第一个马克思主义的尝试，要把经济落后的俄国的苏维埃上层机构，安置在一个真正的实用技术和生产的基础之上，这个基础是在目前条件下唯一可能的基础。”

进一步谈到托洛茨基的“计划”，他又说：“跟国家电气化委员会的计划比起来它是多么的贫乏，多么的落后呀！简直是个中世纪的工匠，把自己幻想做易卜生戏剧里的英雄，其使命就在于用古老的传说来‘拯救’俄国……”

在同一封信里，斯大林又暴露了“李可夫的庸俗的现实主义”（实际上是马尼洛夫主义），说“它已经把自己由脚到颈都沉浸在日常俗务中了，却还在‘批判’国家电气化委员会呢。”

党召集的第八次苏维埃大会（一九二〇年十二月）全部用在讨论这一计划和其他关于国民经济的问题。党在大会上提出了四个关于这些项目的报告。

列宁在他的报告中说到当前的急务——经济建设。

列宁讨论到建立一个改造俄国经济基础（即小农经济基础）的单一的经济计划问题。经济建设只有在最广大的群众被吸收到建设工作中去的时候才有可能，因此就必须进行普遍的生产宣传。

列宁指出，主要的是提高农业耕作的水准，但是要这样做就必须恢复重工业。国家电气化的计划是一切经济建设的基础。这是党的新纲领。“只要我们还生活在小农国家里，那么资本主义在俄国就要比共产主义具备更可靠的经济基础。”列宁指出，在这个国家里，资本主义“是建筑在小规模生产上的，只有一种方法可以消灭它，这就是，把国家的经济，包括农业在内，建筑在一个新的技术基础，即现代化的大规模生产上的技术基础上。只有使用电气，我们才可能有这种基础。共产主义是苏维埃政权加上全国的电气化。”

在举行大会的大戏院的台上挂一幅苏维埃共和国的大地图。克尔日尚诺夫斯基在作他的关于电气化的报告，地图上放着许多电灯泡，灯光亮处，就指示出哪些地方在十年的时间之内应该设置高度的电力站。

在这次大会上，列宁指出，为了要恢复我们的国民经济，我们可以准许外国资本在我们某些企业中获得租让权。现在最重要的事是从资本主义国家愈快愈好地获取机器和设备，为了这个，用金子和租让权去偿付资本主义国家是值得的。

列宁在第八次大会的共产党党团会议上谈到这些租让权的时候，简括地叙述了他亲自指挥的苏维埃政府的外交政策。他指出："我们之所以能够坚持下去，打败了在俄国的白卫队支持下的协约国的空前顽强结合，这只是由于这些国家之间有着矛盾。"

列宁说，我们的政策，是去利用帝国主义国家之间的深刻而不可避免的经济利益的冲突，阻止或迟延他们来组织进攻苏维埃共和国的同盟。

我们和英国的贸易关系（这谈判现在正在进行中），将使我们能够在国外添购设备，同时，并削弱协约国各国间的同盟。

德国政府痛恨布尔塞维克，但是它的经济利益驱使它和我们讲和。利用了这种矛盾，苏维埃共和国就能够和外国做有利的生意，就能够和他们签订了和约，列宁进一步这样说。

一九二〇——一九二一年，在列宁领导之下，苏维埃共和国跟英国、爱沙尼亚、拉脱维亚、芬兰、瑞典等国建立了外交关系，突破了经济封锁。

托洛茨基企图利用当时在国内由于经济破产而造成的严重局势，以及从战争转变到和平过程中所产生的困难，来进行有组织的斗争以反对列宁和布尔塞维主义。

托洛茨基在实践中表现了自己是个真正的官僚。当托洛茨基在做铁路水运工人职工会的首领的时候，由于他的官僚主义的、不可思议地强制性的、专横的手段的结果，造成了中央委员会的分裂，弄得职工会里的群众都反对他。托洛茨基不愿意执行列宁和斯大林关于改变职工会领导方式的指示，他开始作出一整套的理论，说是有必要给职工会来一个"彻底振刷"，把它们改做国家机关。托洛茨基之所以要实行他的"彻底振刷"，为的是要排斥布尔塞维克干部而代以他自己的人，托洛茨基分子。托洛茨基的立场之由来，是在于他对工人阶级的力量和工人阶级之能领导农民缺乏信心。此外，托洛茨基还一心要想组织一个自己的派别。在中央委员会受到失败以后，他就在中央委员会之外组织了一个小组织，用它来开始攻击党，攻击中央委员会，攻击列宁。托洛茨基拒绝服从中央委员会的决议，并且在报纸上攻击列宁，宣布说，党必须在“两个趋向中选择”，这样，就把他自己和列宁对立起来。

追随托洛茨基的后尘，别的动摇分子也开始组织了个别的集团和派别，各以各的特殊的纲领出现。于是，希拉雅普涅科夫“工人反对派”采取了无政府工团主义的立场，主张无产阶级国家必须把权力出让给职工会。在它的意见，工业不能由工人的国家和它的机关来管理，而必须由职工会来管理。它否认了共产党的领导作用。

布哈林，起先也曾经提出了自己的纲领，不久就完全跑到托洛茨基方面去了。列宁指出，布哈林的立场最有害，是派别主义中最卑鄙的一种。在关于职工会的争论上，布哈林是托洛茨基的盟友。

在八次苏维埃大会的共产党党团会议上，列宁站出来坚决地抨击托洛茨基、布哈林和别的机会主义者的错误。他说，强制主义绝不能应用到职工会里面去：“职工会……是学校，学习行政的学校、学习管理的学校、学习共产主义的学校。”列宁指出，在实现无产阶级专政中党是通过了职工会而与广大群众联系在一起的。在建立真正的劳动纪律的工作中，职工会是党的主要协助者。职工会是无产阶级国家的保卫者，是保卫反对苏维埃国家机构里面官僚主义曲解的工人的。

列宁指出，我们现在必须特别注意争取农民，他们被内战所折磨，他们的经济陷入了解体的状态。

列宁认为托洛茨基的态度在政治上是有害的、反布尔塞维克的，对党和无产阶级专政都有害的；他指出，希雅普涅科夫的态度是完全背叛了共产主义而逃跑到无政府工团主义方面去了。

列宁看得很清楚，向无政府主义的动摇是受了小资产阶级分子所加于无产阶级身上的影响，在这一向毁坏与疲乏的时期中，这些分子特别来得活跃。

小资产阶级分子如果获得了胜利，那就无异于颠覆了苏维埃共和国，然后重建地主和资本家的政权。由于这个原因，无政府主义的倾向是特别危险的。最微细地削弱党的统一与巩固都足以引起不幸。

党内引起的争论造成了严重的局面。

列宁在他所写的关于职工会的第二篇文章上就明白地说到“党的危机”。他在许多文章和演说中抨击托洛茨基、希拉雅普涅科夫、布哈林等人所进行的派别斗争。他指出，托洛茨基表现出了完全“脱离了马克思主义”，布哈林则把马克思的辩证法变成了死板板的教条主义而使自己皈依于工团主义。列宁说，争论的中心在于无产阶级专政的问题，而托洛茨基是否认了无产阶级专政的本质的。

斯大林和列宁一起与托洛茨基想把他旧日的机会主义的“理论”混进党里来的企图作斗争。在一篇刊登在《真理报》上的辉煌的文章中，斯大林指出，托洛茨基在职工会里实行的强制手段和“振刷”，“将分裂工人阶段，引起对苏维埃政府的不信任。”

列宁在与托洛茨基、布哈林等的非马克思的观点所作的斗争中，非常严厉地抨击派别组织的情形以及一切动摇党的统一与单一性的企图。他特别攻击托洛茨基，因为他的派别主义、他的破坏纪律以及组织自己的特殊派别的事实，正替反革命进攻无产阶级专政开辟道路。这时候，托洛茨基、工人反对派（希拉普涅科夫等）、

“民主集中主义”派以及别的派别正在组织各自的组织，各自有着各自的纲领，各自的派别纪律和各自的领导中心。

一切这些派别都对“党的专家”的权力作狂吠（这就是反对党的机构），乱说中央委员会放逐了“共产党员”（这就是反对中央委员会的分配力量的权力。）

那些托洛茨基和别的派别的拥护者一方面以民主政治的卫道者的姿态出现，而一方面正当讨论职工会问题的时候，他们却禁止列宁和斯大林合署的《十人》提纲的散发（例如在乌拉尔地方），在有些地方，这些文件只好用胶印机来印，就像是非法的东西一样。

破坏着党内统一的派别斗争帮助了反革命方面。它反映了小资产阶级群众对无产阶级和它的党的压力。托洛茨基的态度鼓励了国内外的一切反革命分子。各式各样的反革命分子都知道在白卫队口号下的公开反革命运动是注定失败的了，他们企图采用冒牌的革命口号来打击苏维埃政府。他们开始装着像个共产党员，以从中利用党内的分歧。

列宁激动地与派别主义作斗争，解释着这对于无产阶级专政的党是多么危险的事。

他加速了下届党大会的召开，为的是要使一切有关党生命的、经济建设的、以及巩固无产阶级与农民中大部分的联盟的那些重要问题，得到解决。

在一九二一年的头几个月，列宁忙着党十次大会的筹备工作和经济建设的问题。在他的建议之下，成立了国家计划委员会。

国防委员会改为劳动国防委员会，并且，它在列宁主持之下，指挥着全部经济建设工作。

在外高加索，孟塞维克和别的一些资产阶级盟友的政府被推翻了。列宁（他和斯大林一起原是一直直接指挥着建立民族共和国的工作的）命令布尔塞维克必须估计了当地的环境，坚决地执行它的民族政策。他强调指出，对付农民的审慎的政策的重要性。必须立刻采取办法改善农民生活状况，并且在民族共和国里开始大规模电气化和大规模灌溉的工作。

民族问题被提到十次大会的议事日程上，列宁提议由斯大林在一定问题上发表演说。

在党十次大会（一九二一年三月）的筹备工作中，

列宁拟定了断然改变国家经济政策所应采取的步骤。必须和农民妥协，并且在重新组织我们自己的力量的基础之上，来对国内资本主义分子开始新攻势。

十次大会开幕正是克隆斯达特发生叛乱的时候，这次叛乱反映了农民中的不满情绪。克隆斯达特海军中的落后分子，在反革命势力的领导之下，发动了叛乱，反对苏维埃政府。非常值得注意，叛乱是在这口号之下进行的："拥护苏维埃，可是不要共产党员参加苏维埃"。这次叛乱显露了一切反革命党派的愿望。苏维埃政府的敌人希望这次叛乱能够得到国内别处的响应。但是事实不是这样。列宁采取了迅速而决断的手段，镇压了叛乱。

为了尽快地平服克隆斯达特叛乱，在列宁提议之下，一群优秀的军事人员和出席十次大会的代表被派到出事地点去。经过一场在冰层上的英勇攻击，红军和军事学校的学生队伍夺下了克隆斯达特要塞。

十次大会上的主要问题是新经济政策、对派别主义的斗争以及争取党内统一的问题。远在大会以前，列宁就曾经多次在和党的负责工作人员的会议上，提出了把党的经济政策作一个基本转变的建议。在这次大会上，他提出了他的经济计划，并且主张在策略上作一个有决定意义的转变——这就是，采用新经济政策。

新经济政策一方面使决定的地位依然握在无产阶级手里，而在某些条件之下，容许资本主义成分在我们的经济中存在，同时对他们加以限制，并准备着消灭他们。这是为了保证经济的社会主义成分逐渐巩固，资本主义成分逐渐消除，这样就建立了社会主义经济的基础，保证了社会主义对资本主义的最后胜利。

我们必须公开承认，列宁说，“在旁的国家发生革命之前，只有和农民妥协，才能挽救俄国的社会主义革命……我们必须使我们的国家经济适合于中农经济，中农经济，我们在三年之中是不能够把它转变过来，即使十年之内也是不可能的”。

列宁说，在俄国，小农构成了人口的绝大多数。为了进向社会主义，必须计划出一些特别的过渡办法。目前我们必须迁就农民，我们必须以粮食税来替代向农民集征一切余粮的制度。我们必须让农民有某种限度内的买卖自由，我们必须供给他们以货物和用品。这样，农民将会得着一种激励，使他们愿意多生产谷物，这样，就刺激了整个国民经济的恢复。

我们正进行着在工人阶级与农民之间建立确定的关系，在他们之间成立一种妥协，但是这种妥协“……只有当它是拥护工人阶级的专政的、是达到消灭阶级这目的的一个步骤时，才是在原则上可以容许的、正确的、可能的”。

当列宁提出新经济政策的时候，他在大会上所要争取的就正是这样一个妥协。

党大会结束了关于职工会的作用的争论。在大会举行之前，党已经拥护列宁、斯大林以及别的党的领导同志所签署的《十人》提纲。虽然有托洛茨基、希拉雅普涅科夫和布哈林之流的庸俗曲解，但是绝大多数的党员拥护列宁。托洛茨基的孟塞维克的袭击受到了很大的挫折。

列宁指出，这种争论是一个“错误”，一种“过分的浪费”，因为它动摇了党的统一，把党对许多极其重要的实际任务分了神。

鉴于在十月革命之前好多年以来就进行了毫无顾忌的派别斗争来反对列宁、反对党的托洛茨基现在又发动了派别斗争；鉴于希拉雅普涅科夫之流的随从者在争论职工会问题中进行了派别斗争，有鉴于这些事实，大会通过了列宁所草拟的关于党的统一的特别决议。这决议禁止一切派别主义，因为党里的工人阶级中的无论哪一种的派别组织，都是帮助了资产阶级反革命势力。

大会宣告解散一切派别与集团，并且决定，凡党员进行派别活动的即行开除党籍。有一条列宁所草拟的特别条款，规定给中央委员会以全权开除参加派别活动的人，甚至中央委员的党籍。

在这次对派别主义的斗争中，列宁得到了党的大多数的拥护。十次大会关于党的统一以及无政府工团主义倾向的决议，替日后反对派别主义、反对党队伍中的错误倾向的整个斗争准备了基础。

这些决议安排了党为它队伍的统一而对派别主义与反对派进行更进一步的斗争。在十次大会之后，各种的反对派分子经常地提议修改列宁关于党的统一的这些决定，这不是无因的。

列宁在大会上坚持：派别主义者，即那些机会主义者普列奥布拉任斯基、斯米尔诺夫、赛律布里亚科夫等，以及其他表现了理论上的不坚定性的人，必须退出中央委员会。他主张必须把那些在党的群众工作中表现了伟绩的组织者吸收到党的领导机关中来。

在这次大会上听取了斯大林的报告后，党通过了一个关于民族问题的详细决议，确立了以后好多年中发展民族区域的苏维埃的民族政策。

在他的许多在大会举行之后发表的文章、小册子和演说中，以及在五月间举行的党的会议上，列宁都详细地解释了粮食税的性质和新经济政策的实质。他说，如果没有无产阶级专政，社会主义是不可想象的。如果没有资本主义的技术方法和大规模生产的工业，社会主义也是不可想象的。但是为了重建大规模生产工业，必须立刻提高农民的生产力。必须使农民对生产的普遍提高感到兴趣。必须对农民加以领导，使小农经济转变为社会主义化的农业。无产阶级和农民之间以前曾经有过军事联盟的。过去农民之所以拥护工人，因为红军曾经在地主和沙皇将军之下拯救了他们。现在问题是要在工人阶级与农民之间来一个经济联盟，并且联合农民，在无产阶级和它的党的领导之下，与富农作斗争，以建立社会主义的社会。无产阶级正在领导着农民，但是它是在奉行着“消灭阶级的路线，而不是保存小生产者的路线”。当党的策略作了急剧转变，而实行新经济政策以后，列宁是有可能保证苏维埃政府的进一步的胜利了。

在列宁领导之下，党胜利地执行了许多复杂的经济的和政治的办法（粮食税的采用、军队的复员、对盗匪的剿灭、贸易的发展）。

列宁以劳动国防委员会的名义，写了详细的命令给地方苏维埃组织，告诉他们怎样去发展地方经济，怎样去组织对农民的贸易，怎样去建立工业和农业，怎样去打击官僚主义等等。

列宁坚韧地向工人和农民解释新经济政策。这里是一个参加列宁与高尔基城某村农民谈话的人所作的回忆：“列宁走进了草房……然后他开始和一群农民谈话。他们谈话，先是用一种友谊而愉快的神气谈着日常琐事。当他们已经这样愉快了半小时的光景的时候，当他们对于那些话题如粮食巡逻队、背口袋者和牟利者（这些家伙把面粉和粮食藏在衣服底下走私，坐在火车顶上、铁杆子上或是骑在马背上拣偏僻的小路运到莫斯科）——他们在列宁面前笑着谈到这些事情，列宁则嘲笑这些欺骗行为，那些一切，对于他用作谈话资料上也都是有用的——到这个时候，伊里奇就结束了上面那种聊天而开始清楚地、用通俗的语言把新经济政策告诉农民们听。

> 农民们入神地倾听；他们倾听，因为他们看到这个人确是为他们开辟了一个新的将来，一个快乐的生活。

一九二一年夏天，共产国际举行第三次大会。

向别国的共产党解释转变到新经济政策的旨趣，从这经验中得出可以应用于国外情形的一般的结论，这是必要的。问题的中心在于无产阶级与农民之间的相互关系的一般问题——一个对各国共产党都具有重要性的问题。

此外，战后的革命斗争的第一个阶段现在几乎在一切国家都已经告一段落，某种平静已经到来。在新时期中，必须作出新的策略来。

在大会上，列宁演说到关于布尔塞维克党的策略以及一些别的问题。他向国际无产阶级解释我们关于农民和新经济政策的政策。他说，无产阶级专政的最高原则就是保持无产阶级与农民之间的联盟，因为在这种情形中，无产阶级可以保持它的领导作用和国家政权。

三次大会赞同了俄国布尔塞维克的策略。大会号召为把无产阶级的广大群众争取到共产主义这方面来而斗争，并从下层来组织一个“统一战线”。在列宁领导之下，大会开除了一些企图把共产国际拖到机会主义的道路上去的组织和派别（如德国的莱维派）。

秋天，在政治教育部的大会上和莫斯科的党会议上，列宁总结了新经济政策施行的初期结果，并且指出，暂时的退却已经增强了无产阶级专政，并且把农民争取到了工人这方面来了。

像平时一样，列宁花费了极大的注意力在党的工作上，在党的建设和它的成分上。在他领导之下，实行了一次清党。十次大会已经显示出了，党里有些分子已经在小资产阶级的影响下屈服了，并且沾染了工团主义、无政府主义和孟塞维主义。在急剧的政治变化的时间，党必须保证党员在意识上的健全与它的队伍的坚强。列宁发布命令说，党必须把那些将自己和群众隔绝起来的人们，以及吊儿浪当的分子，特别是那些偷偷摸摸混进党里的孟塞维克分子，清除出党。他提议邀请劳动大众中的非党群众来参与清党的工作，并且听取他们对共产党员的意见。

一九二一年秋天，列宁异常忙于恢复国民经济的问题、电气化的问题、提高煤以及别的燃料的生产的问题。他在一段当时写的笔记上说到，在社会主义国家里，必须怎样来进行工作。他说，我们必须“用极度的紧张去工作，以及超过资本主义的标准的最大的生产率和劳动纪律；否则俄国就不能超过资本主义，甚至即使是赶上资本主义也不可能”。在一封打到顿巴斯去的电报中，列宁反对实行平等工资制度，坚持要采用“……依照生产率而用粮食和货币来偿付劳动的新规则，废除用粮食和货币来支付的平等工资制度”。

即使在那时，一九二一年的秋天，也已经看得很清楚，向新经济政策的转变，党之采取新立场，这一切都已经有了惊人的成功。虽然由于一九二一年的荒年引起了更多的困难，但是党，在列宁的光辉领导之下，增强了它的统一，增强了与农民之间的联盟而开始恢复工业和运输，并且增强了苏维埃政府在国外的政治地位。

列宁提出了“谁战胜谁？”的问题。社会主义与资本主义之间发生了一个竞争。列宁号召共产党员去“学习贸易”，去通过市场而建立国家工业与农民经济的经济联系。党，依靠着无产阶级专政所把握着的决定地位与资本主义成分作斗争，它站在拥护社会主义的立场，开始着手解决列宁的“谁战胜谁？”的问题。

第二十一章　工作中的列宁

克里姆林宫里列宁的办公室是一间有着两扇窗子的大屋子。靠墙放着书架，陈列着一些最重要的马克思主义的著作（马克思、恩格斯等人的著作）、百科全书和经济学的书籍。一小部分是文艺书籍，主要的是古典派的作品。新书是放在一个较低的架子上的。有几个特殊的架了专门放俄文和外国文的报纸，有一个桌子专放各种地图，四周的墙上和一个特制的架上也有着地图。两幅肖像，一幅是马克思，一幅是哈图林[1]——都是工人送的——悬挂在墙上。

一张办公桌差不多是安置在屋子的中间，桌子两旁是两个可以旋转的架子，架子上陈列着党的文献、参考书籍和搁在一边准备参阅的时下的材料和书籍。

[1] 一八七八年北俄工人联盟的领导人。——译者注

在最紧张的实际组织工作中，列宁不断地专心于理论的研究。他认为革命的理论是革命行动的武器，马克思和恩格斯的著作、党大会的记录、布尔塞维克的小册子，各种文字的参考书籍和有关党史的文件都放在列宁的手边，他每天都要参考的。

虽然有着可惊的记忆力，但是他从不喜欢凭记忆来引用材料；他总是审慎地核对原本，查考需要引用的数字，以求得那些真实可靠的材料。

桌上放着一盏小小的、有灯罩的台灯。当列宁独自在屋里时，这就是屋里唯一的灯光了。桌上有着几架电话机，一把用来开启私人信件的大剪刀、一柄裁纸刀和几支削尖了的铅笔。桌前是一把藤坐垫的、朴质的圈椅。

列宁的办公桌的前面是一张桌子，周围安放着圈椅，好多年来，政治局的会议都是在这里举行的。

屋子的整个空气是简单而朴素。

列宁的办公室和所有党的领导人、各人民委员会以及别的城市都有直接的联络，他的秘书处无论在技术工作与管理工作上都组织得极为良好。

列宁经常在午前九时半到十时之间上办公室。例览了报纸之后，他把他的秘书请进去，请他报告接到的最重要的文件，他指示当天所要接待的访客和当天的一般的工作以及签署文件等等。

十一时的时候，工作都要着手进行了——接待访客、开会、打电话、召见同志、写文章、决议案等。

同时，他常常要请一位秘书进来，给以新的指示，要求这些指示正确而迅速地执行并检查是否执行了。

午后四时，列宁进午餐并作休息。午后五时半或六时，他经常地回到他的办公室，或在人民委员会的会议厅里。

十时或十一时之后，常常又要接见访客和处理各种事务，直到夜深。有时列宁在午夜坐一会摩托车，以恢复当天的疲劳。

这里以一九二一年二月八日九日为例，看列宁是怎样过了这两个典型的工作日的。

二月八日的上午，他校订并签署了人民委员会小组委员会的会议记录，包括对投机事业斗争的决定、铁路运输的恢复等等。

从正午十二时到午后三时，他主持政治局的会议，讨论与播种运动及农民情况有关的问题（与筹备十次大会与转变到新经济政策有关联的问题）、运输情形以及剿灭盗匪的问题。

从午后六时到十时，他主持了人民委员会会议。这里，除了别的问题，还讨论了劳动纪律、学校医院的粮食供给以及由于战争和经济封锁而引起的损失。

从午后十时到十一时半，他主持了劳动国防委员会的会议。

第二天，二月九日，从早上到午后四时半，他接见的访客有：人民委员长和副委员长，其中包括德任兴斯基、朴克罗夫斯基、西伯利亚的农民启尔诺夫和两位共产国际的干部。

午后六时，劳动国防委员会开会，讨论燃料供给与播种问题。

在会议时和会议之后，列宁审阅并签署了一批电报和公文，读了克拉辛的关于煤油的报告又为几本他着人送来看的外国书籍做了札记。

这就是无产阶级的领导人的工作怎样在一天一天进行着的。他在工作中有恒而坚韧，同时对待别人也很认真，特别是对待秘书处的工作人员。

列宁的一位秘书格莱塞尔写道："如果列宁为了一件急事需要他的秘书送一封信给某部或是某同志时，他说了'送这封信给某某'之后，总不忘记再叮嘱：'先打电话，问出某某的住处，以便把确实的住址告诉送信的人。要把送达的时间记下，收条一接到，就给我看。'信送出之后，秘书一定跟着注意，要确实知道信件送达没有受到阻碍，因为随时会有电话从列宁的办公室打出来，他的'某某接到了我的信了吗？你拿到收条了吗？什么时候可以有回信'的问题，一定要绝对准确地回答。如果你回答不出或是只有不肯定的回答，那么列宁会坚执地重复说：'马上弄清楚'，或者不然的话，他就亲自来弄清楚这件事：拿起电话筒来问那位同志接到了他的信没有。"

但是，虽然他对工作是这样认真，列宁却能够激动起他手下的人的精力，这是别人所办不到的。

……甚至当他处理一件严重谴责的事情的时候，列宁也从不侮辱或藐视那个人，相反地，他常常使他有自信，自信他的力量和改正错误的能力。他的机敏、他的注意力、他的认识以及在任何困难当中都给别人以同志般的帮助，甚至把能力薄弱的、愚笨的和缺乏自信心的工作者都鼓舞起来；他以他自己的活泼和自信去影响他们，以他的勇气和决断、他的敏捷的思考和行动、他的对过去事情的观察方法，最重要的是对什么事该去做，应该怎样去做的先见去激动他们。

列宁主持着政治局的一切会议和别的高级的党的会议。他也主持人民委员会和劳动国防委员会的会议。

那时候的人民委员会的会议（革命初年的人民委员会会议常常是在夜间举行的）常在午后准六时开始。列宁总是在敲六点钟的当儿在大厅里出现，决不迟到一分钟。他坚决地与迟到作斗争，甚至定做规律：每人到会的时间一定要记录在人民委员会和劳动国际委员会的会议录上。会议是在极严格的秩序下进行的，保持着绝对的肃静。列宁不容许随意交谈。他禁止在会议时吸烟，并注意到屋子空气流通的情形。每个发言人发言的时间不准超过三分——五分钟。

当政治局会议或人民委员会开会时，列宁留心地倾听讨论，明快地提出主要的提案。同时，他浏览公文和外国报纸，写许多纸条子给到会的人。在纸条上写着问题、命令和指示。他要求发言者举出正确的事实和数字，提供明白而切实的提案。他是那些唱高调、说空话和不正确的报告与无价值的提案的死对头。如果引用的事实和数字引起了他的怀疑，他立刻要求这个报告还得根据各种材料来加以核正。

在人民委员会的会议席上，他注意倾听地方代表与下级干部的发言，他总是希望提拔这些新人物或给他们以特别的任务。如果议案一经决定之后，他就要求把它准确地写出来，并准确地记录下来。他总是要考查决议是怎样执行的，并且亲自或经由他的助手，召请人来或用电话问他们，决议有没有执行。

“在人民委员会中，我们平静而兴奋地工作着”，卢那却尔斯基回忆道。“当他发觉某人绝端荒谬的时候，他会善意地大笑起来，然后一长桌的最伟大的革命者和同时代的新人物都跟他一块笑起来——或者是由于诙谐的主席自己的滑稽而发笑或是留于发言人的戏谑。但是，当大笑的风暴一退，我们以前的活泼的严肃空气就立刻恢复转来，报告的进行，意见的交换和议案的决定都像以前一样迅速地进行起来。

观察列宁怎样地倾听，这是有意义的事。我没有见过有比乌拉地米尔·伊里奇更优美的面孔了。它蕴蓄着**非常有力的神情**，当他深刻地注意发言人而又逐字逐句地咀嚼每句话的时候，当他敏捷地向发言人提出补充问题的时候……在他那副面孔和两只眼睛中流露出严正的表情。

列宁很少发怒，特别是在人民委员会中。但是他当真发了怒的时候，他就非常气愤。他决不吞吞吐吐。从他的唇间常会喷出这样的字眼："苏维埃中无头脑的官僚"、"流氓"、"蠢家伙"和一些别的骂人的话，这种话也偶然会在他的报告、电报和电话中发现。但是，从没有一个人因为他从列宁那里受到“叱责”而感到不快。

虽然负了那么多的责任，他还抽出时间来接见成百成千的工人、农民和党的、苏维埃的负责人，他常常在克里姆林宫里的办公室中接见拜访的人。高尔希诺夫在他的《列宁的回忆》这本书里告诉我们，“他是怎样诚恳地接待来客的，当来客进门的时候，他还指着桌旁软背的圈椅请他坐下。他自己则坐在桌旁的一张硬背的圈椅上。他轻轻地移近拜访者，带着智慧的、友谊的微笑，开始他的谈话，并且亲切地注视着他。”

列宁向他的拜访者谈话，态度就像一个年长的同志，但是，当必要的时候，他也就尖锐而严肃起来；他晓得怎样给予必要的命令，他能够作出严格的批评和轻松的诙谐。

列宁所做的巨量的工作是需要极大的努力的。同时，他还不断在各种集会上发言，为报纸写文章。

在他整个的工作中，列宁猛烈地与怠惰、官僚主义以及例行公事的办法作斗争。他不顾一切地提出果敢的议案。他会毫不迟疑地改换历史的进程，如果环境需要的话。

他的提案总是仔细斟酌过而理由充分的。他的政策的变动，是新路线中所需要的有决定作用的变动。他把每一种决定都坚决地促其全部实现。

万千条线从克里姆林宫里列宁的办公室引向全国的每一个角落，在党的组织和苏维埃组织的任何杠杆上，他都能放上他的手指。

全国和全世界都知道，在克里姆林宫里住着领导整个世界的工人作斗争的领袖。列宁是为群众所爱戴的。凡是和他接触过的一切人们，在他们的心中都蕴藏着对这位无产阶级的伟大领袖的热爱。对于列宁的一切回忆，都是浸透着这种感觉的。

守卫克里姆林宫和中央政府的克里姆林陆军学校的一个学生，叙述过下面这样一件偶然的事情：

> 这是春天的时候，泰尼茨基花园里的地面干燥了，苔藓沿着克里姆林宫走道上转绿了，伊里奇在暮霭中沿着花园的小路散步。他是在

劳动国防委员会和人民委员会会议之后散步休息。

在旧日“伊凡诺夫斯卡亚铁工厂”的地方，开辟着有一块机关枪学生的运动场。快晚了，除了有一位孤僻而有恒心的未来红军司令在那里作第十次跳越障碍，练习野外运动而外，很少人走过这里。

伊里奇戴着硬帽，还是像平时一样的向前偻伛着，两手背在背后，沿着泰尼茨基园里较低的一区散步。他在障碍物前看了好久，注视着那个穿着学生制服的有耐心的运动者。

他终于跳过了障碍物……一种明朗的微笑辉耀在列宁的沉思的面孔上。

清闲的日子，列宁常到郊外去休息。移到莫斯科之后的几年，他常同他的亲密的朋友携带着夹肉面包到森林里去。其中一个他心爱的去处是沿着莫斯科河岸邻近巴尔维哈的地方，那里有一片松林。从这里眺望到四周的田野和草地的美景。

“有时”，他的妹妹玛丽亚这样写道：“当我们正驶过一个村子的时候，一群蓬着头发的农家小孩子总是奔到我们的车前，要我们让他们乘坐一下。乌拉地米尔·伊里奇是极其喜爱孩子的，于是就叫吉尔（司机人）停车，车子上就拥满了一群吵吵闹闹的欢天喜地的孩子。当我们车子开了一公里左右的时候，孩子们就下车，欢呼着跑回村子。”

后来，列宁常在高尔基城消磨他的休息日。他特别喜欢在那里一间小屋子里居住。他喜欢在古老的公园里散步，他喜欢那里四围的景色。他计划在那里度过他的晚年。

怎样用革命的布尔塞维克的态度来工作——这是从列宁的全部工作中得出来的教训。

说到列宁的工作作风，斯大林说过，它是俄国革命的规模与美国的求实精神的结合。

俄国的革命规模是这样一种消毒剂，这种消毒剂可以消除一切消极态度、守旧思想、保守主义、思想停顿和盲从祖先的传统的态度。

俄国的革命规模就是这样一种活力，这种活力唤醒人的思想，推动前进，破坏旧物，开展前途。如果没有了它，那么任何前进运动都是不可能的。可是，如果不把它与工作中的美国求实精神结合起来，那么，他就很有可能在实际中腐化为一种空洞的“革命的”马尼洛夫的痴想主义……

美国的求实精神是这样一种强大的力量，这种力量不知道而且也不承认什么障碍，这种力量以自己的求实的坚忍精神去扫除所有的各种各样的障碍，这种力量只要已经开始做某件事情，就一定要把它做到底，哪怕这件事情并不怎样大，而没有这种力量，严重的建设工作是不可能的。可是如果不把美国的求实精神和俄国的革命规模结合起来，那么，它就会很可能腐化为狭隘的、无原则的商业主义……

只有这样的结合，才能给我们以列宁主义的工作者的完整的方式，列宁主义的工作作风。

第二十二章　晚年

在困难重重之中，列宁成功地把国家建立在一个新的经济基础上。富农与匪徒的叛乱已经平定了，工业与农业逐渐开始复兴了。

在一九二一年十二月开的第九次苏维埃大会上，列宁把经济建设的第一年——没有战争的第一年的成果作了总结。他指出，在这一年里，工人阶级与农民的联盟已经巩固了，而这帮助了恢复国民经济并使国家强盛了。列宁历数在经济方面所得到的成功：运输业的进步，电力站的建造，耕地面积的增加，煤产量的提高。

列宁很自傲地指出，在一九二一年中，生产了五六〇〇〇〇〇吨的顿尼茨的煤（超过了计划）与二二二五〇〇〇顿的泥炭。在这一年之初，每月熔炼了一一二〇吨的生铁，而在十一月里已增加到了四三二〇吨。在一九二〇年与一九二一年，创立了有一二〇〇〇基罗瓦特容量的电力站二百二十一个。这些成就虽然还很小，但是它们指出了危机已经过去而国家的经济生活已经在向上了。

是在这时候，列宁起草了中央委员会关于职工会的工作的决议。这差不多是在第十次党大会通过了职工会的决议之后一年的时候。根据新经济政策第一年的经验，应该制定出一个周密的关于职工会的工作的决议来，在这个决议里，列宁指出，和群众有密切的联系是职工会工作得到成功的最先决条件。作为共产主义学校的职工会。"特别应该是训练整个工人群众以及一切劳动者管理社会主义工业（然后渐渐地管理农业）的学校。"

自从采取了新经济政策之后的一年内，无产阶级掌握了所有重要的地位而在国内保持了领导地位；农民追随着工人阶级。党改组并且巩固了它的队伍。在列宁领导之下，俄国的经济情形有了显著的进步。可以停止退却而重新前进了。列宁在一九二二年三月召集的五金工人大会上的演说中说道：

> **我们现在能够停止我们的经济退却了。够了！我们不更向后退了。**

他并且指出，对官僚政治与官僚习气有进行坚决斗争的必要：

> 检查工作人员，**检查工作是否切实完成**——这，还是这，而且也只有这是现在我们整个工作，我们整个政策的精髓。

列宁在一九二二年三四月的时候，在他关于国防委员会，人民委员会与外交人民委员会的工作的指示草案中这样说：

> ……当前的任务不是颁发命令或是改组组织，而是**选择人员；建立对工作的个人负责制；检查工作的切实执行**。否则我们将永不能把那窒死我们的官僚政治与官僚习气撇开。

在一封给楚罗伯论人民委员会和劳动国防委员会的新工作方式的信中，列宁指出，主要的缺点是没有对工作进行检查。

> 腐败的官僚政治泥潭把我们陷入了文件的缮写、谈论命令与命令的起草之中，而重要的工作也被陷入了纸张的泥潭中。

在这些信中，列宁常常反复申说，最重要的事情是选择人员与检查工作。每个工作人员的个人负责制必须建立起来。各个人民委员会不必把每一件琐事提到总的人民委员会去，它们必须以自己的创造性做工作并对他们所做的工作负责。列宁使他的总人民委员会的助手们都亲自检查所已做的工作，而他自己也不止一次地考核这工作，检查党与苏维埃政府的决议有否严格执行。在这些原则之下他建立起了一个强固的苏维埃机构和一个经营工业的机构。

在这几个月里，列宁又注意到了文化与文化革命的问题。他注意到提高群众的文化水准这重要的问题。在争取文化的斗争中，消灭文盲是其起点："一个目不识丁的人是站在政治之外的，他首先得受教育。"列宁又说，如果群众自己"从事"于这工作，文盲很快就可以扫除了。

列宁猛烈地攻击那些以为无产阶级文化要经过某种特殊的组织，在一种研究院的制度上才能建立起来的"无产阶级文化专家们"。根据列宁的理论，无产阶级文化是劳苦群众自己创造出来的，他们批判地接受资产阶级文化的全部遗产而改造它。只有接受了过去的文化，无产阶级才能建造起它自己的、新的、社会主义的文化来。文化问题是不能够像政治问题与军事问题那么迅速解决的。它需要很长的时间与耐心的工作。列宁耐心地号召劳动者们要"学习，学习，再学习！"

他认为群众的文化觉醒是文化革命能否成功的最重要的条件。他指出，真正的艺术必须要在劳苦大众之中生根，必须为他们所理解所爱好。因此，他对于那些能够广泛地影响群众的艺术形式，像电影、宣传画、纪念碑之类，特别感觉兴趣。

列宁再三督促教育人民委员会在莫斯科、列宁格勒以及其他城市建立有名的革命家、作家与科学家的纪念碑。这些纪念碑会使最广大的群众熟悉劳动人民的伟大领袖的名字与事迹。

列宁对于增加学校与图书馆数量的问题予以极大的注意，因为只有提高群众的文化水准，科学、艺术与技术才能毫无阻碍地发展起来。

在苏联文化阵线上所完成的工作对于经济的发展给予了一定的推动力。

在这工作紧张的几年里，列宁像以前一样受着他的同志们的照顾与全世界劳动者的深深爱戴。这可以从他收到的许多书信与敬礼中得到证明。

一群唐波夫区的非党员的、自称为半文盲的农民，这样写信给列宁：“‘我们希望你一直很健康，一直是俄国劳动农民的伟大领袖。假使有任何人敢反抗我们的领袖与工人阶级，只要一得到通知，我们就会赶来援救我们的伟大领袖。乌拉地米尔·伊里奇·乌里亚诺夫——列宁……虽然我们不是党员，我们却在心坎里、在精神上是共产主义者……’”

“……我记得，当他读到这封信的时候，列宁的脸色是多么欢欣”，M. 乌里亚诺娃这样写着。

意大利凡罗那的工人写了这样的话：“凡罗那的工人祝你与整个苏维埃政府长年快乐！”

无产阶级的领袖是用了无其数的纽带和全世界的劳动人民相连结着的。

一九二一——一九二二年冬天，列宁的严重病症发现了初期的征候。他在过去几年中极度紧张的工作开始发生影响了。列宁在医生与党的坚持之下不得不好几次停止了工作。

在三月里，他病得太厉害，不能出席中央委员会会议，他要求请假不出席会议。他写道：“我不克出席会议并在大会上作报告。”但是他附加说，倘然需要他到一到会的话，他一定可以这样做。像以前一样，他是党的一个严守纪律的党员，准备着执行它的命令的。

列宁写了封信给莫洛托夫，提出他所想在会议上提出的议案，主张否决季诺维也夫的提议，主张对于党吸收新党员时的考察期间要加长：对于在大工业里工作过十年以上的工人考察六个月；对于其他工人一年半；对农民与红军两年；对一切其他的人三年。列宁所提出的理由是：往往“丝毫没有大规模工业的经验的人”也被认为工人，并且由于我们的成功，“小资产阶级分子，以及对一切无产阶级的事情抱敌视态度的分子都想钻到党里来的企图大为增加了。”

虽然有病，列宁却带着他一贯的彻底工作态度为未来的第十一次党大会作了种种准备。这是列宁在大会上发言的最后一次大会。

在他向大会作的报告的提纲中，列宁提出了下面的意见：“我们所缺少的主要的是文化与处理行政的能力。……在经济上在政治上，新经济政策使我们完全可能建立起社会主义经济的基础。”在他向大会的报告中，他说，从新经济政策中所得出来的主要的政治教训是，我们必须“和农民群众，和下层的劳动农民联系起来，要远比我们所梦想的更慢地前进，只有这样，全体群众才能真正跟着我们一块儿前进。假使我们这样做，我们终必会像我们现在所不能梦想的那样加速这个运动。”他又说：“在民众之间，我们是沧海中的一滴，而只有当我们恰当地反映了民众的要求时我们才能处理政治。除非我们这样做，共产党将不能够领导无产阶级，无产阶级将不能够领导群众，而整个机器都将崩溃了。”他用这样的话来结束了他的讲演：“整个难处；当前政治形势的整个重心，是在于集中注意力来恰当地选择人员以及检讨工作的是否切实完成。”

在他向这次大会的讲演中，列宁用了他一贯的直率态度，不带一些曲折累赘，指出在军事共产主义时代以及在采取了新经济政策以后的时代所犯的错误。他的讲演是布尔塞维克自我批判的模范。他能够面向现实。他作批评，为的是求改进。

在这次大会上他指出，党要跟从小农经济发展出来的资本主义作斗争。他说：“这里，一幕斗争在最近的将来就要爆发了，究竟在哪一天爆发则还不能十分确定。”

在第十一次大会以后，列宁提议举斯大林为中央委员会的总书记。为疾病所迫而不得不离开工作，列宁把他最亲信的同志放在党领导机关中最重要的地位。

经过了几年的耐心与孜孜不倦的工作以后，斯大林以卓越的见识，选定了时机开始进行那列宁在第十一次大会所讲的有决定意义的进攻。在斯大林领导之下，党以成绩斐然的工业化与农业集体化为基础，进行了这个反对国内资本主义分子的决定的斗争而获得了光辉的成功。

在大会之后，列宁继续着他的勤奋的活动。他写了一篇论《真理报》十周年纪念的文章。他给政治局写了篇文章叫《论“二元性的”隶属与法律》，在这篇文章里他反对全俄中央执行委员会会议的议决——把检察厅不仅隶属于中央政府，而且隶属于地方当局。列宁写道：“法律不能够对卡罗伽有一种解释而对喀山有另外一种解释。对于俄罗斯全国，甚至于对于整个苏维埃共和国联邦，只能有一种法典。”他主张由检察厅实行一种集中的检察制度。

春天，列宁到莫斯科郊外的高尔基城去。在五月二十六日，列宁受到了他的病症（动脉硬化症）第一次凶猛的袭击。他的右臂与右腿部分失去了作用；他的发音也有了毛病。据医生说，列宁的病是他超人类地用脑过度所致。在三星期之内他的健康略有起色，但是在暑期中他的病又几次复发。在他患病期间，列宁作为党领袖的工作由中央委员会总书记斯大林所执行。斯大林常常去看列宁，向他报告国务，和他讨论当前的问题，并接受他给中央委员会的各种指示。

八月里，列宁请斯大林代为向全俄党会议致敬并且希望他能马上重新工作。而在十月里他的确恢复了工作。他主持了总人民委员会，出席了中央委员会会议并且在全俄中央执行委员会的一次会议上作了演说。

十一月里，他在共产国际第四次大会上作了关于俄国革命五周年纪念的演说。他指出各国共产党应该学习新经济政策的经验，因为工人阶级对农民的态度问题，对于各国的党都是极重要的。他在演说结束时指出，无产阶级必须学习学习再学习。他说我们必须提高大众的文化水准，然后社会主义社会才能建立起来。外国的共产党应该学习俾能消化我们的经验，并在他们争取社会主义的斗争中加以利用。

列宁费了极大的力气作了这个报告，一讲完，他就完全精疲力竭了。他的病症已经大大影响了他。

十一月二十日，列宁在莫斯科苏维埃会议上演说。这是他最后一次的公开演说。他结语说：

> 社会主义已经不是辽远的将来的事，或者不是一幅抽象的画图了。……我们已经把社会主义拖进了日常生活中，现在我们必须能够保持我们的成果。这是我们当前的任务，这是我们这时代的任务。请容许我在结束时表示我们的信心，虽然这个任务是艰巨的，虽然比之我们以前的任务，它是新的，而且不管它将使我们遇到好多困难，我们都将，不是在一天之内，而是在几年的期间，我们大伙儿一起完成这个任务，不管怎么样，新经济政策的俄国将转变为社会主义的俄国。

在这次演说之后，列宁把他关于国营对外贸易的备忘录托斯大林转交中央委员会会议。在这个备忘录里，他主张必须保持对外贸易的国营。

在一九二二年的最后几月中，党在列宁指示之下，为成立苏维埃社会主义共和国联盟而作了种种准备，列宁把主要的工作信托给斯大林，他叫斯大林在一九二二年十二月底召开的第十次全俄苏维埃大会上作了关于这问题的报告。

虽然他的健康还是很坏，列宁想要在大会上演说。但是他不能够出席，因为在十二月十六日他受到了第二次的病魔的袭击，右边身体麻痹了。看护他的德国医生福尔斯脱，关于那几个月的情形这样写道："在经常受医生检验及诊治的期间，当他必须脱衣着衣的时候，列宁永不许医生帮助他一些。在一九二二年十二月，他的右边全部麻痹，他已不能起床的时候，他还是极勉强地允许招一个看护，而后来，当他的右臂完全不能动弹时，他还是想尽可能使用他的左臂，以免别人的帮助。为他人服务是他一生的格言，不让他自己给别人侍候，而要自己照顾自己——他遵守这条最高法律直到他生命的最后一天。"

在一九二三年一月与二月里，列宁稍稍有了些起色。在疾病进袭的间歇期内，他口授了他最后的几篇文章，因为他已经难于执笔了。

像往常一样，列宁重视事实，他知道他的工作能力已经衰败，他必须利用剩下来的每一分钟了。《几篇日记》;《论合作事业》;《我们的革命》;《我们应该怎样改组工农检查院》;《宁可少些却要好些》——这几篇文章可以说是布尔塞维克党与全世界无产阶级领袖的遗言与遗嘱。

这里列宁注重于整个革命中有决定意义的政治问题——工人阶级对农民态度的问题。列宁说：

> 我们必须努力建立这样一个国家，在这国家里，工人保持着对农民的领导，保持着农民的信仰，而工人管理着最大的经济，把每一种浪费的现象从我们社会关系中扔掉……
>
> 假使工人阶级保持着对农民的领导，我们使用着我国最大可能的经济力量，将能利用每一个我们节省下来的戈贝克来发展我们大规模的机器工业，发展电气化、水电，完成伏尔柯伏司托洛爱建筑。
>
> 我们的希望就在这里，也只有这里。只有当我们这样做了的时候，我们——用比仿的说法——将能够把农民的、乡下人的、贫弱的马，把适应于衰落的农村经济的马转变成无

产阶级正在追求、而且也不能不追求的马——大规模的机器工业、电气化及伏尔柯伏司托洛爱建筑等等的马。

列宁指出，在这种条件之下，在农民中广泛地采用合作社制度会把农民直接吸引到社会主义。

其实，国家权力掌握着所有的大规模生产手段，国家权力是在无产阶级的手里，这个无产阶级和千千万万小农以及很小的农民的联盟，无产阶级对于农民确切的领导等等：难道这不是为了从合作社，单单从合作社（过去我们把合作社看作小买卖，而从每一点上看，在新经济政策之下我们现在仍有权把它看作这样）建立社会主义所必需的一切，难道这不是为了建立完全的社会主义社会所必需的一切吗？这还不是社会主义社会的建立，但这是为了建立社会主义所必需的，而这也足以建立社会主义。

但是要实现合作社制度，必须进行很多的文化工作。

> 每一种社会制度都是靠了某一个阶级的经济援助而兴起来的。我们无需乎说，“自由的”资本主义是化了千千万万的卢布而诞生的。现在我们必须认清这事实，（并把它采用在我们的实际工作中），就是我们现在必须比平常给以更多援助的社会制度是合作社制度。但必须给以名副其实的援助，就是说，把援助解释作对于任何合作社都加以援助是不够的；我们所谓援助必须是对于有**真正人民大众真正参加的**合作社的援助。

在他最后的几篇文章中，列宁好几次讲到提高文化水准，增进教师的地位，必须经常学习。列宁讲到必须把苏维埃机构简单化，并加以改进。他提议，工农检察院须加以改组并与党的组织——中央监察委员会合并。他提议中央监察委员会中的工人农民的数量必须增加，工农检察院必须赋以研究劳动组织之科学化的原理的任务，并把这些原理广泛地应用到苏维埃国家与国民经济的组织之中去。

列宁说，中央委员会与中央监察委员会的主要任务，是要注意不要让工人农民之间发生罅隙，要注意农民群众是否追随着工人并受工人的领导："我们必须极端谨慎，为了能保持我们的工人政府，保持我们的小农和很小的农民在工人的统治与领导之下"。

列宁在他革命活动的最后几个月中所作的文章与讲演，清清楚楚地给党规定出了党所必须循以前进的主要道路。列宁指出，即使世界革命迟延了，在我们国家内建立社会主义还是十分可能的。社会主义建设已经开始了，它一定会胜利地前进。社会主义建设必须以加强与发展重工业为基础，重工业将是国家工业化的基础。而当我们能够把曳引机与进步的农业机械供给农村的时候，我们必须大规模地把农业社会化。农民的集体化将把农村直接引导到社会主义。所有这些工作必须由党与苏维埃国家加以领导。我们必须小心不要使苏维埃国家变成官僚化。我们必须有一个和群众紧密联系着的不浪费公帑的国家机构。为争取教育与文化的斗争，将替建立社会主义、替反对官僚政治的斗争以及争取农村广泛集体化的斗争预备了基础。

就这样列宁提出了摆在党与无产阶级面前的主要任务。

列宁这几篇最后的文章给了党在未来几年中实际的指示。而同时对于马克思主义的宝库是一个伟大的理论的贡献。在这几篇文章里，列宁提出了一个在无产阶级领导广大农民群众的国家内建立社会主义的恰当的马克思主义方案。列宁这个计划供给了各国共产党以进行活动的理论基础。

在一九二三年三月九日，列宁遭到了第三次病魔的袭击，他迁移到了高尔基城。他右边的身体完全麻痹了，他失去了讲话的能力。他的状况是极端严重了。病状使他感到痛苦地发展着。他受罪得很厉害，受着精神兴奋与失眠的痛苦。党、工人阶级与农民焦急地注视着他们领袖的病况。

看护他的许多医生中的一个叫奥拔黑的这样写道：

情形确是悲壮的。这个人，这个曾经用他的言词使群众激动兴奋，曾经在辩论中说服战士并使领袖坚强起来的人，这个人，这个人的话使全世界都这样那样地起了反应的人，现在却连最简单的最原始的概念都不能表示出来了。

四月中开了第十二次党大会——这次大会缺少了列宁参加。到会的代表都焦急地讨论到他的严重的状况。中央委员会向大会的组织报告是由斯大林作的。

在仲夏的时候，列宁的健康状态有了一些进步。失眠症没有了。靠了别人的帮助他渐渐可以走路了。秋天的时候，在医生的调理之下，他开始练习渐渐恢复说话的能力。

他用铁一般的坚毅跟他的疾病作斗争。克鲁普斯卡亚和他的妹妹玛丽亚经常在他身边。最好的苏维埃的与外国的医生都被请了来。

十月里，列宁可以用一根手杖自己走路了。他坐汽车出去玩。有一次他驱车到莫斯科，到克里姆林宫中他的房间里去看了看。在归途上他又在那正在筹备中的农业展览会停车看了一会。这是列宁最后一次到克里姆林宫。

他的讲话渐渐进步了。他翻阅报纸，指出那几篇东西，他要别人读给他听。看样子列宁恢复工作的日子似乎快到了。但是悲剧的结局终于到临了。

赛马希科写道：

> 在那不幸的一天的前夜，乌拉地米尔·伊里奇觉得不大好。他一醒转来就不舒服，觉得头痛，胃口不好。第二天早晨他醒转来仍旧觉得不舒服，不要吃东西，经他周围的人苦苦要求，他才算在早餐时吃了一些，在午餐时又吃了一些。午餐后他躺下休息。忽然之间，屋里的人都看出，他的呼吸沉重而不规则了。

一九二四年一月二十一日下午六点钟，病势转重。列宁失去了知觉。他的呼吸愈来愈坏。他的脸变得死一般苍白。他的热度迅速增高……在五十分钟之内，列宁因脑充血而死了，这脑充血是呼吸器官麻痹的结果。

这个悲伤的消息传播到了全国与全世界。在一月二十一日的晚上，召集了中央委员会会议。第二天，在那时正在开会的苏维埃大会上，加里宁宣布列宁死了。钢铁炼成的布尔塞维克们也都号啕大哭起来。

一个出席苏维埃大会的劳动妇女，齐冈可娃同志，对于代表们听到了列宁逝世消息时会场上的情形有这样的描写：

> 在一月二十二日，我们全俄大会的代表去出席上午的会议，当我一踏上主席台（我是被选入大会主席团的）我就从所有到会者的脸色上看出，发生了可怕的事情。最后，当我们许多人聚集在主席台上的时候，加里宁同志把我们亲爱的领袖逝世的消息告诉了我们。
>
> 我们不知道你们能否想象当时在主席台上发生了怎样的情形。不哭的人很少，而这少数人不过是为了竭力抑止他们的眼泪。我的心沉了下去，我觉得我很想高喊这是不会的，这是

不真的。

当加里宁把列宁逝世的消息向全体大会宣布的时候，欷歔悲泣的声音压倒了那正在奏哀乐的乐队。每一个人都哭了：女人与男人，年青人与年老人，都忍不住他们的眼泪了；他们大家都失去了他们最亲密的最亲爱的朋友。

党中央委员会的哀告这样说：

在他战斗的领导之下，我们的党用了有力的手，在战争的烟雾中在全国展开了十月的红旗，扫荡了我们故人的抵抗，在以前的沙皇俄罗斯坚固地建立了劳动者权力的这个人逝世了。共产国际的创立人，世界共产主义的领袖，国际无产阶级所敬爱所引以自傲的人，被蹂躏的东方的领导者，俄国工人专政的领袖死了。

哀告继续说：

列宁活在每一个诚实的工人的心里；列宁活在每一个贫农的心里，列宁活在千百万殖民地奴隶的中间；列宁活在那些憎恨列宁主义、共产主义与布尔塞维主义的我们的敌人的营垒中。

工人与农民听到了列宁逝世的消息都深为哀悼。

这是成千成百悲壮景象中的一幕。在顿巴斯矿区，在第十三号矿井的工人俱乐部里正举行着一个纪念一九〇五年血星期日的集会。

突然之间，值班的电报员冲到了台上。他太激动了，面色苍白，喘不过气来。他悄悄地把一张字条给主席。主席看了看字条面色就转白了。他再看一遍，看了第二遍第三遍。他的手发抖了。主席团都惊惶失措。他们都震动了。那演说的人也发觉有些不对劲，不能再讲下去了。

主席插进来说："同志们，刚收到了一个

电报说列宁……”这句话没有说完他就像小孩子般哭了起来，用双手捧着他的头。

“列宁死了——！”另外一个主席团的同志代他说完了这句话，他的声音为呜咽所哽住了。

这好像是一个晴天霹雳。全场寂然无声有好几分钟……

一个老矿工说：“伊里奇，亲爱的伊里奇……没有了你，我们将怎么办呢。”那双嵌在他衰老而多皱的脸上的眼睛注视着远方，而从这双在他们那时候曾经看遍矿工生活的一切困苦与贫穷的眼睛里，泪水一大滴一大滴地滚了下来。在那时所有的人都像这老矿工一样。大家都喉头哽塞，泪水流下了他们的面颊，他们的心很快地跳动着。

“但是我们将代替你的位置，永不会被忘记的老师。”那矿工好似从梦中醒来般地继续说：“我们将充实你的党的队伍，我们将继续你所开始的以及你为了它而死的工作……”他不能再说下去了……一涌新的泪水使他不得不离开了讲台。

矿工们一个跟着一个地开始讲演。在他们那以朴素与诚挚感动每一个人的心坎的粗俗的言词中，人们可以感到无产阶级的整个力量。会场中生出了这样的一种思想：列宁死了，但是无产者集体的智能，他们伟大的领袖——布尔塞维克的卫士——的集体智能还活着。我将代替列宁的位置。

一月二十三日，灵车到了莫斯科。载着列宁遗体的灵柩运到了职工会大厦。沿途站满了成千成万的工人、红军士兵与农民。有五天五夜，成千成万的工人农民、红军与职员，从其他城市来的代表团，青年人与老年人，走进了停着列宁遗体的职工大会大厦的大厅去和他们所热爱的领袖告别。全国都举行追悼会。工人与农民都立誓他们要继续列宁的事业。外国的工人，东方与各国的被压迫人民都有同样的反响。

一个叫索科洛伐的织工，这样描写了这几天的情形："他死的时候我们完全惊惶失措了！这是一个打击，一个我们在革命中所受到的最厉害的打击。全莫斯科都觉得惘然若有所失，都觉得凄凉万分。

"列宁死了！我参加了殡礼——好多的群众啊——要走过去都不大可能！全莫斯科都在哀悼。他的遗体从派凡莱茨基车站移到职工会大厦。我去迎接了他的遗体并且一直跟着他的灵柩走。第二天我从工厂里带了一个鲜花扎成的花圈去。我拿着那花圈，哭泣着。但是我与我的眼泪算得什么啊！别的人一面哭一面说：'我们代替他死了多好呢。'"

一月二十六日在大戏院里开了一个追悼会。

党与党的中央委员会向他们的领袖道了最后的"分别"。在一篇代表党的有力的动人的演说里，斯大林立下了誓言要遵守列宁的遗嘱：

列宁同志与我们永别时，嘱咐我们高举着党员这个伟大的称号，并保存着这伟大的称号的纯洁性。列宁同志！我们现在向你宣誓：你的这一个遗嘱，我们一定会光荣地实现的。

列宁同志与我们永别时，嘱咐我们保存我们党的一致，好似保护眼珠子一样。列宁同志！我们现在向你宣誓：你的这一个遗嘱，我们也一定会光荣地实现。

列宁同志与我们永别时，嘱咐我们保存和巩固无产阶级专政。列宁同志！我们现在向你宣誓：你的这一个遗嘱，我们也一定会光荣地实现！

列宁同志与我们永别时，嘱咐我们巩固与扩大共和国联盟。列宁同志！我们现在向你宣誓：你的这一个遗嘱，我们也一定会光荣地实现！

列宁同志与我们永别时，嘱咐我们忠实于共产国际的原则。列宁同志！我们现在向你宣誓：我将奋不顾身地巩固与扩大全世界劳动者联盟——共产国际。

一月二十七日是一个有阳光而寒冷的日子。祭火燃烧着，烟气弥漫在街头；全城在活动中。载着列宁遗体的灵柩从职工会大厦移到了红场。成千成万的人民拥挤在附近的街头。红旗飘扬着。乐队奏着丧礼进行曲。接着开始了最后的告别式，最后一次哀悼的表示。在四点钟，鸣了一声礼炮，于是莫斯科各工厂的汽笛以及全国各工厂各火车头的汽笛都叫了起来。列宁的灵柩降到了陵寝的地穴中去。

党丧失了他们敬爱的领袖，但这并没有动摇了党的队伍，而是使他们团结得更紧了。成千成万的非党员的工人，最好的工人都表示愿意加入列宁的党。在几个星期以内，就有二十万以上的工人——“列宁的后备兵”加入了党。

其中有一个土拉军火工厂的女工叫伊时伏尔斯卡亚这样写道：

> 直到我们的领袖，乌拉地米尔·伊里奇·列宁逝世的时候，我是一个事务员，不是一个党员。我从没有在工人会议上讲过话，那时我是不会说话的。但是当我们伟大的敬爱的领袖与导师一死，我不能留在党外了；我在他举殡那

一天加入了党，而那一天我会讲话了。在乌拉地米尔·伊里奇下葬的那一天，我在中央商店与运输部的职工会议上作了第一次演讲。我第二次演讲是在人民大厦里。在那时我自己也不懂怎么我会变得这样活跃起来。我最先加入了俄国共产党（布）。

全国最好的工人都向中央委员会宣称：

列宁死了以后，我们工人的出路已只有一条，就是站在共产党的旗帜之下。

列宁死了，但是他的事业是为千千万万的工人与农民所继续着。他的旗帜是被布尔塞维克党与它的列宁主义的中央委员会高举着。

第二十三章　人·革命家·领袖

列宁的一生是和劳动大众紧紧联系着的。他完全献身于劳动者与被压迫者从资本的剥削之下解放出来的事业。

他细心地研究工人、农民以及被压迫民族的生活。他不单单从书本中研究他们的生活，而且从他跟工人们的无数次谈话中，从他们写给报纸的信件与通讯中，从出席工人的会议与工人的家庭访问中研究他们的生活。

当流亡在外国的时候，列宁从工人的来信以及从俄国来的人的谈话中，能够很清楚了解工人阶级的状况、感觉和希望。甚至当他和本国隔离了好几年，他还是比许多住在国内的人与俄国无产阶级有更好、更密切的联系。

列宁无论住在什么地方——在国外，在俄国，在城里或者在乡下，他总很周密地研究劳动人民的生活，密切地观察他们，询问工人与农民们，他们需要什么，关心些什么。

克鲁普斯卡亚写道：

> 他喜欢阅览各种在郊外、在小咖啡店、在美国教堂内所举行的社会主义者集会的笔录，他要了解德国、英国与法国工人的生活，听听他们怎样讲话——不是在大的会议上，而是在他们自己内部的小组会议上的讲话，他们思考些什么，他们的生活怎样。我们参加巴黎的各种选举集会。我们对于所侨居的国家的工人生活比一般的侨民懂得更清楚。

十月革命之后，列宁住在首都，先是在彼得格勒，后来在莫斯科。他们的工作条件使他很少有机会离开了这两个城市。他极关心一切劳动人民的需要与要求，仔细地观察苏维埃边境的工人、农民与各民族的生活条件。他知道他们内心的思想，而当他指出党所应该采取的路线时，他总有把握使劳动群众一定会追随党。他主张要在广大的范围内把群众吸收到革命工作里来。

斯大林说：

> 没有看见过别的革命家，对于无产阶级的创造力与它阶级本能的革命的利害得失观念，能够像列宁那样有深湛的信心。我没有看见过别的革命家能像列宁那么能够无情地鞭挞那些批评“革命的混乱”和“不负责任的群众活动的胡闹”的批评家。我记得在一次谈话中，列宁回答一位同志的一句话“革命以后正常的秩序必须建立起来”的时候，讥刺地说：“那些想做革命家的人竟会忘记历史中最正常的秩序就是革命的秩序，这是很可惜的。”
>
> 因此列宁对于那些想傲慢地轻视群众并且从书本上教训他们的人是很看不起的。因此列宁常常叫我们必须从群众学习，要了解他们的行动并且细心地研究群众斗争的实际经验。

列宁是工人群众的最最伟大的组织者。他喜欢反复说这句话："工人阶级的力量是在于组织。没有群众的组织，无产阶级是空的。而一有了组织，它就是一切。"

列宁组织了、培植了布尔塞维克党。在他革命活动的最初几年，列宁就已经拟出了一个建立党的正确的组织方针。以天才的预见，他知道，孟塞维克关于党组织的提议，假使一经采用，准会使工人阶级成为资产阶级的附属品的。

列宁在那几年中最大的功绩，就是开辟了建立党的正确的组织路线，他在第二次大会上以及大会以后竭力反对孟塞维克为提出的组织方针。

毫不妥协地拥护马克思主义，不屈不挠地、果断与坚忍地为马克思主义的观点而斗争，组织上的团结，铁的纪律与战斗的热情——这些都是布尔塞维主义从一开始就有的特征。在列宁领导之下，布尔塞维克党经过了三次革命而在十月革命中得到了胜利，它受到了好几次的逆袭也得到了好多次的胜利，而在列宁的坚强的领导之下，它在这些革命斗争中炼成了钢铁一般。

根据了布尔塞维克党的经验，列宁创立了共产国际。

列宁是为大家所公认的党的领袖，他像一个真正领袖，能够比许多人看得更远大，能够预言要进行那在别人看来是不可能的梦想的事情。

列宁对于普列汉诺夫总是表示极大的尊敬，但是从他们一道做工作的最初几年起，他就能揭发他的许多错误。虽然普列汉诺夫那时被认为俄国马克思主义最先进的代表，列宁却勇敢而直接地反对这些错误。在这对普列汉诺夫的斗争中，列宁完全是对的，因为普列汉诺夫的错误，那时在许多人看来是极无关重要的，却终于使他走到了孟塞维主义，护国主义，使他在资产阶级反对无产阶级的斗争中成了资产阶级的拥护者。

列宁做了非常重要的工作；揭发民粹派、社会革命党以及其他小资产阶级党派的反马克思理论。由于他对这些倾向作了理论的与政治的斗争，他得以战胜他们，把工人与农民从他们有害的影响中解放出来。不战胜各式各样的民粹主义，无产阶级政党是组织不起来的，十月革命的胜利也是没有保证的。

列宁是首先跟孟塞维克、托洛茨基以及第二国际领袖们的机会主义作斗争的人，并且毕生猛烈地进行了这个斗争。他的敌人斥他吹毛求疵，爱跟人家争吵，小题大做。但是孟塞维克机会主义的起初的表现，在那时似乎无关大体，但却是他们背弃革命的起点，而这后来又使他们在第二次革命中成了资产阶级的同谋犯，在二月革命之后成立了资产阶级的拥护者，使他们投向了高尔察克、邓尼金与国际帝国主义的怀抱。

用了天才的预见，列宁反对第二国际的机会主义者。他在他革命活动的初年就开始了这个斗争。他是最初尖锐地批评伯因斯坦著作的一个人。他坚决地反对第二国际的机会主义者，并且远在第二国际的领袖们在世界大战时公开出卖劳动人民以前，就坚决主张和他们分裂。而正当机会主义似乎在劳动运动中已经胜利的时候，他号召组织第三国际。他是第三国际（即共产国际）的创立人与灵魂。

当列宁在第一次革命之前，论到有准备武装起义的必要时，孟塞维克们嘲笑他是一个无聊的幻想家；但是隔了不多几个月的时间，工人、农民、士兵与海军的武装起义就在全国爆发了。

当列宁在二月革命之后到了彼得堡宣称社会主义革命就在眼前的时候，他受到了右派（卡米涅夫和其他的人）的反对，但是经过了六个月，列宁已经是无产阶级专政得到了胜利的国家中的工人政府的元首。当列宁在一九一五年，在帝国主义战争与反动势力嚣张的困难关头，论及社会主义有在一个国家内获得胜利的可能时，所有第二国际的机会主义者、托洛茨基以及俄国的孟塞维克一道起来反对列宁。但是，历史却走了列宁所预言的道路。

但是列宁不只对于未来看得远。他还能够在进攻与胜利的时候，并且也在工人阶级遭到困厄，作艰辛退却的时候，领导工人群众和党。他从来没有表示过丝毫灰心与沮丧。在胜利与成功的时候，他也没有弄昏了头脑；他教训别人不要在失败的时候垂头丧气。

列宁的姊姊乌里亚诺娃一爱里柴洛娃回忆说，他的谈话与书信“对于一切的灰心，神经质或冷漠总是一泓清泉；它们带来了一种鼓舞，使人们兴奋了起来。而他的自信力也并不压迫人们，而是给他们以力量以及更好地利用他们的才能的锐气。他的智慧注入了他们以人生的乐趣——这对于任何工作是最好的润滑油。”

在第一次革命失败之后，列宁坚决地相信革命并没有被粉碎，而且一定会得到胜利。在这些困难的年头，他果敢而又坚毅地整顿了党，跟孟塞维克、取消派、托洛茨基以及党内的机会主义派别（召回派、调和派及其他）作斗争；他使党与无产阶级为了新的战斗而准备起来，并且期待新的革命高潮与新的胜利。在一九一七年秋季，当列宁认为作决定的进攻的时机已经到来时，他就像一个真正的革命军队的司令官一样，能够指挥党进行切合时机的进攻以得到胜利。

在举行布列斯特和平谈判的时候，以及后来，在过渡到新经济政策的时候，当党必须退却与随机应变的时候，列宁机敏地领导了党，不让有一点恐慌，一点混乱，一点颓丧，或分崩的现象。

列宁之所以有做领袖的机智，是由于他有清楚地观察事物的能力。当他看到工人阶级受到了严重的失败时，他并不掩饰事实，而在成功或胜利的时候，也并不迷惑了自己。因为他知道胜利的后面是常常跟踪着最大的困难的。

他教训党与工人阶级要堂堂地面向现实，要说实话。

用斯大林的话来说，列宁“是革命领导艺术的一个大师。他从没有像在革命高涨时候那么觉得自在与快乐……在革命变革的时候，他可以说精神最健旺，成了一个预言家，预见到各阶级的变动与革命之可能的迂回曲折，他好似看他手掌上的纹路一般把它们看得清清楚楚。就在我们党的小组内常常说起‘伊里奇能够在革命的波浪中游泳，像一条鱼在水中一样”，这不是没有道理的。

“正因为这样，所以列宁的策略口号具有‘惊人的’明确性，他的革命方案带有‘吓人的’大胆性。”

列宁不仅仅是战争与社会主义革命时代劳动人民最伟大的领袖，他而且也是先进的理论家，马克思、恩格斯工作的继承者。

列宁之所以有力量就在于他根据了马克思的学说。但是列宁贡献了许多新的东西，他把马克思的学说运用于帝国主义与无产阶级革命时代的新条件而进一步发展了它们。

斯大林指出了列宁所贡献于马克思主义发展的新思想。

第一、列宁，根据了马克思关于资本主义的著作，并且研究了过去几年中的经济史，分析了帝国主义并且称它为资本主义的最后阶段。他指出了帝国主义的各种困难以及那使它必然要没落的各种条件。

第二、列宁详细地阐发了无产阶级专政的理论，指出苏维埃政权是无产阶级专政的形式，透过了它的专政，无产阶级领导农民；而无产阶级专政，因为它代表了大多数被剥削者的利益，是民主政治的最高形式。

第三、列宁对于在一个被资主义国家包围着的国家内无产阶级专政时期建立社会主义的方式与方法的问题作了苦心孤诣的研究。他指出，在一个无产阶级专政已经胜利的国家内建设社会主义是可能的。他定出了经济政策的路线，这个政策会把农业与社会主义的工业联结起来而把整个国家经济引向社会主义；他指出，透过了合作社制度，农民可以被引向社会主义而在社会主义精神之下重新被教育起来。

第四、列宁把马克思关于无产阶级领导权的思想

“发展成了一个整然的体系，就是无产阶级对于城市与农村中劳苦大众的领导不仅仅在为推翻沙皇制度与资本主义而斗争的时候，而且也在无产阶级专政之下建设社会主义的时候。”

第五、列宁把马克思与恩格斯关于民族和殖民地问题的思想整理成为很调和的体系。他把这问题和推翻帝国主义的问题联系起来，说明它是国际无产阶级革命整个问题中不可分割的一部分。

最后，列宁详细地发展了无产阶级政党是无产阶级组织的最高形式这个理论。他指出党调整并且领导其他工人阶级组织（工会、合作社等等）的活动，无产阶级经过了党实现它的专政，而且党也并不和其他政党分享它的领导权，而党只有在党员间执行铁的纪律时才能实现无产阶级专政。

在他的一生中，列宁在经济、政治、哲学等各方面做了广泛的理论工作。甚至他对于并无专门研究的问题所作的个别的论调，也都成了进一步作马克思主义理论探讨的基础。而且，列宁的理论工作是和无产阶级党当前的政治任务紧密地有机地联系着的，并不是作抽象的理论探讨。对于列宁，理论与实践是相互交错的。实践给理论的归纳提供材料，而理论给实际工作提供了基础。

列宁是人类中一个极伟大、极辉煌的理论家与世界社会主义革命的领袖。列宁根据了马克思的学说，堂堂地在工人阶级之前，提出了为社会主义而斗争的任务是无产阶级斗争最急迫的任务。

在他创造了一个新型的、战斗的无产阶级政党以后，列宁在两条战线——反对右派机会主义与反对“左派”小资产阶级革命主义——的斗争中在理论上、在组织上锻炼了党。

作为一个革命的无产阶级政党的领袖，列宁替工人阶级从剥削中解放出来的事业开辟了道路，他唤起了全世界无产阶级来反对帝国主义，他创造并且领导了人类历史中第一个无产阶级专政的国家。列宁向农民与殖民地国家指出了解放的道路。

用斯大林的话来说，列宁主义是“无产阶级革命的理论与策略。”它已成了千千万万劳动人民的旗帜。

列宁是“一个卓绝的领袖，一只山鹰，他在斗争中不知有什么恐惧，他勇敢地领导党沿着俄国革命运动从未经历过的道路前进。”

列宁赋有铁的意志、果敢以及革命的战斗性格。

在私人关系中他是纯朴而直率的。他常常像一个年长的伙伴而从不表示优越感；在帮助与教育没有经验的同志的时候他是亲切而周到的。

克尔日尚诺夫斯基写道：

在亲密的友人之间，乌拉地米尔·伊里奇立刻会成为这一群人之间的生命力。他在哪里，哪里就听得到最热烈的讨论与最真心的笑声。他很注意于每一个同志的特性并且有一种惊人的妙法，根据人们的性情去跟他们接近。他真是一块“人类的磁石”。和马克思一样，只有一样东西是乌拉地米尔·伊里奇所忍受不了的：欺骗、矫饰、说漂亮话。

列宁待人接物是非常亲切的，但是对于党的敌人或那些固执自己的错误而有害于党的人他是严厉而无情的。他不能容忍使工作被争吵和个人的怨仇所破坏。

他非常关心他的同志们的幸福。

当国会议员萨莫也洛夫从俄国出来，健康完全衰颓的时候，列宁用了一切力量帮助他恢复健康，他要求同志们要竭力保护党的财产。

克拉拉·蔡特金[1]告诉我们，当她病的时候，列宁怎样常常去探望她。“用了慈母的关心他问我是否有适当的治疗与合宜的食物，并且问我需要些什么。”

在苏维埃政权建立以后，当他忙于工作的时候，他还找出时间来关心到同志们。他写条子给他的秘书们替新来的同志安排房间，把某幢房子刷新，给一个外国共产党员送柴火与食物，给已故同志的孤儿寒衣穿等等。他告诉克里姆林宫的房屋管理员，“斯大林在克里姆林宫里占了一个他不能睡觉的房间”，要求给他找个安静的所在。

他很留心地注意同志们的健康。他看到某一个同志“看样子像快死了”，就提议立刻给他医治。他因为“阿

[1] 已故的德国女革命领袖。——译者

伐涅索夫在身体有病的时候操劳过度”而担心，他嘱他去看医生。他给在病后受着克劳斯医生诊治的楚罗伯打了这样一个电报：

> 务须**彻底治疗并向医师索取一张关于你的健康以及你在病愈后当如何调理**的诊断书给我。

当他注意到一个同志很疲劳与工作过度的时候，他总要叫他休假一个时期；他自己会替他设法找一个疗养院，并且使中央委员会作一决议，强迫他休息，在病好以前不要恢复工作。

根据他所得到的确切的报告，他带着极大的激动写道，“中等学校里的学生挨着饿”，他要求立即给他们帮助，并设法改善他们的伙食。

甚至琐屑的事情上，列宁也是周到而亲切的：例如，当他要和斯大林谈话而送一封信给他时，他在信封上写明：“只许斯大林起身以后（不要叫醒他）交给他。”

因此卡尔宾斯基这样写道：

在罕见的人类特性中（这些特性使乌拉地米尔·伊里奇出人头地），是他在态度上的非常亲切、同情、周到、纯朴与谦和，而他不但对于同志们——无论是中央委员或者下级党员，而且对于一般人民，无论是名流或是劳动妇女都保持这种态度。

在他对于人民的亲切态度中，丝毫没有一点虚伪与不诚恳。列宁很爱护那为革命事业而工作的人并对他们深深地关心。由于他这种关心，人们就更好地利用他们的才能而被注入了新的热忱。

人们和列宁接触了以后就会在他们的革命工作与党的工作中发展与获得新的力量。列宁以他对于无产阶级胜利不可动摇的信心、他的热烈的战斗意志、他的辉煌的远见以及完全的科学知识感染了他的同志们。

列宁一生都过着简单的生活，这是工作与困苦的一生。他常常是很经济的，尤其是有关他个人需要的时候。

在他早期给他亲戚的一封信（一八九五年）中，他总结了他每月的费用（三十八卢布）并且附加说：“巨大的支出……我生活得很奢侈：例如，单单电车费一项，我就用去了一卢布三十六戈贝。”因为他自己的收入不多，他得用他母亲的钱，这些支出就更加使他感到不安了。

后来，当他因为没有收入而不得不依赖党的经费时，他是很不乐意的。当蓬奇—波罗也维奇自动把列宁担任人民委员会主席的薪水提高了的时候，列宁大为震怒，威胁着要给他一次惩戒。

列宁以他有卓越的工作能力而超群出众。不管他的环境怎么样——在监牢里、在放逐中、在侨居国外的时候，他总知道怎样有系统地分配他的时间并最有益地利用时间。凡是他所主持的会议都准时开会。

列宁对每一个和他一道工作的人要求有同样的细心与方法。他不能容忍不健全的理由、随便的主张、仓促作出的结论，他主张每一个叙述都要准确，而在必要的地方以数字来证明。

他往往毫不犹豫地打断那些只讲一般原则的讲演者，向他们重复说：“讲事实，讲事实！”他要求准确的数字、人民与地方的名字。他总要问：“什么名字？

什么县份？有几分准确性？”

列宁对于纪律非常重视，他自己就是一个守纪律的模范。当他担任人民委员会主席的时候，他不容许因为他的缘故而丝毫破坏了法规。有一次当他需要从罗姆杨采夫图书馆（现在已改为列宁图书馆）借几本参考书时，他请图书馆把书送给他，并且附加说，如果把这几本书借出来是违反图书馆规则的话，他们就只让他借一晚上好了（在夜里图书馆是不开放的）。

在列宁看来，实际办一桩事情——不管怎样的细小——都比几十件决议案更重要。好几次他都亲自检查他的命令是否执行，有没有真正产生实际的结果。

他兴致很好，愉快，喜欢说说笑笑。他喜欢笑话与诙谐。

高尔基说：

我从没有遇见过像乌拉地米尔·伊里奇那样会笑的人。这是很奇怪的，像他那样一个严格的现实主义者，一个能够这样观察入微，这样深刻地认清巨大的社会灾殃的必然性，毫不妥协地、毫不容情地憎恨资本主义世界的人，竟会笑得像一个孩子一样，直到流出了眼泪，直到笑得喘不过气来才停止。一个人能笑得像这样，必定有最健全最健康的心灵。

列宁很欢喜小孩子，他能够和他们玩上好几个钟头。孩子们常常缠住他。石克洛夫斯基回忆说：

那时我住在法尔根威街九号的二层楼上。乌拉地米尔·伊里奇经过我的住所的时候，总要从一扇窗户望一望，再从另外一扇窗户张一张，假使看见了任何一个孩子，他总要把两手放在两面鬓骨上做出两只角的样子，扮一张鬼脸，冲进屋子里来。孩子们总是鼓噪一声，躲到沙发或桌子底下去。伊里奇追逐他们，而这个嬉戏就一直继续着直到双方精疲力竭为止，于是双方宣告和解，而不久和解就又被某一方面所破坏。孩子们欢喜伊里奇……因为没有一个人像他那么爱孩子并且肯和他们玩耍的，而伊里奇每次来看我们一次都是孩子们的一桩乐事。

在他空闲的时候，列宁喜欢作长时间的散步；他很爱大自然。他喜欢爬山、打猎、骑自行车、洗浴（尤其是海水浴）与各种运动。

在国外的时候，为了在紧张的工作以后舒畅一下，列宁和克鲁普斯卡亚会有时背了背囊到山上去过几天或过几个星期。克鲁普斯卡亚回忆某一次这种在瑞士山中的旅行说："我们的钱袋并不丰富，我们不多吃正式的饭菜，只吃一些干酪和鸡蛋，喝一点酒，喝些泉水。在一家社会民主党开的小旅馆里，一个工人劝我们：'你们不要和旅客们一起吃饭，还是和马车夫、汽车夫与工友们一块儿吃，那就可出一半价钱而吃到容量加倍的东西。'我们就照他所说的那样做了。"

另外有一次列宁从国外写信告诉他母亲："前天，娜迪亚，一个朋友和我到萨里夫作了一次愉快的旅行。在我们脚下，日内瓦被笼罩在雾霭与朦胧中，但是在山上（差不多拔海一千二百米突）却有辉耀的阳光、白雪、雪橇。是一个很好的俄国冬天的日子呢。”

有一次冬天，列宁在布尔雪伏附近的“列斯尼·波尔耶尼”国家农场过了几个星期。往常他只在休息的日子才到那里去或者在工作日去玩上几个钟头。他拣了一个小的空茅屋住下。预先知道列宁要来，人们在那茅屋里安置了精美的家具。列宁要求立刻把这些家具搬开，把它们分给国家农场的工人们，而给他一套简单的柳条家具。他自己布置了他的房间，马上就去看他的车夫安顿得怎样了。

列宁详细地询问国家农场的工作，工人们的生活怎样，他们的工资是否适当，询问附近工厂的情形，那些工厂里工人的生活情形，关于电力的供给等等。

国家农场的经理说，在晚上，列宁“上公园去，或者在他的餐室里坐上几个钟头，静静地沉思着，注视着通红的俄国火炉。在炉子旁边，有些盛着他从树上摘下来的嫩枝的瓶子；那些嫩芽在温暖中会生长出来。

在晚上的几个钟头空闲里，列宁爱做些运动。他有时带了铁铲与扫帚，在深可及膝的雪地里，清除他自己房屋以及工人房屋周围的道路。起初，当工人们在早上醒来知道了谁清除了雪地的时候，他们大为诧异。

在他到了一二天以后，伊里奇在国家农场周围散步，走到了牛栏那里。那个管牛的牧人，不知道他是谁，吩咐他立刻走开。

伊里奇，像他后来说的，听了这话一些怨言也没有，他常常回忆他怎样“被解了职”。

有几天，列宁收到了邮件与报纸，就差不多坐到天明，不断地跟莫斯科打电话。

列宁爱好文学，在空闲的时候他热心地反复阅读普希金、涅格拉索夫、托尔斯泰与其他古典的著作。他很重视那把现实中最重要的社会现象正确地反映出来的能力，他重视艺术的才能。

他很喜欢音乐，特别是悲多汶。他喜欢听歌唱，也喜欢自己唱，当一群同志集合在一起的时候，他往往热心地领导唱歌。他在空闲的时候喜欢到音乐会去。

列宁对于绘画与戏剧也很感兴趣。在这方面他也要求形式的完美，内容的深刻、真实与清晰。

列宁生在两个时代之中的过渡时代，但是他却实实在在属于共产主义社会的。

在一九三五年，莫斯科广播电台向它的外国听众，在他们看来，谁是历史上最伟大的人物，全世界许许多多劳动人民都回答是列宁。

这里是这些答复中的几个：

列宁是历史上最伟大的人物，因为他为了工人群众的解放而斗争。他从不畏缩犹疑，他把他们的意见与理论坚持到底，直到他完成了人类过去所从未完成的伟大的工作。（从英国来的答复）

历史上最伟大的人物是列宁，因为他把马克思的理论行之于实践。他是共产党的组织者与领导者。他给全世界的工人农民指出了一条从资本主义解放出来的道路。他给了全世界无产者一个祖国，而这是我们的责任，不论我们在什么地方我们都要拥护这个祖国。（从瑞典

来的答复）

是列宁。他在七年之中要比全世界所有的伟人在二十个世纪中做了更多更有益的工作。我们比较一下看看吧。一切荣耀归于列宁！

在百年之内，在地球上将没有一个城市或乡村会没有他的雄伟的铜像。而无论何处，凡有荣誉的地方，这地方将归于列宁。（从比利时来的答复）

是列宁。因为他在历史上留下了最深刻的迹印。工人阶级将永远把他看作自己的领袖与解放者而敬爱他。资产阶级则同样程度地憎恨他。（从西班牙来的答复）

是列宁。他之所以伟大是由于他替全世界的穷人所做的事。列宁的事业对于全世界无产阶级有极大的重要性。全世界的劳动群众开始看穿了自由主义的欺骗并且认识了社会民主主义的不忠实。他们将转向共产主义，因为共产主义给予了一个更好更合理的世界的希望。而这是列宁——他给我们提出了口号，暴露了资本主义社会。是他对共产主义的理想给予了一个正确的实行办法。这就是千千万万劳动者的意见。

列宁活在全世界劳动者的心里，而他的理论领导他们走向斗争走向胜利。

列宁是死了，但是他所创造的党是统一而强固的，它准备着作新的斗争。它的领袖的死亡并没有瓦解了它的队伍。在党的首脑部有着列宁二十五年来亲密与信任的战友、历届的政治局委员、列宁提议叫他担任党的总书记职务的斯大林。党，在劳动群众拥护之下，已经使国家得到了新的胜利。

列宁死了以后，反对派向列宁的理论进攻，企图使党离开布尔塞维克的道路，强迫它放弃列宁建设社会主义的计划。放弃这个计划就等于向阶级敌人投降，替资产阶级清除道路，让它卷土重来。在以斯大林为首的列宁主义的中央委员会领导之下，党击破了这第一次的进攻。

后来还有好几次的进攻，但是我们的党，在列宁的最好的学生与战友斯大林领导之下，接连地击退了托洛茨基反对派、卡米涅夫与季诺维也夫的新反对派、托洛茨基与季诺维也夫的联合反对派、右倾分子（布哈林、李可夫与汤姆斯基）以及其他反党的集团。斯大林在他的讲演与论文中充分暴露了所有这些反对派的机会主义的本质。托洛茨基派与右翼反革命派变成了一群被雇佣的暗杀犯、侦探、破坏者与阻挠者，法西斯特务机关的走狗。

列宁要我们保持一个强固的、统一的、有纪律的党的遗嘱是完成了。党在历次猛烈的斗争中巩固了它的统一与团结。党，在它的领袖的领导之下，在和各种机会主义者作不妥协的斗争中，保持了马克思与列宁学说的纯洁，并且还继续在发展这学说。斯大林在列宁关于党、关于在一个国家内建立社会主义、关于无产阶级专政、关于民族问题、关于土地问题、特别是关于普遍的农业集体化以及在普遍的农业集体化这基础上扫除作为阶级的富农、关于社会主义与共产主义以及其他许多问题的学说上更进一步的阐发，是列宁理论工作之有价值的继续，而斯大林的名字也早已与马克思、恩格斯、列宁的名字并列了。

因为它的团结与强固，党能够很顺利地完成了列宁建立社会主义的计划。

第十四次党大会，在对于斯大林报告的决议中，提出了全国工业化是党当前的任务这个口号。这个任务已经被光辉地完成了。

于是开始了在一切经济部门实行社会主义改造的时期。国家有了很多的进步；在第十五次党大会上，斯大林在党的面前提出了巩固城市与乡村中一切重要地位的任务，并且拟具了一个“肃清国民经济中资本主义分子的方针”，以扩大农业的集体化。

第十六次党大会是进行社会主义总攻的一个大会。大部分的农民参加了集体农场。集体农民成了乡村中苏维埃政权的支柱。国家农场发展得很快。在普遍的农业集体化的基础上，作为阶级的富农被肃清了。第一个五年计划在四年中完成，苏联从一个农业国变成一个工业国了。社会主义经济的基础已经建立了起来。工人阶级与集体农场农民开始在第二个五年计划之下从事于建立没有阶级的社会主义社会的斗争。无产阶级与农民的联盟比以前更强固了。

列宁主义的民族政策是继续坚决地执行着。苏联是更强盛了。中亚细亚与外高加索（那是在沙皇压迫之下最最受苦的地方）的民族共和国，在经济上在文化上都发展得很快。各联邦共和国人民间亲密的合作是在增进着。

在这几年之中，在斯大林领导之下，苏维埃国家与无产阶级专政壮大了起来。好几百万的人民被吸收了参加国家的工作。

对于官僚主义、松懈与迟缓的习气进行了尖锐的斗争。党与苏维埃机关廓清了异己的与敌视的分子。

由于文化的迅速提高，国家从工人与农民的队伍中得到了成千成万的新的工程师、技师与科学工作者。我国文化的进步使社会主义建设能够迅速地发展。

苏联加强了它的国际地位，并且继续为和平而作坚决的斗争。苏联在世界列强中的重要性是在不断地增进着。苏联对外和平政策的口号在各国劳动大众之间得到了极大的拥护。苏维埃国家在国际上的成功并不单单由于它的经济发展，并且也由于红军力量的加强。红军已经在技术上改造过了，已经获得了极高程度的组织与阶级意织，已经成为我国有力的文化因素与苏维埃国家边境的坚强保卫者。

在人民的领袖，斯大林同志与共产国际的舵手季米特洛夫同志领导之下，第三国际，即共产国际是日益健壮了。它已采取了一个根据马克思与列宁的学说和全世界无产阶级革命斗争的实际经验而制定的纲领。共产国际在工人、劳动农民与被压迫民族之间的影响是在不断地增长着。

第十七次党大会（这次大会在全国纪念列宁逝世十周年的时候举行）清清楚楚地表现出了，布尔塞维克党与苏维埃国家在以斯大林为首的党中央委员会光辉的领导之下，走着列宁主义路线所得到的历史的胜利。

在这些成功的基础上，党定出了在第二个五年计划期内得到更多成就的计划——最后消灭资本主义分子以及一般的阶级，彻底革除形成剥削的各种原因，克服经济上和人民心理上的资本主义残余。

由于第二个五年计划的提前完成，整个国民经济是彻底改造过了。这使苏联在技术与经济力量方面站到了世界各国的前列。

遵守着列宁所确定的路线，党在建立一个新的社会主义的社会时得到了人类历史上空前的成功。

苏维埃国家现在是经历着一个在经济与文化上有惊人进步的时期。

在资产阶级国家里，广大民众对于国家机构的影响，虽然本来已经很小，却还在削减着，在有些国家里，法西斯独裁还给工人阶级带上了镣铐；但是苏联采取了直接的、平等的选举与秘密的投票。

苏维埃的、无产阶级的民主，真正的民主，已经吸引了千千万万的劳动者参加了建设的工作，并且证明了列宁对于苏维埃制度之不可战胜性的预言。

在第八次苏维埃非常大会上所通过的斯大林宪法的实施，在苏维埃国家的政治生活上引起了一个转变。党在斯大林领导之下，光荣地实现了列宁的遗嘱并且还在沿着列宁主义的路线坚决地向前迈进。必须牢记在心，阶级斗争是尖锐的，而我们是处在资本主义的包围之中；把握技术的旧口号必须补充以精通布尔塞维主义的口号。

托洛茨基派与布哈林派的侦探、破坏者、阻挠者与暗杀犯必须加以彻底的根绝。

党要求每一个共产党员忠实于并且献身于列宁与斯大林的伟大事业。党要求扫除迟钝、疏忽与愚昧。党要求革命的警觉性，阶级的警惕性，以及对于阶级敌人的严厉性。

苏联对于新的战争与革命的时期所带来的一切困难已经有了准备。

无产阶级专政的国家将站在马克思、恩格斯、列宁与斯大林的旗帜之下，毫无恐惧地为了共产主义而斗争。它将和全世界的劳动人民站在一起，在这面旗帜之下获得胜利。

列宁的生平与斗争将永远成为在消灭全世界剥削制度的斗争中，在为争取共产主义的斗争中，怎样作战与战胜敌人的例子与模范。

列宁的生平把共产党员和一切劳动人民为了共产主义胜利的伟大事业而斗争所必须具有的坚决性、不屈不挠与不妥协性教给了工人与集体农民。

列宁是死了，但是他毕生所献身的事业，却在全世界向着胜利之途迈进。

译后小记

与其说是为了工作，不如说是为了学习，我们译完了这本书。我们根据的是苏联外国工人出版社一九三七年出版的英文本，而这英文本是以俄文本第二版修正本为根据的。书是应该说浅近晓畅的，但在我们这两个初学翻译者，也就处处觉得眼高手低了。幸亏汉夫兄在繁重的工作中抽出时间来给我们从头至尾校阅了一遍，改正了我们不少的错误。但是晦涩、欠妥以至不对的地方恐怕还是不免，这责任，当然是在我们译者身上。

译完后，我们曾化了相当的功夫致力于译名的统一。不过挂一漏万，不统一的地方不敢说没有。

无论在译文方面，在译名方面，我们都竭诚欢迎读者们的指正。

书中有许多地方用“我们的国家”，“我们的党”

等字样，这是因为原著者是一个苏联人，而且本身就是一个布尔塞维克的缘故。

第一章至第三章，第五章至第十一章，以及第二十二第二十三两章是企程译的；第十二章至第二十一章是朔望译的；第四章是春江兄译的。春江兄本来也参加我们的翻译工作，因为后来忙别的事去了，所以只译了这一章。

最后，我们敬向汉夫兄、在译名以及其他方面给我们指示的宝权兄，以及其他给我们以种种助力的朋友们表示衷心的感谢。

译者

三月三十一日

三联经典文库第二辑简目

《游击战教程》　明凡 / 著

《游击战术纲要》　陶剑青 / 编著

《汪精卫卖国的理论与实践》　钱俊瑞 / 著

《抗战以来》　韬奋 / 著

《陕行纪实》　楚云 / 著

《随军散记》　沙汀 / 著

《被日寇囚系半载记》　王研石 / 著

《倭营历险记》　房沧浪等 / 著

《活跃的新西北》　田影 / 编著

《保卫华北的游击战》　刘清扬　陈北鸥等 / 著

《徐州突围》　《徐州突围》编委会 / 编

《沦亡的平津》　长江　小方等 / 著

《淞沪火线上》　胡兰畦等 / 著

《瞻回东战场》　长江　罗平等 / 著

《东线的撤退》　胡兰畦等 / 著

《抗战中的西北》　徐盈 / 著

《鲁闽风云》　徐盈等 / 著

《西线生活》　西北战地服务团集体创作

《中国解放区见闻》　［美］福尔曼著 / 朱进译

《全面抗战论》　潘汉年 / 著

《日本的间谍》　范士白自述 / 尊闻译

《日本大陆政策的真面目》　国难资料编辑社 / 编

《民众动员论》　李公朴 / 著

《中国外交史》　钱亦石 / 编著

《太平洋军事地理》　蒋震华 / 著

《世界经济地理讲话》　思慕 / 著

《列强军力论》　［德］马克斯 · 威纳尔著 / 宾符　仲持　梅益等译

《近代国际关系史》　张铁生 / 著

《太平洋现势手册》　沈志远　石啸冲 / 编著

《近代世界政治史》　钱亦石 / 著

《从战争到和平——一九四五年的世界政治》　乔木 / 著

《战后日本问题》　思慕 / 著

《最近一年间的国际动态（1946.7–1947.6)》　《东北日报》社 / 编

《论政党》　翟放 / 著

《法与宪法》　韩幽桐 / 编著

《中华民国宪法刍议》　罗家衡 / 著

《民主 · 宪法 · 人权——作之民》　费孝通 / 著

《宪法论初步》　潘念之 / 著

《对反民主的抗争》　韬奋 / 著

《农村改进的理论与实际》　江恒源 / 著

《上海产业与上海职工》(上下)　　朱邦兴　胡林阁　徐声 / 合编

《陶行知教育论文选辑》　　陶行知著 / 方与严编

《中国通货膨胀论》　　杨培新 / 著

《中国及其未完成的革命》　　H·普拉特著 / 蒋天佐译

《中国的建设问题与人的训练》　　卢作孚 / 著

《论中国特殊性及其他》　　艾思奇 / 著

《中国经济问题讲话》　　钱俊瑞　徐雪寒　王渔邨　姜君辰

骆耕漠 / 合著

《中国经济的道路》　　许涤新 / 著

《中国财政之病态及其批判》　　孙怀仁 / 著

《官僚资本论》　　许涤新 / 著

《五四运动之史的评价》　　陈端志 / 著

《中国通史简编》(上下)　　中国历史研究会　范文澜 / 主编

《论文学的工农兵方向——读〈在延安文艺座谈会上的讲话〉》

雪苇 / 著

《中国近代史(上编　第一分册)》　　武波 / 编著

《文学百题》　　傅东华 / 编

《中国史学之进化》　　周谷城 / 著

《论民族形式问题》　　胡风 / 著

《论批评》　　荃麟等 / 著

《中国史纲》(第一卷上下、第二卷上下)　　翦伯赞 / 著

《近代中国思想学说史》(1–4)　　侯外庐 / 著

《中国政治思想史》（上下）　吕振羽 / 著

《中国哲学史纲要》　向林冰 / 著

《中国政治史讲话》　钱亦石 / 著

《中国社会经济史纲》　王渔邨 / 著

《新财政学大纲》　千家驹 / 著

《太平天国革命运动论文集——金田起义百周年纪念》

华北大学历史研究室 / 编

《理性与自由——文化思想批评论文集》　胡绳 / 著

《战斗者的诗人》　黄药眠 / 著

《国语文法》　曹朴 / 著

《教育哲学》　张栗原 / 著

《妇女问题讲话》　杜君慧 / 著

《婚姻 · 子女 · 继承》　沙千里 / 著

《性教育新论》　布士克　雅各生合著 / 董秋斯译

《狱中杂感》　杜重远 / 著

《七人之狱》　沙千里 / 著

《爱迪生传》　伍况甫 / 译

《歌德自传》（上下）　歌德著 / 思慕译

《尼赫鲁自传》　［印度］尼赫鲁著 / 毕来译

《列宁传》　［苏］凯尔任采夫著 / 企程　朔望译

《罗斯福总统传》　C. Mackenzie 著 / 张尚之译

《托尔斯泰传》（1–3）　［英］阿尔麦 · 莫德著 / 徐迟译

《革命文豪高尔基》　［美］亚历山大·康恩著 / 韬奋编译

《鲁迅纪念特辑》　新中国文艺社 / 编

《回忆鲁迅先生》　萧红 / 著

《人民文豪鲁迅》　平心 / 著

《亡友鲁迅印象记》　许寿裳 / 著

《鲁迅思想研究》　何干之 / 著

《鲁迅研究》　夏征农 / 编

《过来的时代：鲁迅论及其他》　雪峰 / 著

《电影戏剧表演术》　洪深 / 著

《日常心理漫谈》　［美］约瑟夫·查斯特罗著 / 曾宝菡译

《心理常识漫话》　朱智贤　杨云美 / 著

《读书的方法与经验》　王任叔 / 著

《美国黑人生活纪实》　［美］加德维尔　斯坦倍克著 / 董秋斯译

《初访美国》　费孝通 / 著

《事业与成功》　［美］马尔腾著 / 汪原放译

《萍踪寄语（初集）》　韬奋 / 著

《一生的幸福前途——〈生活周刊〉信箱选集》　生活书店 / 编选

《深刻的印象》　生活周刊社 / 编

《海外的感受》　生活书店编译所 / 编

ISBN 978-7-108-04685-7
9 787108 046857 >
定价：61.00元